AL ENCUENTRO DE LA VIDA

Lori Nelson Spielman

Al encuentro de la vida

Traducción de Marta Torent López de Lamadrid

Umbriel Editores

Argentina • Chile • Colombia • España
Estados Unidos • México • Perú • Uruguay • Venezuela

Título original: *The Life List*
Editor original: Bantam Books, an imprint of The Random House Publishing Group, a division of Random House, Inc., New York
Traducción: Marta Torent López de Lamadrid

Al encuentro de la vida es una obra de ficción. Todos los acontecimientos y diálogos, y todos los personajes, a excepción hecha de algunos personajes públicos conocidos, son fruto de la imaginación de la autora y no cabe pensar que son reales. Cuando aparecen personajes reales, las situaciones, acontecimientos y diálogos relativos a esas personas son totalmente ficticios y no pretenden describir sucesos de la vida real ni cambiar la naturaleza absolutamente ficticia de la obra. Por lo demás, todo parecido con cualquier persona, viva o muerta, es puramente fortuito.

1.ª edición Noviembre 2013

Aribau, 142, pral. – 08036 Barcelona
www.umbrieleditores.com

ISBN: 978-84-92915-33-0
E-ISBN: 978-84-9944-663-9
Depósito legal: B-25.745-2013

Fotocomposición: Ediciones Urano, S.A.
Impreso por Romanyà Valls, S.A. – Verdaguer, 1 – 08786 Capellades (Barcelona)

Impreso en España – *Printed in Spain*

Para mis padres, Frank y Joan Nelson

Quien mira hacia fuera, sueña; quien mira hacia dentro, despierta.

CARL JUNG

1

El eco de las voces del comedor sube por la escalera de nogal, vago, vibrante, molesto. Con manos temblorosas, cierro la puerta a mis espaldas. Mi mundo se sume en el silencio. Apoyo la cabeza en la puerta y respiro profundamente. La habitación todavía huele a ella; al perfume Eau d'Hadrien y a jabón de leche de cabra. Su cama de hierro cruje cuando me acurrucó sobre el edredón, un sonido tan reconfortante como el tintineo de los carillones de su jardín o su voz sedosa cuando me decía que me quería. Yo venía a esta cama cuando ella la compartía con mi padre, quejándome de dolor de barriga o de que había monstruos debajo de mi cama. En cada ocasión mamá me hacía un sitio, me abrazaba con fuerza y me acariciaba el pelo, mientras me susurraba: «Habrá otro cielo, mi amor, sólo tienes que esperar». Y entonces, como por arte de magia, a la mañana siguiente me despertaba cuando las cintas de ámbar atravesaban mis visillos.

Sacudo los pies para deshacerme de mis nuevos zapatos de salón negros y me doy un masaje, aliviada. Reculo y me arrellano en los cojines de cachemir amarillo. Me quedaré con esta cama, decido. La quiera quien la quiera, es mía. Pero echaré de menos esta antigua y elegante casa adosada de piedra arenisca. «Es resistente como la abuelita», decía mamá de su hogar. Pero, para mí, nunca ha habido casa ni persona tan sólida como la hija de la abuelita, mi madre, Elizabeth Bohlinger.

De pronto se me ocurre una idea. Reprimiendo las lágrimas, salto de la cama. Lo escondió aquí, sé que lo hizo. Pero ¿dónde? Abro de par en par la puerta de su armario. Mis manos palpan a tientas tras los trajes y vestidos de marca. Aparto las camisas de seda de una barra y éstas se abren como las cortinas de un teatro. Allí está, acurrucada en su zapatero como el bebé en su cuna. Una botella de champán Krug, recluida en su armario durante los últimos cuatro meses.

En cuanto la tengo en mis garras, me invade la culpa. Este champán es de mamá, no mío. Despilfarró el dinero en la botella de precio desorbitado cuando volvíamos a casa tras su primera visita al médico, y la escondió inmediatamente para que no se confundiera con las botellas normales del piso de abajo. Era un símbolo de promesa, se justificó. Al finalizar el tratamiento, cuando le dieran el alta, abriríamos juntas el excepcional champán para celebrar la vida y los milagros.

Acaricio con el dedo el papel de aluminio plateado y me muerdo el labio. No puedo beberme este champán. Era para un brindis festivo, no para una hija afligida demasiado debilitada para asistir a una comida funeraria.

Algo más me llama la atención, metido entre el hueco donde he encontrado el champán y un par de mocasines de ante. Lo cojo. Es un cuaderno rojo y delgado, un diario, intuyo, precintado con una cinta amarilla descolorida. La tapa de cuero está agrietada y desgastada. «Para Brett —ha escrito mamá en una etiqueta de regalo en forma de corazón—. Guarda esto para un día en que te sientas más fuerte. Hoy, brinda por nosotras, cariño. ¡Menudo dúo formábamos! Te quiere, mamá.»

Con el dedo sigo la letra, nunca tan pulida como cabría esperar de alguien tan bello. Me duele la garganta. Pese a su promesa de un final feliz, ella era consciente de que llegaría el día en que yo necesitaría que me rescataran. Me ha dejado su champán para hoy, y un fragmento de su vida, sus reflexiones y pensamientos íntimos, para mañana.

Pero no puedo esperar a mañana. Miro el diario fijamente, ansiosa por leer ahora mismo las palabras de mi madre. Un rápido vistazo nada más, eso es todo. Sin embargo, al tirar de la cinta amarilla una imagen de mi madre cobra forma. Está sacudiendo la cabeza, desaprobando con dulzura mi impaciencia. Miro su nota, en la que me dice que espere hasta tener más fuerzas, y me debato entre mis deseos y los suyos. Al final dejo el diario.

—Esperaré —susurro, y deposito un beso en la cubierta—, por ti.

Un gemido sale de mi pecho, resquebrajando el silencio. Me llevo la mano a la boca para sofocarlo, pero es demasiado tarde. Doblo el tronco, abrazándome las costillas, y me retuerzo literalmente de pena por mi madre. ¿Cómo voy a ir por el mundo sin ella? ¡Me queda tanta hija dentro!

Cojo el champán. Lo descorcho sujetando la botella entre las rodillas. El corcho sale disparado por la habitación y vuelca un frasco de Kytril de la mesilla de noche de mi madre. ¡Su medicamento contra las náuseas! Me agacho como puedo y recojo las pastillas triangulares, cerrando los puños con fuerza, mientras recuerdo la primera vez que le di una a mamá. Acababa de someterse a su primer tratamiento de quimioterapia y pretendía mostrarse valiente por mí. «Me encuentro bien, de verdad. He tenido retortijones menstruales más dolorosos.»

Pero aquella noche, las náuseas la sacudieron como un tsunami. Se tragó la pastilla blanca y más tarde pidió otra. Yo me acosté con ella mientras el fármaco afortunadamente hacía efecto y concilió el sueño. Me acurruqué a su lado, en esta misma cama, y le acaricié el pelo y la abracé con fuerza, como ella había hecho conmigo tantas veces. Y entonces, rota por la desesperación, cerré los ojos y le supliqué a Dios que curase a mi madre.

No me escuchó.

Las pastillas caen de la palma de mi mano y entran en el frasco de plástico de la farmacia. Dejo la tapa medio abierta y coloco el frasco en el borde de la mesilla, cerca de su cama, para que ella pueda alcanzarlo con facilidad. Pero no... mamá se ha ido. Nunca volverá a tomarse otra pastilla.

Necesito el champán.

—Por ti, mamá —susurro, mi voz quebrada—. Estaba tan orgullosa de ser tu hija. Lo sabías, ¿verdad?

En cuestión de segundos la habitación da vueltas, pero mi dolor se calma, afortunadamente. Dejo la botella de champán en el suelo y retiro el edredón de plumas. Las frías sábanas huelen ligeramente a lavanda. Parece decadente acostarse aquí, lejos del montón de desconocidos que hay un piso más abajo. Me hundo bajo las sábanas, concediéndome sólo un momento más de silencio antes de volver a bajar. Sólo un minuto más…

Unos fuertes golpes en la puerta me sacan de mi sopor. Me incorporo. Tardo un segundo en situarme… ¡Mierda, la comida! Salgo de la cama disparada y tropiezo con la botella de champán mientras me tambaleo hasta la puerta.

—¡Ay, maldita sea!

—¿Estás bien, Brett? —pregunta mi cuñada Catherine desde la puerta abierta. Antes de que pueda responder, ahoga un grito y entra corriendo en la habitación. Se agacha delante de la alfombra húmeda y levanta la botella—. ¡Santo Dios! ¿Has tirado un Clos du Mesnil de 1995?

—Primero me he tomado un buen trago. —Me dejo caer junto a ella y froto la alfombra oriental con el dobladillo de mi vestido.

—¡Por Dios, Brett! Esta botella cuesta más de setecientos dólares.

—¡Oh…! —Me levanto con dificultad y miro mi reloj con los ojos entornados, pero los números están todos borrosos—. ¿Qué hora es?

Ella se alisa el vestido de lino negro.

—Son casi las dos. Están sirviendo la comida. —Me retira un rizo suelto detrás de la oreja. Pese a que le saco tranquilamente unos trece centímetros, aun así consigue hacer que me sienta como si fuera su bebé despeinado. Casi estoy esperando que se lama los dedos y me atuse el remolino—. Estás muy demacrada —constata mientras me coloca bien el collar de perlas—. Tu madre sería la primera en decirte que tienes que cuidarte a pesar del dolor.

Pero eso no es verdad. Mi madre me diría que estoy guapa, aunque se me haya corrido el maquillaje. Insistiría en que la humedad ha realzado mis largas ondas caoba, sin crear un revoltijo estropajoso, y en que mis ojos hinchados y enrojecidos siguen siendo los ojos castaños y conmovedores de un poeta.

Siento la amenaza de las lágrimas y me giro. ¿Quién me levantará la moral ahora que mi madre se ha ido? Me agacho para coger la botella vacía, pero el suelo oscila y se bambolea. ¡Dios mío! Estoy en un velero en medio de un ciclón. Me agarro del marco de la cama como si fuera mi cuerda de salvamento y espero a que pase la tormenta.

Catherine ladea la cabeza y me observa mientras se golpetea el labio inferior con su uña de impecable manicura.

—Oye, cielo, ¿por qué no te quedas aquí? Te subiré un plato.

¿Cómo voy a quedarme? Es la comida funeraria por mi madre. Tengo que bajar. Pero la habitación está borrosa y no encuentro los zapatos. Doy vueltas en círculo. ¿Qué estaba buscando? Me tambaleo hasta la puerta, descalza, y entonces me acuerdo.

—Muy bien, zapatos. Salid, salid de dondequiera que estéis. —Me agacho y miro debajo de la cama.

Catherine me agarra del brazo y me levanta.

—Brett, ya vale. Estás borracha. Te meteré en la cama y así podrás dormirla.

—¡No! —Me suelto—. No puedo perderme la comida.

—¡Claro que sí! Tu madre no querría que...

—¡Ajá! Aquí están. —Cojo mis nuevos zapatos negros de tacón y trato de meter los pies dentro. ¡Dios! Me han crecido dos números en la última hora.

Vuelo por el pasillo lo mejor que puedo, con los pies medio dentro, medio fuera de los zapatos. Con las dos manos alargadas para mantener el equilibrio, me tambaleo de una pared a otra, como la bola de una máquina de *pinball*. A mis espaldas oigo a Catherine. Su voz es seria, pero no sube el tono, como si estuviese hablando entre dientes.

—¡Brett, para ya!

Si se cree que voy a saltarme la comida funeraria, está loca. Tengo que honrar a mi madre. Mi maravillosa y dulce madre...

Ahora estoy en la escalera, intentando aún embutir los pies hinchados en estos zapatos de salón tipo Barbie. Estoy a mitad de escalera cuando se me tuerce el tobillo.

—¡Ay...!

Una multitud de invitados, todos los cuales han venido para rendir homenaje a mi madre, se giran de golpe para mirarme. Vislumbro a mujeres horrorizadas que se llevan la mano a la boca, y a hombres boquiabiertos que se apresuran a cogerme.

Aterrizo en el recibidor, el vestido negro a medio muslo y con un zapato menos.

El entrechocar de platos me despierta. Me enjugo la baba de la comisura del labio y me incorporo. La cabeza me da punzadas y la siento espesa y embotada. Parpadeo varias veces y miro alrededor. Estoy en casa de mi madre. Estupendo. Me dará una aspirina. Me fijo en que el salón está en sombra, y los camareros pululan por ahí, amontonando platos y vasos en cubos de plástico marrones. ¿Qué está pasando? Esto me sacude como el golpe de un bate de béisbol. Se me anuda la garganta y me tapo la boca. Todo el dolor, cada ápice de angustia y tristeza me invade de nuevo.

Me han dicho que una batalla larga contra el cáncer es peor que una corta, pero no tengo claro que esto valga para los que nos quedamos. El diagnóstico y la muerte de mi madre se produjeron a tal velocidad que casi parece surrealista, como una pesadilla de la que despertaré con un grito de alivio; por el contrario, casi siempre me despierto habiendo olvidado la tragedia y me veo obligada a revivir la pérdida una y otra vez, como Bill Murray en *Atrapado en el tiempo*. ¿Me sentiré bien algún día sin que la única persona que me quiere incondicionalmente forme parte de mi vida? ¿Llegaré a ser capaz de pensar en mi madre sin que se me encoja el pecho?

Mientras me masajeo las sienes doloridas me asaltan breves fragmentos de borrosas instantáneas, que recrean mi humillante fiasco en las escaleras. Me quiero morir.

—¡Eh, dormilona! —Shelley, mi otra cuñada, viene hacia mí con Emma, de tres meses, en brazos.

—¡Oh, Dios mío! —me lamento, y hundo la cabeza en las manos—. Soy una idiota.

—¿Por qué? ¿Te crees que eres la única persona que ha estado piripi alguna vez? ¿Cómo tienes el tobillo?

Levanto una bolsa de hielo prácticamente derretido de mi tobillo y giro el pie en círculos.

—No tengo nada. —Sacudo la cabeza—. Se curará mucho antes que mi ego. ¿Cómo he podido hacerle algo así a mi madre? —Dejo caer la bolsa de agua helada al suelo y me levanto del sofá—. En una escala del uno al diez, Shel, ¿hasta qué punto hice el ridículo?

Ella me da una palmada.

—Les dije a todos que estabas agotada. Y se lo tragaron. Fue fácil inventarse ese cuento, porque tenías pinta de llevar semanas sin dormir. —Echa un vistazo a su reloj—. Oye, Jay y yo nos vamos ya, son las siete pasadas.

Diviso a Jay en el recibidor acuclillado frente a su hijo Trevor, de tres años, para meterle los bracitos en un impermeable amarillo chillón con el que parece un bombero en miniatura. Sus ojos de color azul cristalino se cruzan con los míos y suelta un grito.

—¡Tía Blett!

Se me rompe el corazón y albergo secretamente la esperanza de que mi sobrino nunca aprenda a pronunciar las erres. Camino hasta él y le revuelvo el pelo.

—¿Cómo está mi chicarrón?

Jay abrocha el cierre metálico del cuello de Trevor y se incorpora.

—¡Tú por aquí! —Si no fuera por las reveladoras arrugas que flanquean los hoyuelos de su sonrisa, mi hermano parece más cerca de los veintiséis que de los treinta y seis años que tiene. Me rodea con un brazo—. ¿Te ha sentado bien la siesta?

—¡Cuánto lo siento! —exclamo mientras me retiro una escama de rímel de debajo del ojo.

Me planta un beso en la frente.

—No te preocupes. Todos sabemos que la que lo está pasando peor eres tú.

Lo que quiere decir es que, de los tres hermanos Bohlinger, yo soy la que aún está soltera, la que no tiene familia propia. Era la que más me apoyaba en mamá. Mi hermano se compadece de mí.

—Todos estamos tristes —digo apartándome.

—Pero tú eras su hija —dice mi hermano mayor, Joad. Dobla la esquina del recibidor, su cuerpo enjuto prácticamente oculto por un ramo de flores colosal. A diferencia de Jay, que se peina el pelo cada vez más ralo hacia atrás, Joad se afeita la cabeza dejándola suave como un huevo, lo cual, junto con sus gafas de montura transparente, le da un aire bohemio-urbanita. Se gira y me da un besito en la mejilla—. Las dos teníais un vínculo especial. No sé qué habríamos hecho Jay y yo sin ti, sobre todo al final.

Es verdad. Cuando a nuestra madre le diagnosticaron un cáncer de ovarios la primavera pasada, la convencí de que lo combatiríamos juntas. Fui yo quien cuidó de ella después de la operación, quien estuvo a su lado en cada tratamiento de quimio, quien insistió en tener una segunda y luego una tercera opinión. Y cuando todos los expertos coincidieron en que su pronóstico era desalentador, fui yo quien estuvo con ella el día en que decidió dejar los tratamientos atroces.

Jay me aprieta la mano, sus ojos azules brillan por las lágrimas.

—Estamos contigo, lo sabes, ¿verdad?

Asiento y saco un pañuelo de papel del bolsillo.

Shelley interrumpe nuestra silenciosa aflicción apareciendo en el recibidor con la bolsa del cochecito de Emma a cuestas. Se vuelve hacia Jay.

—Cariño, ¿podrías coger ese árbol de jade que han enviado mis padres? —Mira a Joad y luego a mí—. Vosotros no lo queréis, ¿verdad, chicos?

Joad señala con la cabeza el jardín botánico que lleva en los brazos, por si a ella le ha pasado desapercibido.

—Ya tengo mi planta.

—Llévatelo —digo. Me desconcierta que a alguien le importe una planta cuando nuestra madre acaba de morir.

Mis hermanos y sus mujeres salen alicaídos de la casa adosada de nuestra madre al atardecer neblinoso de septiembre mientras yo aguanto la puerta de palisandro abierta, como solía hacer mi madre. Catherine, que está remetiéndose un pañuelo de Hermès en su chaqueta de ante, es la última en pasar.

—Nos vemos mañana —me dice, plantándome un beso rosa fucsia en la mejilla.

Yo refunfuño. Como si decidir quién se queda con qué planta no fuese suficientemente divertido, mañana por la mañana a las diez y media todos los activos de nuestra madre se repartirán entre sus hijos como si fuese la ceremonia de los premios Bohlinger. En cuestión de horas me convertiré en la presidenta de Cosméticos Bohlinger y jefa de Catherine; y no tengo la más mínima seguridad de que pueda manejar bien ninguna de las dos cosas.

El caparazón tormentoso de la noche se agrieta, dando paso a una mañana de cielo azul y despejado. Un buen presagio, decido. Desde el asiento trasero de una limusina Lincoln, contemplo la espumosa costa del lago Michigan y ensayo mentalmente lo que diré. *¡Vaya! Estoy abrumada. ¡Qué honor! Jamás reemplazaré a mi madre, pero haré lo imposible por sacar adelante la compañía.*

La cabeza me da punzadas, y me maldigo de nuevo por haberme bebido ese maldito champán. ¿En qué estaba pensando? Me encuentro mal; y no sólo físicamente. ¿Cómo he podido hacerle eso a mi madre? ¿Y cómo puedo siquiera esperar que mis hermanos me tomen ahora en serio? Cojo la polvera del bolso y me aplico unos toquecitos de polvos en las mejillas. Hoy debo parecer competente y serena; como corresponde a una consejera delegada. Mis hermanos necesitan saber que puedo controlar el negocio, aunque no siempre sea capaz de controlar el alcohol. ¿Estarán orgullosos de su hermana pequeña, que pasará de ejecutiva de cuentas a presidenta de una gran compañía a la edad de treinta y cuatro años? Pese a la debacle de ayer, creo que sí. Ellos tienen sus respectivas profesiones y, al margen de sus acciones, apenas se implican en el negocio familiar. Y Shelley es logopeda y una mami ocupada. Le importa un comino quién dirige la compañía de su suegra.

Es Catherine la que me da miedo.

Licenciada en la prestigiosa Escuela de Negocios Wharton de Pensilvania y miembro del equipo estadounidense de natación sincronizada durante los Juegos Olímpicos de 1992, mi cuñada tiene la inteligencia, la tenacidad y la ventaja competitiva para dirigir tres compañías simultáneamente.

Durante los últimos doce años ha ostentado el cargo de vicepresidenta de Cosméticos Bohlinger y ha sido la mano derecha de mi madre. Sin Catherine, Cosméticos Bohlinger habría seguido siendo una empresa artesanal pequeña, aunque, eso sí próspera. Cuando se incorporó, fue ella quien convenció a mi madre de que expandiera su línea. A primeros de 2002, se enteró de un episodio nuevo que iba a emitir Oprah Winfrey llamado «Mis cosas favoritas». Durante veintiuna semanas seguidas, Catherine envió paquetes exquisitamente envueltos de jabones y lociones orgánicos de Bohlinger a los Estudios Harpo, junto con fotos y artículos sobre la compañía de productos puramente naturales y ecológicos. Justo cuando estaba preparando el vigésimo segundo envío, llamaron de los estudios. Oprah había elegido la mascarilla facial orgánica de té negro y pepita de uva entre sus productos favoritos.

El episodio se emitió y el negocio se disparó. De pronto todos los *spas* y almacenes de calidad pidieron la línea Bohlinger. La producción se cuadruplicó en los primeros seis meses. Tres grandes compañías ofrecieron cantidades astronómicas de dinero para adquirir la empresa en el acto, pero Catherine convenció a mi madre de que no vendiese. En lugar de eso abrió tiendas en Nueva York, Los Ángeles, Dallas y Miami, y dos años después expandió el negocio a los mercados internacionales. Aunque me encantaría pensar que mi destreza publicitaria tuvo algo que ver en ello, la compañía se convirtió en una empresa multimillonaria principalmente gracias a Catherine Humphries-Bohlinger.

Es innegable. Catherine es la abeja reina, y como directora de *marketing* yo he sido una de sus leales abejas obreras. Pero en cuestión de minutos, nuestros roles se habrán invertido. Me convertiré en su jefa; una idea que me aterra.

En junio pasado, cuando mi madre estaba en pleno tratamiento y su presencia en Cosméticos Bohlinger era esporádica, Catherine me llamó a su despacho.

—Es importante que aprendas los entresijos de la empresa, Brett —dijo, sentada tras su escritorio de cerezo con las manos entrelazadas frente a sí—. Por mucho que queramos negarlo, nuestras vidas van a cambiar. Tienes que prepararte para asumir tu papel.

¡Catherine creía que mi madre iba a morir! ¿Cómo podía ponerse en lo peor? No, era realista y casi nunca se equivocaba. Me recorrió un escalofrío.

—Lógicamente, en cuanto fallezca, todas las acciones de tu madre serán para ti; al fin y al cabo, eres su única hija y la única de sus hijos que está en la empresa. Además, has trabajado codo con codo con ella más tiempo que nadie.

Se me hizo un nudo en la garganta. Mi madre solía alardear de que me incorporé a la compañía cuando aún llevaba pañales. Me metía en la mochila portabebés y nos íbamos a ofrecer sus jabones y lociones a las tiendas locales y mercados agrícolas.

—Y, como accionista mayoritaria —continuó Catherine—, te corresponde su cargo de consejera delegada.

Algo en su tono frío y comedido hizo que me preguntara si esto le molestaba. ¿Y quién podría culparla? Era una mujer brillante. Y yo... yo casualmente era la hija de Elizabeth.

—Te ayudaré a prepararte; no quiero decir que no lo estés ya. —Tecleó y abrió el calendario de su ordenador—. ¿Qué te parece si empezamos mañana a las ocho en punto de la mañana? —No era una pregunta, era una orden.

Así que cada mañana me senté en una silla al lado de Catherine y le escuché mientras me explicaba las ventas en el extranjero, los sistemas tributarios internacionales y el funcionamiento cotidiano de la compañía. Me envió a un seminario de una semana de duración a la Escuela de Negocios de Harvard para ponerme al día en las últimas técnicas de gestión, y me inscribió en talleres *online* sobre temas que abarcaban desde la racionalización presupuestaria hasta las relaciones entre empleados. Aunque en muchas ocasiones me sentí saturada, en ningún momento me planteé dejarlo. Será un honor llevar la corona que en su día fue de mi madre. Sólo espero que mi cuñada no acabe enfadándose cada vez que se le pida que ayude a sacarle brillo.

El chófer de mi madre me deja en E. Randolph Street 200 y alzo la vista hacia la estructura de granito y acero del Aon Center de Chicago. La zona de oficinas de este lugar ha de ser brutal. Es evidente que el abogado de mi madre no es manco. Me dirijo a la trigesimosegunda planta, y, a las diez y media en punto, Claire, una atractiva pelirroja, me acompaña al despacho del señor Midar, donde mis hermanos y sus esposas ya se han reunido alrededor de una mesa de caoba rectangular.

—¿Le apetece un café, señorita Bohlinger? —me pregunta Claire—. ¿O un té quizá? ¿Agua mineral?

—No, gracias. —Encuentro un sitio libre al lado de Shelley y miro alrededor. El despacho del señor Midar es una impresionante mezcla de lo antiguo y lo moderno. El espacio en sí huele a modernidad, todo es mármol y cristal, pero él lo ha suavizado con alfombras orientales y varios muebles antiguos exclusivos. El resultado es una luminosidad balsámica.

—Bonito lugar —comento.

—¿A que sí? —dice Catherine desde el otro lado de la mesa—. Me encanta la arquitectura de Stone*.

—A mí también. Y en este edificio hay suficiente granito para abrir una cantera.

Catherine se ríe entre dientes, como si yo fuese una niña pequeña que acaba de contar un chiste.

—Me refería a Stone. Edward Durell Stone —me dice—. El arquitecto.

—¡Ah, vale! —¿No hay nada que esta mujer no sepa? Aunque en lugar de impresionarme, la inteligencia de Catherine hace que me

* Juego de palabras con la palabra *stone*, que en inglés es piedra y aquí se refiere también a Edward Durell Stone, el arquitecto estadounidense practicante del modernismo romántico que vivió de 1902 a 1978. *(N. de la T.)*

sienta una ignorante, su fortaleza hace que me sienta débil y sus aptitudes hacen que me sienta más inútil que una faja reductora en el cuerpo de Victoria Beckham. Quiero mucho a Catherine, pero es un amor que está empañado por la intimidación; no sé si resultado de mi inseguridad o de la arrogancia de ella. Mamá me dijo en cierta ocasión que yo era igual de inteligente que mi cuñada pero que sólo tenía una pizca de su confianza en sí misma. Entonces me susurró: «Y a Dios gracias». Fue la única vez que la oí hablar mal de Catherine la Grande, pero esa única afirmación exenta de censura me reconforta enormemente.

—Fue originalmente construido para la Standard Oil Company —continúa Catherine, como si me interesara—. En 1973, si no me equivoco.

Jay rueda su silla hacia atrás, fuera del campo de visión de Catherine y finge un bostezo exagerado. Sin embargo, Joad parece fascinado con el parloteo de su mujer.

—Muy bien, cariño. Es el tercer edificio más alto de Chicago —asegura Joad, mirando a Catherine como si buscase corroboración. Aunque mi hermano mayor es uno de los arquitectos jóvenes más valorados de la ciudad, me da que también se siente un poco intimidado por la potencia de la mujer con la que se casó—. Sólo superado por la Torre Trump y la Torre Willis.

Catherine me mira.

—La Torre Willis, ya sabes, la antigua Torre Sears.

—¿La Torre Sears? —pregunto mientras me froto la barbilla con fingida confusión—. ¿Para qué querrán unos grandes almacenes una torre entera?

Jay sonríe desde el otro lado de la mesa, pero Catherine me mira como si no estuviese del todo segura de que bromeo antes de reanudar su lección.

—Este lugar tiene ochenta y tres plantas sobre el nivel de la calle...

La partida de banalidades arquitectónicas finaliza cuando se abre la puerta y, como una exhalación, entra en la sala un hombre alto y desaliñado, un tanto jadeante. Aparenta unos cuarenta. Se atusa el pelo moreno y se endereza la corbata.

—Hola a todos —dice mientras camina hacia la mesa—. Soy Brad Midar. Lamento haberles hecho esperar. —Bordea la mesa a zancadas para estrecharnos la mano a todos mientras nos presentamos. La intensidad de su mirada se ve atenuada por un ligero apiñamiento de sus dientes frontales, que le confiere un atractivo auténtico y juvenil. Me pregunto si mis hermanos piensan lo mismo que estoy pensando yo. ¿Por qué contrató mamá a este chico, un completo desconocido, y no al señor Goldblatt, que ha sido el abogado de la familia durante años?

—Vengo de una reunión en la otra punta de la ciudad —dice Midar, y encuentra su butaca en la cabecera de la mesa, en diagonal a mí—. No pensé que se me haría tan tarde.

Deja una carpeta de papel manila encima de la mesa. Lanzo una mirada a Catherine, con su bloc y su bolígrafo a punto, y me muero de vergüenza. ¿Por qué no he pensado en tomar notas? ¿Cómo demonios voy a dirigir una compañía entera cuando ni siquiera me acuerdo de coger mi bloc de notas?

El señor Midar carraspea.

—Déjenme que empiece por decirles lo mucho que lamento su pérdida. Elizabeth me caía muy bien. Nos conocimos el pasado mayo, justo después de ser diagnosticada, pero de algún modo tengo la sensación de que la conocía desde hacía años. Ayer no pude estar mucho rato en la comida funeraria, pero asistí al funeral. Quiero pensar que fui en calidad de amigo, no de abogado.

Enseguida me cae bien este abogado atareado que sacó tiempo para asistir al funeral de mi madre, una mujer a la que conocía desde hacía apenas dieciséis semanas. Pienso en el abogado que hay en mi vida, mi novio Andrew, que conocía a mi madre desde hacía cuatro años, pero fue incapaz de hacer un hueco en su agenda para acudir a la comida de ayer. Reprimo el dolor en mi pecho; después de todo, estaba en medio de un juicio. Y se escapó para asistir al funeral.

—Dicho esto —continúa el señor Midar—, es para mí un honor ser el albacea de su patrimonio. ¿Empezamos?

Una hora después, las organizaciones benéficas predilectas de mi madre son considerablemente más solventes, y Jay y Joad Bohlinger tienen dinero suficiente para pasar el resto de sus días instalados en una locura ociosa. ¿Cómo hizo mamá para amasar semejante fortuna?

—Brett Bohlinger percibirá su herencia más adelante. —El señor Midar se saca las gafas de lectura y se me queda mirando—. Aquí hay un asterisco. Luego explicaré esto con detalle.

—De acuerdo —digo, rascándome literalmente la cabeza. ¿Por qué no quería mamá darme hoy mi herencia? Quizá lo explique en ese pequeño diario rojo que me ha dejado. Y entonces caigo. Me quedaré con la compañía entera, que a día de hoy vale millones. Aunque sabe Dios qué tal irá bajo mi dirección. Siento un dolor sordo en las sienes.

—A continuación viene la casa de su madre. —Se coloca las gafas de lectura encima de la nariz y busca en el documento el punto en cuestión—. «La casa de North Astor Street, ciento trece, y todo su contenido deben permanecer intactos durante doce meses. Ni el inmueble ni su contenido pueden venderse ni alquilarse en este tiempo. Mis hijos pueden vivir en la casa no más de treinta días consecutivos y pueden disponer de cuanto hay en ella para su uso personal.»

—¿Va en serio? —pregunta Joad, con la mirada fija en el señor Midar—. Tenemos nuestras propias casas. No hay ninguna necesidad de mantener la suya.

Noto que me arde la cara y dirijo la atención a mis cutículas. Está claro que mi hermano cree que soy copropietaria del *loft* que comparto con Andrew. Aunque he vivido allí desde que mi novio lo compró hace tres años, y he metido más dinero en la vivienda que él, no figuro en el título de propiedad. Técnicamente es suyo. Y a mí la verdad es que no me importa. Para mí el dinero nunca ha sido un problema como para Andrew.

—Es la voluntad de mamá, chico —dice Jay en su afable tono habitual—. Tenemos que respetar sus deseos.

Joad sacude la cabeza.

—Ya, pero es de locos. Doce meses de impuestos desorbitados. Por no hablar del mantenimiento de la vieja reliquia.

Joad heredó el temperamento emocional de nuestro padre: firme, pragmático y carente de sentimentalismo. Su naturaleza impasible puede ser útil, como la semana pasada cuando estábamos organizando el funeral. Pero hoy parece irrespetuoso. Si se le diera carta blanca, seguramente mi hermano plantaría un cartel de se vende en el jardín de mamá y un contenedor de basura en el sendero de acceso al término de la jornada. En lugar de eso, tendremos tiempo para examinar a conciencia sus pertenencias y desprendernos cuidadosamente de cosas suyas, de una en una. A Andrew le parece demasiado tradicional, pero cabe la posibilidad de que uno de mis hermanos incluso decidiese quedarse para siempre con el preciado inmueble de mi madre.

Mamá compró la casa adosada en ruinas cuando se produjo la ejecución hipotecaria, el mismo año en que yo me fui a estudiar a Northwestern. Mi padre se lo recriminó, le dijo que era de locos embarcarse en un proyecto tan importante. Pero en aquel entonces ya era su ex marido. Mamá era libre para tomar sus propias decisiones. Vio algo mágico más allá de los techos podridos y las alfombras hediondas. Se necesitaron años de duro trabajo y sacrificio, pero finalmente su visión y su paciencia se impusieron. Hoy día, el edificio decimonónico, ubicado en el codiciado barrio Golden Coast de Chicago, es una joya. Mi madre, hija de un obrero de la siderurgia, solía bromear diciendo que era como Louise Jefferson, de la serie de televisión *Los Jefferson*, porque había «ascendido» desde su ciudad natal de Gary, en Indiana. ¡Ojalá mi padre hubiese vivido el tiempo suficiente para ser testigo de la espectacular transformación de la casa, y de su mujer, que a mí me parecía que siempre había subestimado!

—¿Está seguro de que estaba en sus cabales cuando hizo este testamento? —pregunta Joad.

Detecto un no sé qué cómplice en la sonrisa del abogado.

—Sí que estaba en sus cabales, sí. Les aseguro que su madre sabía exactamente lo que hacía. De hecho, jamás he visto una planificación tan detallada.

—Continuemos —dice Catherine, la sempiterna directiva—. Nos ocuparemos de la casa cuando llegue el momento.

El señor Midar carraspea.

—De acuerdo. ¿Pasamos ahora a Cosméticos Bohlinger?

La cabeza me va a estallar y noto cuatro pares de ojos clavados en mí. La escena de ayer aparece de nuevo y el pánico me paraliza. ¿Qué clase de consejera delegada se emborracha en la comida funeraria de su madre? No merezco este honor. Pero ya es demasiado tarde. Al igual que una actriz nominada a un Oscar, procuro que mi cara sea la imagen de la neutralidad. Catherine está sentada con su bolígrafo en mano, esperando para tomar nota de hasta el último detalle de la oferta empresarial. Más vale que me vaya acostumbrando. Subordinada o no, esta mujer me vigilará durante el resto de mi carrera.

—«Todas mis acciones de Cosméticos Bohlinger, así como el cargo de consejera delegada, serán para mi... *—Actúa con naturalidad. No mires a Catherine—* nuera —oigo, medio alucinada— Catherine Humphries-Bohlinger.»

2

—¿Qué…? —pregunto en voz alta. De pronto me doy cuenta de que no he ganado el maldito Oscar, y para mi horror no muestro la más mínima elegancia. De hecho, estoy ostensiblemente cabreada.

Midar me mira por encima de la montura de concha de sus gafas.

—¿Disculpe? ¿Quiere que lo repita?

—Sí…, sí —tartamudeo mientras mis ojos recorren a los miembros de la familia, esperando encontrar un atisbo de respaldo. La mirada de Jay es solidaria, pero Joad no puede ni mirarme. Está garabateando en su bloc de notas, su mandíbula se mueve sin parar. Y Catherine, en fin, lo cierto es que podría haber sido actriz, porque la expresión de incredulidad de su rostro es totalmente creíble.

El señor Midar se inclina hacia mí y me habla con parsimonia, como si fuese su achacosa y anciana abuela.

—Las acciones de su madre de Cosméticos Bohlinger serán para su cuñada Catherine. —Me entrega el documento oficial para que lo vea—. Ambas recibirán una copia de esto, pero ahora si quieren pueden leer la mía.

Frunzo el ceño y rechazo su ofrecimiento con la mano, haciendo lo imposible por respirar.

—No, gracias —consigo decir—. Continúe, por favor. Lo siento. —Me encojo en mi silla y me muerdo el labio para evitar que tiemble. Tiene que haber un error. He… he trabajado tan duro. Quería que ella estuviera orgullosa. ¿Me habrá tendido Catherine una trampa? No, jamás sería tan cruel.

—Eso básicamente da por finalizada esta parte del proceso —nos cuenta el abogado—. Tengo un asunto confidencial que tratar con Brett. —Me mira—. ¿Tiene tiempo ahora o fijamos una reunión para otro día?

Estoy perdida en una niebla, tratando de encontrar el camino de salida.

—Hoy me va bien —dice alguien con una voz que parece mía.

—De acuerdo, pues. —Escudriña los rostros de la mesa—. ¿Alguna pregunta antes de levantar la sesión?

—Está todo claro —replica Joad. Se levanta de su silla y se dirige hacia la puerta como un prisionero que sale al patio.

Catherine comprueba si tiene mensajes de teléfono y Jay se acerca corriendo a Midar, rebosante de gratitud. Mira un momento hacia mí, pero rápidamente aparta la mirada. Mi hermano está avergonzado, no cabe duda. Y yo me encuentro mal. La única a la que reconozco es a Shelley, con sus rebeldes rizos castaños y dulces ojos grises. Abre los brazos y me estrecha en un abrazo. Ni siquiera Shelley sabe qué decirme.

Por turnos, mis hermanos le dan la mano al señor Midar mientras yo sigo en silencio sentada en mi silla como la alumna traviesa a la que retienen después de clase. En cuanto se van, el abogado cierra la puerta. Una vez cerrada, hay tanto silencio que puedo oír el runrún de la sangre a su paso por mis sienes. Vuelve a su asiento en la cabecera de la mesa, por lo que formamos un ángulo recto. Tiene el rostro lampiño y bronceado, y sus ojos castaños contrastan levemente con sus facciones angulosas.

—¿Se encuentra usted bien? —me pregunta, como si realmente quisiera una respuesta. Debemos de pagarle por horas.

—Estoy muy bien —le digo. *Pobre, huérfana de madre y humillada, pero muy bien. Estupendamente.*

—A su madre le preocupaba que hoy fuese un día especialmente duro para usted.

—¿En serio? —pregunto con una risilla amarga—. ¿Pensó que tal vez me disgustaría ser excluida de su testamento?

Me da unas palmaditas en la mano.

—Eso no es del todo cierto.

—Su única hija, y no recibo nada. Absolutamente nada. Ni siquiera un mueble de recuerdo. Soy su hija, ¡maldita sea!

Aparto mi mano de la suya y la oculto en mi regazo. Cuando bajo la mirada, ésta aterriza en mi anillo de esmeralda, deambula hasta mi Rolex y finalmente se posa en mi pulsera Trinity de Cartier. Alzo la vista y detecto algo parecido a la repulsión ensombreciendo el adorable rostro del señor Midar.

—Sé lo que está pensando. Cree que soy una egoísta y una malcriada. Cree que esto tiene que ver con el dinero o el poder. —Siento un nudo en la garganta—. La cosa es que ayer lo único que quería era su cama. Eso es todo. Tan sólo quería su antigua... —Me froto el nudo de la garganta— cama de anticuario... para poder acurrucarme y sentir a mi madre...

Para mi horror, empiezo a llorar. Remilgados al principio, mis gemidos se convierten en sollozos deformes e incontrolables. Midar corre a su escritorio en busca de pañuelos de papel. Me pasa uno y me da unas palmaditas en la espalda mientras me esfuerzo por recuperar la compostura.

—Lo lamento —digo con voz ronca—. Todo esto es... muy duro para mí.

—Lo entiendo. —La sombra que cruza su rostro me hace pensar que tal vez sea realmente así.

Me enjugo los ojos con el pañuelo. *Respira hondo. Otra vez.*

—Muy bien —digo, al borde de la serenidad—. Ha dicho que tenía un asunto que tratar conmigo.

Extrae una segunda carpeta de papel manila de una cartera de cuero y la deja en la mesa delante de mí.

—Elizabeth tenía pensado algo distinto para usted.

Abre la carpeta y me entrega un papel de bloc amarillo. Me lo quedo mirando. El mosaico de arrugas me sugiere que en su día fue reducido a una pelotita.

—¿Qué es esto?

—Una lista de objetivos vitales —me dice—. *Su* lista.

Tardo unos cuantos segundos en advertir que, ciertamente, la letra es mía. Mi letra cursi de cuando tenía catorce años. Por lo visto escribí una lista de objetivos vitales, si bien no lo recuerdo. Además de algunos objetivos, descubro los comentarios escritos a mano de mi madre.

MIS OBJETIVOS VITALES

*1. Tener un hijo, quizá dos
~~2. Besar a Nick Nicol~~
~~3. Entrar en el grupo de animadoras~~ *Felicidades. ¿Tan importante era?*
~~4. Sacar sobresalientes~~ *La perfección está sobrestimada.*
5. Esquiar en los Alpes *¡Cómo nos divertimos!*
*6. Tener un perro
~~7. Contestar correctamente cuando la hermana Rose me llame la atención y yo esté hablando con Carrie~~
~~8. Ir a París~~ *¡Ah…, qué recuerdos!*
*9. ¡Ser amiga de Carrie Newsome para <u>siempre</u>!
~~10. Ir a Northwestern~~ *¡Qué orgullosa estoy de mi gata montés, mi Wildcat!*
~~11. Ser supersimpática y amable~~ *¡Queda un largo camino por delante!*
*12. Ayudar a los pobres
*13. Tener una casa que mole de verdad
*14. Comprar un caballo
~~15. Correr delante de los toros~~ *Ni lo sueñes.*
~~16. Aprender francés~~ *Très bien!*
*17. Enamorarme
*18. Actuar en directo, en un escenario supergrande
*19. Tener una buena relación con papá
*20. ¡Ser una <u>gran</u> profesora!

—¡Vaya! —exclamo, echando un vistazo a la lista—. Besar a Nick Nicol. Ser animadora. —Sonrío y le vuelvo a pasar la lista—. Entrañable. ¿De dónde ha sacado esto?

—Elizabeth. Lo ha guardado todos estos años.

Ladeo la cabeza.

—¿Y… qué? ¿Me ha dejado en herencia mi antigua lista de objetivos vitales? ¿Ya está?

El señor Midar no sonríe.

—Bueno, más o menos.

—¿De qué va todo esto?

Acerca su silla un poco más a la mía.

—Está bien, pasa lo siguiente. Elizabeth sacó esta lista de la basura hace mucho tiempo. Con el paso de los años, cada vez que alcanzaba usted uno de sus objetivos, ella lo tachaba. —Señala APRENDER FRANCÉS—. ¿Lo ve?

Mi madre había trazado una línea sobre el objetivo y al lado había escrito *Très bien!*

—Pero hay diez objetivos en la lista todavía por lograr.

—¡No me diga! No tienen nada que ver con los objetivos que tengo ahora.

Él niega con la cabeza.

—Su madre creía que estos objetivos eran válidos, incluso hoy.

Frunzo el ceño, me duele pensar que mi madre no me conociera mejor.

—Pues se equivocaba.

—Y quiere que complete usted la lista.

Me quedo boquiabierta.

—Tiene que estar bromeando. —Agito la lista frente a él—. ¡Escribí todo esto hace veinte años! Me encantaría satisfacer los deseos de mi madre, pero ¡eso no sucederá con estos objetivos!

Él alarga las manos como un guardia urbano.

—¡Alto! Yo no soy más que el mensajero.

Respiro hondo y asiento.

—Perdone. —Me arrellano de nuevo en mi silla y me masajeo la frente—. ¿En qué estaría pensando mi madre?

El señor Midar hojea la carpeta y saca un sobre rosa pálido. Lo reconozco al instante. Es de Crane, su papelería favorita.

—Elizabeth le escribió una carta y me pidió que se la leyese en voz alta. No me pregunte por qué no puedo simplemente entregársela. Insistió en que yo la leyese en voz alta. —Me dedica una sonrisa de sabidillo—. Sabe leer, ¿verdad?

Disimulo una sonrisa.

—Mire, no tengo ni idea de lo que pretendía mi madre. Hasta hoy le hubiese dicho que si ella le pidió que me la leyese en voz alta, alguna razón habría. Pero ahora cualquier cosa es posible.

—Me temo que ése sigue siendo el caso. Ella tenía sus motivos.

Mi corazón se acelera con el sonido del sobre al abrirse. Me obligo a estar quieta y juntar las manos sobre mi regazo.

Midar se coloca las gafas de lectura encima de la nariz y se aclara la garganta.

—«Querida Brett:

»Deja que empiece diciendo lo mucho que siento todo lo que has tenido que aguantar estos últimos cuatro meses. Has sido mi voluntad, mi alma, y te doy las gracias. No quería dejarte aún. Nos quedaba tanta vida y tanto amor todavía, ¿verdad? Pero eres fuerte, resistirás, hasta prosperarás, aunque ahora no me creas. Sé que hoy estás triste. Deja que la tristeza se aposente un poco.

»Me encantaría estar ahí para ayudarte a superar estos dolorosos momentos. Te abrazaría y te estrecharía con fuerza hasta que te quedaras sin aliento, como te pasaba de pequeña. O quizá te llevaría a comer. Buscaríamos una mesa apartada en The Drake y me pasaría toda la tarde escuchando tus miedos y penas, acariciándote el brazo para hacerte saber que siento tu dolor.»

La voz de Midar parece un poco pastosa. Mira hacia mí.

—¿Está usted bien?

Asiento, incapaz de hablar. Me agarra del brazo y lo aprieta antes de continuar.

—«Hoy te habrá desconcertado mucho que tus hermanos reciban su herencia, y tú no. Y me imagino la rabia que te habrá dado que el cargo más importante haya sido para Catherine. Confía en mí. Sé lo que estoy haciendo, y todo lo que hago es por tu propio bien.»

Midar me sonríe.

—Su madre la quería.

—Lo sé —susurro, disimulando el temblor del mentón.

—«Un día, hace casi veinte años, estaba vaciando tu papelera de *Beverly Hills, 90210* y encontré una bola de papel arrugado. Lógicamente, era demasiado cotilla como para deshacerme de ella. Imagínate la alegría que me llevé al abrirla y descubrir que habías escrito una lista de objetivos vitales. No sé muy bien por qué decidiste tirarla, porque a mí me pareció adorable. Te pregunté al respecto aquella noche, ¿recuerdas?»

—No —digo en voz alta.

—«Me dijiste que los sueños eran para los idiotas. Dijiste que no creías en los sueños. Creo que eso a lo mejor tuvo algo que ver con tu padre. Aquella tarde tenía que haberte ido a buscar para salir a dar una vuelta, pero no se presentó.»

El dolor me aprisiona el corazón y se enrosca, retorciéndolo en un espantoso nudo de vergüenza y rabia. Me muerdo el labio inferior y cierro los ojos con fuerza. ¿Cuántas veces me dio plantón mi padre? He perdido la cuenta. Después de la primera docena de veces, debería haber aprendido. Pero era demasiado ingenua. Yo creía en Charles Bohlinger. Como un Santa Claus imaginario, seguro que, si tenía fe, mi padre aparecería.

—«Tus objetivos vitales me conmovieron profundamente. Algunos eran divertidos, como el número siete. Otros eran serios y compasivos, como el número doce: AYUDAR A LOS POBRES. Siempre has sido muy generosa, Brett, una persona muy sensible y considerada. Ahora me duele ver que muchos de tus objetivos vitales siguen sin cumplirse.»

—No quiero estos objetivos, mamá. He cambiado.

—«Naturalmente, has cambiado...» —lee Midar.

Le quito la carta de las manos.

—¿En serio puso ella eso?

Él señala la línea.

—Justo aquí.

Se me eriza el vello de los brazos.

—Curioso. Siga.

—«Naturalmente, has cambiado, pero, cariño, temo que hayas abandonado tus verdaderas aspiraciones. ¿Acaso tienes algún objetivo a día de hoy?»

—Por supuesto que sí —digo, devanándome los sesos para dar siquiera con uno—. Hasta hoy esperaba dirigir Cosméticos Bohlinger.

—«Nunca has encajado en la empresa.»

Antes de que pueda coger el papel, el señor Midar se inclina hacia delante, señalando la frase.

—¡Oh, Dios mío! Es como si me estuviese escuchando.

—A lo mejor por eso quería que se lo leyese en voz alta, para que las dos pudiesen conversar un poco.

Me seco los ojos con un pañuelo de papel.

—Siempre tuvo un sexto sentido. Cuando me preocupaba algo, nunca tenía que contárselo. Me lo decía ella. Y cuando intentaba convencerla de lo contrario, ella me miraba y decía: «Brett, olvidas que yo te parí. Soy la única persona a la que no puedes engañar».

—¡Qué bonito! —dice él—. Esa clase de conexión no tiene precio.

Vuelvo a detectarlo, ese destello de dolor en sus ojos.

—¿Ha perdido usted a su padre o a su madre?

—Ambos están vivos. Viven en Champaign.

Pero no dice si están bien de salud. Lo dejo estar.

—«Siento haberte dejado trabajar en Cosméticos Bohlinger todos estos años...»

—¡Mamá! ¡Muchas gracias!

—«Eras demasiado sensible para ese ambiente. Has nacido para ser profesora.»

—¿Profesora? Pero ¡si odio dar clases!

—«Nunca te diste una oportunidad como Dios manda. Tuviste una experiencia horrible aquel año en el Meadowdale, ¿recuerdas?»

Sacudo la cabeza.

—Lo recuerdo perfectamente. Fue el año más largo de mi vida.

—«Y cuando viniste a mí, llorando de frustración y llena de angustia, te dejé entrar en la empresa y te busqué un hueco en el Departamento de Marketing. Habría hecho cualquier cosa con tal de borrar ese dolor y ese pesar de tu preciosa cara. Aparte de insistir en que conservaras tu diploma de magisterio durante todos estos años, he dejado que abandonaras tu verdadero sueño. Te he permitido quedarte en un trabajo cómodo y muy bien remunerado que ni te supone un reto ni te apasiona.»

—Me gusta mi trabajo —digo.

—«El miedo al cambio nos paraliza. Lo cual me lleva de nuevo a tu lista de objetivos vitales. Te ruego que les eches un vistazo mientras Brad continúa leyendo.»

Él coloca la lista frente a los dos y la examino, esta vez con más detenimiento.

—«De los veinte originales he puesto un asterisco al lado de los diez objetivos pendientes que quiero que persigas. Empecemos con el número uno: TENER UN HIJO, QUIZÁ DOS.»

—¡Esto es de locos! —refunfuño.

—«Temo que vivas siempre con una sombra sobre tu corazón si los hijos, al menos uno, no forman parte de tu vida. Aunque conozco a muchas mujeres sin hijos que son felices, no creo que seas una de ellas. De pequeña adorabas a tus muñecas, te morías de ganas de tener doce años para poder hacer canguros. Eras la niña que solía envolver a *Toby*, el gato, en su mantita para bebés y llorar cuando se deshacía de ésta y saltaba de la mecedora. ¿Lo recuerdas, cariño?»

Mi risa se enreda con un sollozo. El señor Midar me pasa otro pañuelo de papel.

—Me encantan los niños, pero… —No puedo acabar el pensamiento. Eso me obligaría a culpar a Andrew y, sencillamente, no es justo. Por alguna razón, las lágrimas no paran de salir. No logro detenerlas. Midar espera, hasta que al final señalo la carta y le hago un gesto para que siga.

—¿Está segura? —me pregunta, su mano en mi espalda.

Asiento con la cabeza, el pañuelo de papel presionándome la nariz. Él parece escéptico, pero continúa.

—«Saltémonos el número dos. Espero que, efectivamente, besaras a Nick Nicol, y espero que fuese agradable.»

Sonrío.

—Lo fue.

Midar me guiña un ojo y miramos juntos mi lista.

—«Pasemos al número seis —lee—. TENER UN PERRO. ¡Creo que ésta es una gran idea! ¡A por tu perrito, Brett!»

—¿Un perro? ¿Qué te hace pensar que quiero un perro? No tengo tiempo para un pez, menos aún para un perro. —Miro a Brad—. ¿Qué pasa si no logró estos objetivos?

Él extrae un montón de sobres rosas, atados con una goma.

—Su madre estipuló que cada vez que logre alcanzar un objetivo vuelva a verme y reciba uno de estos sobres. Al conseguir los diez objetivos, obtendrá esto. —Me da un sobre que reza «Culminación».

—¿Qué hay en este sobre?

—Su herencia.

—¡Claro! —exclamo, masajeándome las sienes. Lo miro directamente a la cara—. ¿Tiene idea de lo que significa esto?

Él se encoge de hombros.

—Supongo que pretende ser una revisión de las prioridades vitales.

—¿Una revisión? ¡La vida que conocía acaba de hacerse añicos! ¿Y se supone que debo recomponerla como cierta… cierta *niña* quería que fuera?

—Mire, si esto la supera por hoy, podemos volver a quedar.

Me levanto.

—Me supera. Esta mañana he venido aquí pensando que saldría como consejera delegada de Cosméticos Bohlinger. Iba a hacer que mi madre estuviera orgullosa, a llevar el negocio a nuevas cotas. —Se me agarrota la garganta y trago saliva—. ¿Y en lugar de eso tengo que comprarme un caballo? ¡Increíble! —Parpadeo para reprimir las lágrimas y ofrezco la mano—. Lo siento, señor Midar. Sé que no es culpa suya. Pero es que ahora mismo no puedo seguir con esto. Ya le llamaré.

Casi he salido por la puerta cuando Midar corre hacia mí, con la lista de objetivos vitales en la mano.

—Quédese con esto —dice—, por si cambia de idea. —Me pone el papel en las manos—. El reloj avanza.

Ladeo la cabeza.

—¿Qué reloj?

Él baja la mirada hacia su reloj Cole Haan, tímidamente.

—A fines de este mes tiene que haber culminado al menos un objetivo. Dentro de un año a partir de hoy, es decir, el trece de septiembre del año que viene, debe haber conseguido todos los objetivos de su lista.

3

A las tres horas de entrar como si tal cosa en el Aon Center, salgo a trancas y barrancas, mis emociones centelleando y desapareciendo como una lluvia de meteoritos. Conmoción. Desesperación. Ira. Dolor. Abro con fuerza la puerta de la limusina.

—A North Astor Street, ciento trece —le digo al chófer.

El librito rojo. ¡Necesito ese librito rojo! Hoy estoy más fuerte, mucho más, y estoy preparada para leer el diario de mi madre. Quizá se explique y me diga por qué me está haciendo esto. Cabe la posibilidad de que, después de todo, no sea un diario, sino más bien un viejo libro de contabilidad de la empresa. Tal vez descubra que el negocio estaba en caída financiera libre y que por eso no me lo dejó en herencia. Alguna explicación tiene que haber.

Cuando el chófer se detiene junto al bordillo, abro la verja de hierro y subo corriendo los escalones de cemento. Sin tomarme la molestia de sacarme los zapatos, subo veloz la escalera y voy directamente a su habitación.

Mis ojos escudriñan el cuarto bañado por el sol. A excepción de su lámpara y joyero, el tocador está vacío. Abro las puertas del armario, pero no está allí. Tiro de los cajones y luego paso a sus mesillas de noche. ¿Dónde está? Revuelvo su escritorio, pero sólo encuentro tarjetones grabados en relieve, una colección de plumas, y sellos. Me invade el pánico. ¿Dónde demonios dejé ese cuaderno? Lo saqué del armario y lo puse… ¿dónde? ¿En la cama? Sí. ¿O no? Retiro el edredón, rezando para que esté escondido entre las sábanas. No está. El corazón me late con fuerza. ¿Cómo he podido ser tan descuidada? Doy vueltas en círculo, pasándome una mano por el pelo. ¿Qué diablos habré hecho con ese cuaderno? Mi memoria está borrosa. ¿Tan borracha estaba que he olvidado incluso los acontecimientos previos? ¡Espera! ¿Lo tenía cuando me caí por la escalera? Salgo corriendo del cuarto y bajo otra vez los escalones como una exhalación.

Dos horas después, tras haber buscado debajo de los cojines de sofás y sillones, en cada cajón y armario y hasta en la basura, llego a la espantosa conclusión de que no hay ni rastro del cuaderno. Cuando les llamo, casi histérica, mis hermanos no tienen la menor idea de lo que les hablo. Me desplomo en el sofá y hundo la cara en mis manos. ¡Válgame Dios! He perdido mi ascenso, mi herencia y el último regalo que me hizo mi madre. ¿Puedo caer más bajo?

Cuando suena el despertador el miércoles por la mañana, me despierto con una feliz amnesia de la pesadilla de ayer. Me desperezo y alargo el brazo hacia la mesilla de noche, palpando a tientas el odioso pitido. Apago la alarma y ruedo boca arriba, concediéndome unos instantes más de sueño. Pero de pronto todo se agolpa en mi memoria. Mis ojos se abren de golpe y me captura una red de pavor.

Mi madre está muerta.

Catherine está al frente de Cosméticos Bohlinger.

Se supone que tengo que desmantelar mi vida.

El peso de un elefante cae sobre mi pecho y me cuesta respirar. ¿Cómo voy a ser capaz de mirar a la cara a mis compañeros de trabajo o a mi nueva jefa, ahora que saben que mi madre no confiaba en mí?

Se me acelera el corazón y me apoyo en los codos. La corriente que se cuela en el *loft* da una sensación de frescor otoñal y parpadeo unas cuantas veces para acostumbrarme a la oscuridad. No puedo hacer esto. No puedo volver al despacho. Aún no. Me hundo en la almohada y clavo los ojos en los tubos metálicos del techo que están a la vista.

Aunque no tengo más remedio. Ayer, como no fui a trabajar después de la reunión con el señor Midar, mi nueva jefa me llamó insistiendo en que nos viéramos a primera hora de la mañana. Y por muchas ganas que tuviera de decirle a Catherine, la mujer en la que mi madre creía, que se fuese al cuerno, sin herencia necesito trabajar.

Saco las piernas por el lateral de la cama. Con cuidado para no despertar a Andrew, cojo la bata de rizo de su gancho en el dosel de la cama. Es entonces cuando me doy cuenta de que ya se ha ido. No son ni las cinco de la mañana y mi novio, increíblemente disciplinado, ya está corriendo. Literalmente. Cojo mi bata, recorro descalza el suelo de roble y bajo aletargada la fría escalera de metal.

Me llevo mi café al salón y me acurruco en el sofá con el *Tribune*. Un nuevo escándalo en el ayuntamiento, más funcionarios del gobierno corruptos, pero nada aparta mi atención del día que tengo por delante. ¿Se solidarizarán mis colegas conmigo y me dirán lo injusta que ha sido la decisión de mi madre? Paso al crucigrama e intento buscar un lápiz. ¿O prorrumpió el despacho en aplausos y choques de manos cuando les llegó la noticia? Suelto un gemido. Tendré que enderezar los hombros, mantener la cabeza bien alta y hacer creer a todo el mundo que fue idea mía que Catherine dirigiese la compañía.

¡Ay, madre! ¿Por qué me has puesto en esta situación?

Se me forma un nudo en la garganta y me lo trago con un sorbo de café. Hoy no tengo tiempo para lamentos, gracias a Catherine y su maldita reunión. Cree que está andándose con remilgos, pero yo sé exactamente lo que trama. Esta mañana me ofrecerá un premio de consolación: su antiguo puesto de vicepresidenta. Me nombrará segunda de a bordo, a cambio de su amnistía y mi obediencia. Pero se equivoca si piensa que aceptaré sin unas cuantas peticiones de envergadura. Sin herencia, necesitaré un buen aumento.

Mi mohín se suaviza en una sonrisa cuando Andrew entra por la puerta tan campante, ligeramente sudoroso tras su carrera matutina. En pantalones cortos azul marino y una camiseta de los Chicago Cubs, mira su reloj deportivo negro con el ceño fruncido.

Me levanto.

—Buenos días, mi amor. ¿Qué tal el *footing*?

—Regular. —Se quita su gorra de béisbol y se pasa la mano por el pelo corto y rubio—. ¿Otra vez te tomas la mañana libre?

La culpa me golpea con un puñetazo en la barriga.

—Sí. Todavía no tengo energías.

Él se agacha para desatarse los cordones.

—Han pasado cinco días. Es mejor no esperar demasiado.

Gira en dirección al lavadero mientras yo rescato su café. Cuando vuelvo, su cuerpo delgado está despatarrado en el sofá. Lleva puestos unos pantalones de calentamiento nuevos y una camiseta limpia, y está haciendo el crucigrama que yo acababa de empezar.

—¿Te ayudo? —pregunto, acercándome por detrás e inclinándome sobre su hombro.

Busca a tientas su taza de café sin levantar la mirada del crucigrama. Escribe «birr» en el doce vertical. Echo un vistazo a la clave. Divisa etíope. ¡Caray! Estoy impresionada.

—A ver, el catorce horizontal… —digo emocionada ante la oportunidad de demostrar que también yo tengo un ápice de inteligencia—. Capital del Estado del Tesoro… Es Helena, creo.

—Lo sé. —Tamborilea el lápiz sobre su frente, ensimismado.

¿En qué momento, exactamente, dejamos de hacer juntos los crucigramas? Compartiendo almohada, hacíamos el crucigrama mientras bebíamos nuestros cafés a sorbos. Y cuando yo contestaba a algo especialmente difícil, Andrew me besaba en la coronilla y me decía que adoraba mi cerebro.

Me vuelvo para irme, pero me detengo a medio camino de la escalera.

—Andrew.

—¿Mmm…?

—¿Estarás a mi lado si te necesito?

Por fin levanta la cabeza.

—Ven aquí. —Da unas palmaditas a su lado, en el sofá. Voy hasta él y me rodea los hombros con el brazo—. ¿Sigues enfadada porque no fui a la comida del funeral?

—No. Lo entiendo. Ese juicio era importante.

Tira el lápiz sobre la mesa de centro y sonríe, mostrando el adorable hoyuelo de su mejilla izquierda.

—Reconozco que, cuando lo dices así, incluso a mí me suena poco convincente. —Con los ojos clavados en los míos, se pone serio—. Pero contestando a tu pregunta, por supuesto que estaré a tu lado. Por descontado que sí. —Me roza la mejilla con el pulgar—. Estaré contigo en cada etapa del camino, pero serás una magnífica consejera delegada, con o sin mi apoyo.

Se me acelera el corazón. Cuando Andrew llegó anoche a casa con una botella de champán Perrier-Jouët para celebrarlo, no tuve el corazón, o las agallas, de decirle que ni era ni jamás sería presidenta de Cosméticos Bohlinger. El hombre que casi nunca hace cumplidos estaba prácticamente eufórico. ¿Es demasiado pedir un día más para deleitarme en su aprobación? Esta noche me sinceraré, cuando pueda suavizar el golpe diciéndole que soy la nueva vicepresidenta.

Me arregla el pelo.

—Dime, jefa, ¿cuál es el orden del día? ¿Tienes la intención de contratar algún abogado en un futuro próximo?

¿Cómo? No es posible que crea que yo contravendría los deseos de mi madre. Me lo tomo a broma y fuerzo una risita.

—No lo creo. De hecho, esta mañana me reúno con Catherine —comento, dejando que piense que he convocado yo la reunión—. Tenemos que hablar de algunos temas.

Él asiente.

—Buena jugada. Recuerda que ahora ella trabaja para ti. Deja que sepa que mandas tú.

Noto que me pongo como un tomate y me levanto del sofá.

—Será mejor que me duche.

—Estoy orgulloso de ti, *madame* Presidenta.

Sé que debería decirle que es Catherine la que merece ser destinataria de su orgullo, que es a Catherine a quien debería llamar *madame* Presidenta. Y lo haré. Sin ninguna duda.

Esta noche.

Pese al repiqueteo de mis tacones en el vestíbulo de mármol, consigo cruzar corriendo la entrada de la Torre Chase sin que nadie se fije en mí. Subo en ascensor hasta la cuadragesimonovena planta y entro en las elegantes oficinas centrales de Cosméticos Bohlinger. Empujo la puerta doble de cristal y me voy directa al despacho de Catherine mirando al suelo.

Asomo la cabeza en el despacho esquinero que en su día fue de mi madre y veo a mi cuñada detrás de la mesa, como siempre impecable. Está al teléfono, pero me indica que pase levantando un índice para hacerme saber que enseguida estará conmigo. Mientras acaba de hablar, paseo por ese espacio antaño familiar, preguntándome qué ha hecho con los cuadros y esculturas que mi madre adoraba. En su lugar ha colocado su estantería y varios premios enmarcados. Lo único que queda del despacho antaño sacrosanto de mi madre es el impresionante paisaje urbano y la placa con su nombre. Pero tras un examen más minucioso veo que, encima, no es la placa de mi madre. ¡Es la de Catherine! La misma letra y el mismo latón y mármol rezan ahora: CATHERINE HUMPHRIES-BOHLINGER, PRESIDENTA.

¡Me hierve la sangre! ¿Desde cuándo sabía que era la heredera natural de mi madre?

—Vale, estupendo. Pásame los números cuando los tengas. Sí. *Supashi-bo, Yoshi. Adiosu.* —Cuelga el teléfono y me concede su atención—. Tokio —dice sacudiendo la cabeza—. La diferencia horaria de catorce horas es una lata. Tengo que estar aquí antes de que amanezca para pillarlos. Por suerte para mí, trabajan hasta tarde. —Señala un par de sillas Luis Quince que hay al otro lado del escritorio—. Siéntate.

Me arrellano en la silla y paso la mano por la seda azul cobalto, tratando de recordar si Catherine tenía estas sillas en su antiguo despacho.

—Veo que ya estás bien instalada —digo, incapaz de reprimir mi sarcasmo—. Incluso has conseguido tener la placa con tu nombre en… ¿qué? ¿Veinticuatro horas? ¡Quién iba a decir que podía hacerse tan rápido!

Ella se levanta y viene a este lado de su mesa, colocando la silla gemela a la mía de tal modo que quede de cara a mí.

—Brett, son momentos duros para todos.

—¿Momentos duros para todos? —Se me nubla la vista—. ¿Hablas en serio? Acabo de perder a mi madre y el negocio. Tú acabas de heredar una fortuna inmensa y la compañía de mi familia. Y… y me has engañado. Me dijiste que sería consejera delegada. ¡Me he dejado la piel en la empresa para aprender cómo funcionaba todo!

Con semblante sereno como si acabase de decirle que me gusta su vestido, ella espera. Resoplo y quiero decir más, pero no me atrevo; al fin y al cabo, es mi cuñada, y mi maldita jefa.

Catherine se inclina hacia mí, sus manos pálidas enlazadas sobre su pierna cruzada.

—Lo siento —dice—. Lo siento de veras. Ayer me sorprendí tanto como tú. El verano pasado hice una serie de suposiciones; un error colosal, por cierto. Di totalmente por sentado que las acciones de tu madre serían para ti y asumí la responsabilidad de prepararte, sin consultarlo antes con Elizabeth. No quería que pensara que habíamos perdido la esperanza de que viviera. —Me pone una mano sobre la mía—. Créeme, tenía la firme intención de trabajar para ti el resto de mi carrera. ¿Y sabes qué? Habría estado orgullosa de hacerlo. —Me aprieta la mano—. Te respeto enormemente, Brett. Creo que podrías haber sido una buena consejera delegada. Realmente lo creo.

¿Podría haber sido? Frunzo el ceño, sin saber con certeza si esto es un halago o un insulto.

—Pero lo de la placa… —digo—. Si no tenías ni idea, ¿cómo es que ya tienes la placa con tu nombre?

Ella sonríe.

—Elizabeth. La encargó antes de morir. Dio órdenes de que la enviaran y la dejaran encima de mi mesa para cuando entrara ayer.

Bajo la cabeza, avergonzada.

—Es propio de mi madre.

—Era excepcional —afirma Catherine. Le brillan los ojos—. Jamás podré ocupar su lugar. Con estar a su altura, me daré con un canto en los dientes.

Se me ablanda el corazón. Es evidente que ella también llora la pérdida de Elizabeth Bohlinger. Mi madre y ella formaban un equipo perfecto: mamá era el rostro elegante de la empresa y Catherine su infatigable ayudante entre bambalinas. Y al verla ahora con su vestido de cachemir y sus zapatos de salón de Ferragamo, su suave piel de color marfil e impecable moño anudado en la nuca, casi puedo entender la decisión de mi madre. Mi cuñada es toda una consejera delegada, de la cabeza a los pies, una sucesora natural. Pero aun así duele. ¿Acaso mamá no vio que con el tiempo yo podría haberme convertido en otra Catherine?

—Lo siento —digo—. Lo siento de veras. No es culpa tuya que mamá no me considerase capacitada para dirigir Cosméticos Bohlinger. Triunfarás por todo lo alto.

—Gracias —susurra ella, levantándose de la silla. Me aprieta el hombro al pasar por detrás de mí para cerrar la puerta. Cuando vuelve a su asiento, clava su mirada en mí, tan penetrante que asusta.

—Lo que estoy a punto de decir me resulta muy difícil. —Se muerde el labio inferior y se sonroja—. Quiero que estés preparada, Brett, porque es algo espantoso.

Suelto una risita nerviosa.

—¡Por Dios, Catherine, te tiemblan las manos! Nunca te había visto tan inquieta. ¿Qué pasa?

—Tengo una orden de Elizabeth. Dejó un sobre rosa en el cajón de mi mesa. Dentro había una nota. Puedo ir a buscarla, si quieres verla. —Hace ademán de levantarse, pero le agarro del brazo.

—No. Lo último que necesito es otra nota de mamá. Dímelo y ya está. —Ahora mi corazón late desbocado.

—Tu madre me ordenó que… quiere que…

—¿Qué? —prácticamente grito.

—Estás despedida, Brett.

4

No recuerdo haber conducido hasta casa. Tan sólo recuerdo haber entrado en el *loft* tambaleándome, subir la escalera a trompicones y desplomarme en la cama. Durante los dos días siguientes soy presa de un ciclo de sueño, despertares y llantos. El viernes por la mañana, la compasión de Andrew ha menguado. Se sienta en el borde de nuestra cama, impecable en su traje color carbón y camisa blanca recién planchada, y me alisa el pelo enmarañado.

—Tienes que reaccionar, preciosa. Este ascenso te ha superado, por eso estás evitándolo, lógicamente. —Empiezo a protestar, pero él me manda callar con un dedo índice—. No estoy diciendo que no estés capacitada, lo que digo es que estás amedrentada. Pero, cariño, no puedes permitirte faltar durante varios días seguidos. No se trata de tu antiguo puesto de publicidad, en el que de vez en cuando podías aflojar el ritmo.

—¿Aflojar el ritmo? —Me pongo furiosa. ¡Andrew cree que mi antiguo cargo de directora de *marketing* era insignificante! Y lo que es peor, ni siquiera he sido capaz de conservar ese puesto—. No te puedes imaginar por lo que estoy pasando. Creo que merezco un par de días de duelo.

—¡Oye, que estoy de tu parte! Sólo intento que vuelvas a activarte.

Me masajeo las sienes.

—Lo sé. Lo siento. Estos días no me reconozco. —Él se levanta, pero yo le agarro de la manga del abrigo. ¡Tengo que decirle a Andrew la verdad! Mi plan de sincerarme el miércoles por la noche se frustró cuando mi madre me despidió, y llevo desde entonces reuniendo el valor para explicárselo—. Quédate en casa hoy conmigo. Por favor. Podríamos...

—Lo siento, preciosa, no puedo. La cantidad de clientes que tengo es de locos. —Se deshace de mis garras y se alisa la manga del abrigo—. Intentaré regresar pronto a casa.

Díselo. Ya.

—¡Espera!

Él se detiene a medio camino de la puerta y me mira por encima del hombro.

El corazón me repiquetea en el pecho.

—Tengo que decirte algo.

Andrew se gira y me mira entornando los ojos, como si su novia normalmente nítida de pronto estuviera borrosa. Por fin, vuelve hasta el borde de la cama y me besa en la coronilla como si fuese una cabeza hueca de cinco años.

—Basta de tonterías. Lo que necesitas es mover tu precioso trasero de la cama. Tienes una compañía que dirigir. —Me da unas palmaditas en la mejilla y cuando me quiero dar cuenta ha desaparecido del cuarto.

Oigo el clic de la puerta al cerrarse y hundo la cara en la almohada. ¿Qué diantres voy a hacer? No soy la consejera delegada de Cosméticos Bohlinger. Ni siquiera soy una vulgar ejecutiva de cuentas. Soy una fracasada en paro y me aterra lo que mi novio, con la importancia que le da al estatus social, piense cuando lo averigüe.

Cuando Andrew me dijo que era de Duxbury, una zona residencial acaudalada de Boston, no me sorprendió. Tenía todos los ingredientes de alguien a quien el dinero le viene de familia: zapatos italianos, reloj suizo, coche alemán. Pero siempre que le preguntaba por su infancia se mostraba evasivo. Tenía una hermana mayor. Su padre era dueño de un pequeño negocio. Me sacaba de quicio que no me dijese nada más.

Tres meses y dos botellas de vino más tarde, Andrew desembuchó al fin la verdad. Con la cara colorada y enfadado porque le había presionado, me contó que su padre era un mediocre ebanista cuyas aspiraciones superaban con creces sus logros. Su madre trabajaba en una tienda gastronómica del Duxbury Safeway.

Andrew no era un niño rico. Pero se moría por ser considerado como tal.

Sentí que me invadía un cariño y un respeto por él que no había sentido antes. No era un niño de papá. Era un hombre hecho a sí mismo que había tenido que pelear y trabajar para triunfar. Le besé en la mejilla y le dije que estaba orgullosa de él, que sus raíces obreras hacían que lo quisiese más. En lugar de sonreír, me lanzó una mirada de desdén. Supe entonces que no veía nada digno de admiración en sus orígenes humildes y que crecer rodeado de ricos le había dejado cicatriz.

De repente se apodera de mí una ola de pánico.

El pobre niño rico se ha pasado toda su vida adulta acumulando símbolos de éxito con la esperanza de compensar sus raíces humildes. Y ahora me pregunto si seré sólo uno de ellos.

En el camino de acceso, levanto la vista hacia la casa de revista estilo Cape Cod, de madera y tejado a dos aguas, de Jay y Shelley. Cuidados arbustos flanquean la acera enladrillada, y los crisantemos naranjas y amarillos rebosan de unos tiestos de cemento blanco. Me inundan unos celos inusitados. El consabido lecho donde han decidido establecerse es suntuoso y acogedor, mientras que el mío es tosco y está repleto de chinches.

Por el sendero de ladrillo contemplo su exuberante jardín y veo a mi sobrino correteando con una pelota de goma. Alza la vista cuando la puerta de mi coche se cierra de un portazo.

—¡Tía Blett! —me llama.

Corro hasta el jardín y levanto a Trevor en brazos, y damos vueltas en círculo hasta que no puedo ver con claridad. Por primera vez en tres días, noto que una sonrisa franca me ilumina la cara.

—¿Qué niño me hace a mí feliz? —pregunto mientras le hago cosquillas en la barriga.

Antes de que pueda contestar, aparece Shelley procedente del patio enladrillado, su pelo recogido de cualquier manera en una cola de caballo alta. Lleva puestos unos tejanos, arremangados por los tobillos, que sospecho que son de Jay.

—¡Hola, hermanita! —me saluda. Éramos amigas y compañeras de habitación en la universidad antes de que se casara con mi hermano, y aún nos encanta la tontería de llamarnos mutuamente hermanas.

—¡Hola! Hoy estás en casa.

Camina hacia mí con unas zapatillas de lana destrozadas.

—He dejado el trabajo.

Me la quedo mirando fijamente.

—No es verdad.

Se agacha para arrancar un hierbajo.

—Jay y yo hemos decidido que lo mejor para los niños es que uno de los dos se quede en casa. Con la herencia de tu madre no necesitamos ese dinero extra.

Trevor se escurre de mis garras y lo bajo al suelo.

—Pero ¡si te encanta tu trabajo! ¿Y Jay? ¿Por qué no lo deja él?

Ella se levanta, sosteniendo un diente de león marchito en la mano.

—La mami soy yo. Tiene más sentido.

—Vamos, que ya lo has dejado. ¿Así, sin más?

—Pues sí. Por suerte para mí, la mujer que me sustituyó durante la baja por maternidad seguía sin trabajo. —Arranca la fronda seca del diente de león y la tira a sus pies—. La entrevistaron ayer y empezó hoy. Ni siquiera he tenido que enseñarle. Todo ha salido a la perfección.

Detecto el temblor de su voz y sé que no es todo lo perfecto que me quiere hacer creer. Shelley era logopeda del Saint Francis Hospital. Trabajaba en su unidad de rehabilitación, enseñando a adultos con lesiones cerebrales traumáticas no solamente a hablar otra vez, sino a razonar, salir adelante y relacionarse en sociedad. Solía presumir diciendo que no era un trabajo, era su vocación.

—Perdona, pero es que no te veo de madre y ama de casa.

—Será genial. Casi todas las mujeres de este barrio son madres y amas de casa. Se juntan cada mañana en el parque, quedan para que los niños jueguen, van a clases de yoga para madres y bebés. No te imaginas toda la vida social que se han perdido mis hijos en la guardería. —Sus ojos encuentran a Trevor, que corre en círculos con los brazos extendidos como un avión—. Quizás esta logopeda pueda por fin enseñar a su propio hijo a hablar. —Se ríe entre dientes, pero no logra el efecto deseado—. Trevor aún no sabe decir... —Para a media reflexión y consulta su reloj—. Un momento ¿no deberías estar trabajando?

—No. Catherine me ha despedido.

—¡Oh, Dios mío! Llamaré a la canguro.

Por suerte para nosotras, Megan Weatherby, la hipotenusa de nuestro triángulo amistoso, trabaja de agente inmobiliaria como pasatiempo, poniendo poca energía realmente en vender casas. Y por suerte para Megan, está prácticamente comprometida con Jimmy Northrup, ala defensivo de los Chicago Bears, lo que convierte en adicionales sus comisiones de agente inmobiliaria. Así que cuando Shelley y yo le llamamos camino de The Bourgeois Pig Café, ella ya está allí, como si hubiese previsto esta pequeña crisis.

Hemos declarado The Bourgeois Pig, en Lincoln Park, nuestro local favorito de bebidas no alcohólicas. Es acogedor y original, está repleto de libros y antigüedades y alfombras raídas. Y, lo mejor de todo, hay suficiente cháchara de fondo como para hacer que nos sintamos inmunes a los fisgones. Hoy el cálido sol de septiembre nos pide salir fuera, donde Megan está sentada a una mesa de hierro forjado, vistiendo *leggings* negros y un escotado jersey que se ajusta a los perfectos montículos que ella insiste en decir que son sus tetas auténticas. Sus ojos azul claro están emborronados de sombra de color gris ahumado, y adivino al menos tres capas de rímel. Pero con el pelo rubio recogido con un pasador plateado y un toque de colorete rosa en su piel de marfil, consigue mantener una pizca de inocencia, haciéndole parecer medio fulana, medio miembro de una hermandad universitaria; un aspecto que los hombres por lo visto encuentran irresistible.

Absorta en su iPad, no repara en nosotras cuando nos acercamos a su mesa. Agarro a Shelley por el codo y le obligo a parar.

—No podemos interrumpirle. Mira, ¡está trabajando!

Shelley menea la cabeza.

—Es una pose. —Tira de mí para acercarnos más y señala con la cabeza la pantalla del ordenador—. Compruébalo. PerezHilton.com

—¡Hola, chicas! —exclama Megan, cogiendo sus gafas de sol de la silla justo antes de que Shelley se siente encima de ellas—. Escuchad esto. —Mientras nos acomodamos a su lado con nuestros *muffins* y cafés con leche, Megan empieza a despotricar de la última bronca de Angelina y Brad, y la extravagante fiesta de cumpleaños de Suri. Entonces la emprende con Jimmy—. Al Red Lobster. En serio. Yo me pongo un vestido tubo de Hervé Léger con una abertura hasta el culo, ¡y él me quiere llevar al jodido Red Lobster!

Creo que todo el mundo merece esa amiga escandalosamente descarada que te mortifica y electriza a la vez, la amiga cuyos comentarios groseros nos dan ataques de histeria al tiempo que miramos por encima del hombro para cerciorarnos de que no hay nadie escuchando. Megan es esa amiga.

La conocimos hace dos años a través de la hermana pequeña de Shelley, Patti. Patti y Megan compartieron habitación en Dallas, cuando se preparaban para ser azafatas de vuelo de American Airlines. Pero la última semana de cursillo, Megan no fue capaz de alcanzar una maleta embutida en el fondo de un compartimento superior. Sus brazos eran claramente demasiado cortos para el empleo, un defecto imperceptible con el que Megan está ahora obsesionada. Mortificada, huyó a Chicago para convertirse en agente inmobiliaria y conoció a Jimmy en su primera venta.

—No os mentiré, los panecillos del Red Lobster me encantan, pero ¡venga ya!

—Megan —le interrumpe al final Shelley—, te he dicho que Brett necesita nuestra ayuda.

Megan apaga el iPad y junta sus manos encima de la mesa.

—Muy bien, soy toda tuya. ¿Cuál es el problema, chica?

Cuando no gira todo en torno a ella, Megan sabe escuchar de maravilla. Y, a juzgar por sus manos enlazadas y su mirada fija, hoy me concede la palabra. No pierdo comba y vierto cada detalle de la estratagema de mi madre para destrozarme la vida.

—Así que el problema es éste: ni ingresos ni trabajo. Únicamente diez objetivos absurdos que se supone que debo cumplir en un año.

—Eso son gilipolleces —dice Megan—. Dile al abogado que se vaya a la mierda. —Me arranca la lista de la mano—. «Tener un hijo, tener un perro, comprar un caballo». —Levanta sus gafas de sol de Chanel y me mira—. ¿Qué se creía tu madre? ¿Que de repente te casarías con el granjero Old MacDonald de la canción infantil?

No puedo evitar sonreír. Megan puede ser egocéntrica, pero en momentos como éste en que necesito reírme, no la cambiaría ni por una docena de Madres Teresa.

—Y Andrew no puede parecerse menos a Old MacDonald —afirma Shelley, echándose otro sobre de azúcar en el café—. ¿Qué opina él de todo esto? ¿Está preparado para dar un paso al frente y darte hijos?

—¿O comprarte un caballo? —añade Megan, que prorrumpe en una risita aguda.

—Lo está —contesto, haciendo como que examino mi cuchara—. Estoy convencida de que lo está.

Los ojos de Megan bailan.

—Perdona, pero no veo cómo te las apañarás con un caballo en pleno centro de Chicago. ¿En tu edificio dejan tener mascotas?

—Muy graciosa, Meg. —Me masajeo las sienes—. Estoy empezando a pensar que mi madre estaba loca. ¿Qué niña de catorce años no quiere un caballo? ¿Qué niña pequeña no quiere ser profesora y tener hijos, y un perro y una casa bonita?

Shelley mueve sus dedos estirados.

—Veamos de nuevo esa lista. —Se la paso y farfulla mientras la lee detenidamente—. «Ser amiga de Carrie Newsome, enamorarme, tener una buena relación con papá.» —Levanta la vista—. Éstos están chupados.

—Mi padre está muerto, Shelley —digo entornando los ojos.

—Está claro que ella quiere que hagas las paces con él. Ya sabes, visita su tumba, llévale unas flores. Y, fíjate, ya has cumplido el número diecisiete, enamorarte. Estás enamorada de Andrew, ¿verdad?

Asiento con la cabeza, aunque por alguna razón se me hielan las entrañas. Lo cierto es que no recuerdo la última vez que nos dijimos las palabras *Te quiero*. Claro que es absolutamente lógico. Después de cuatro años, ¡qué quieres!

—Entonces vete al despacho del señor Midar y díselo. Y esta noche busca a esta tal Carrie Newsome en Facebook. Envíale un par de mensajes. Retoma el contacto. ¡Bingo! Un tanto más.

Se me corta la respiración. No he hablado con Carrie desde que se fue de mi casa, herida y humillada, hace casi diecinueve años.

—¿Qué me decís del número doce, ayudar a los pobres? Eso no es tan complicado. Haré algún donativo a Unicef o a otra organización. —Miro a mis amigas en busca de aprobación—. ¿No os parece?

—¡Claro que sí! —exclama Megan—. Acabarás antes que el calenturiento de una hermandad estudiantil.

—Pero lo del maldito bebé —digo, pellizcándome el puente de la nariz—. Y la actuación en directo y trabajar de profesora. Juré que jamás volvería a pisar un escenario o una clase.

Megan se sujeta la muñeca y tira de ella, una irritante costumbre que cree que le alargará los brazos.

—Olvídate de ser profesora. Tú haz de suplente unos días, una o dos semanas quizá. Hazlo, y *voilà!* Ya tienes otro objetivo más.

Reflexiono sobre ello.

—¿Profesora suplente? Mi madre nunca dijo que tuviese que ser tutora. —Una sonrisa se abre paso lentamente en mi cara. Levanto mi café con leche—. Por vosotras, chicas. El lunes por la tarde, invito yo a los martinis. Para entonces tendré uno o dos sobres del señor Midar.

5

El lunes por la mañana paso por la floristería a recoger un ramo de flores silvestres antes de irme directamente al despacho del abogado. Supongo que me daré un capricho cada vez que consiga uno de los objetivos vitales de *aquella niña*. Por impulso, le compro también un ramo a Midar.

Mientras el ascensor sube a la trigesimosegunda planta hierve en mí una mezcla de ilusión y nervios. Me muero de ganas de ver su cara cuando le diga lo que he conseguido. Pero cuando irrumpo en el lujoso despacho y ando con aire resuelto hasta la mesa de Claire, ésta me mira como si estuviese loca.

—¿Quiere verlo ahora? De ninguna manera. Está trabajando en un caso importantísimo.

Cuando me giro para irme, Midar sale disparado de su despacho cual liebre de su madriguera. Escudriña la sala de espera y al verme se deshace en una adorable sonrisa.

—¡Señorita Bohlinger! ¡Me había parecido oír su voz! Pase.

Claire observa boquiabierta cómo el señor Midar me hace un gesto para que entre en su despacho. Al pasar frente a él, le doy las flores silvestres.

—¿Son para mí?

—Me siento generosa.

Él se ríe entre dientes.

—Gracias. Aunque ha decidido no derrochar el dinero en un jarrón, ¿eh?

—Usted trabaja por cuenta propia. —Reprimo una sonrisa—. Yo estoy en paro, como seguramente sabrá.

Busca por el despacho hasta que da con un jarrón de cerámica con flores de seda.

—Sí, eso del trabajo es una lata. Su madre era implacable. —Saca las flores artificiales y las tira a la papelera—. Voy a poner un poco de agua. Enseguida vuelvo.

Se lleva el jarrón y me quedo sola en su despacho, lo que me da la oportunidad de echar un vistazo a su morada. Paso por delante del ventanal de suelo a techo, admirando una vista panorámica del sur que abarca desde el Millennium Park hasta el Adler Planetarium. Aflojo el paso cuando me acerco a su enorme escritorio de nogal, oculto bajo tres montones considerables de archivos, su ordenador y una taza con chorretones de café. Miro en busca de fotos enmarcadas de una bella esposa, un hijo adorable y el obligado golden retriever. En su lugar, lo que veo es una instantánea de una mujer de mediana edad con alguien que podría ser su hijo adolescente, repantigados en la cubierta de un velero. Su hermana y su sobrino, intuyo. La única otra foto es de Brad, con toga y birrete, estrujado entre dos radiantes adultos que me imagino que son sus padres.

—Ya está —dice él. Me giro y veo que cierra la puerta de una patada tras de sí. Deja el jarrón de flores sobre una mesa de encimera de mármol—. Preciosas.

—Tengo buenas noticias, señor Midar.

—Por favor —dice, haciéndome señas para que me acerque a un par de sillones de cuero, absolutamente agrietados y desgastados—, trabajaremos juntos durante el próximo año. Llámame Brad.

—Está bien. Yo soy Brett.

Toma asiento en el sillón contiguo al mío.

—Brett. Me gusta ese nombre. ¿De dónde sale, por cierto?

—De Elizabeth, naturalmente. Era una forofa de la literatura americana. Me pusieron el nombre de lady Brett Ashley, la casquivana de *Fiesta*, de Hemingway.

—Magnífica elección. ¿Y Joad? ¿No era ése el nombre de la familia protagonista de *Las uvas de la ira*, de Steinbeck?

—Eso es. A Jay le pusieron el nombre de Jay Gatsby, el personaje creado por Fitzgerald.

—Mujer inteligente. Me habría encantado tratarla más tiempo.

—A mí también.

Comprensivo, me da unas palmaditas en la rodilla.

—¿Estás bien?

Asiento e intento tragar saliva.

—Siempre y cuando no piense en ello.

—Lo entiendo.

Ahí está de nuevo; esa expresión lastimosa que vi la pasada semana en su cara. Tengo ganas de preguntarle al respecto, pero me parece demasiado indiscreto.

—Tengo buenas noticias —comento, enderezándome—. Ya he cumplido un objetivo vital. —Él arquea una ceja, pero no dice nada—. Número diecisiete. Me he enamorado.

Él inspira de forma audible.

—¡Qué rapidez!

—No exactamente. Mi novio, Andrew... Bueno, llevamos casi cuatro años juntos.

—¿Y lo amas?

—Sí —contesto mientras me agacho para quitarme una hoja diminuta pegada a mi zapato. ¡Claro que amo a Andrew! Es inteligente y ambicioso. Es un magnífico atleta y guapísimo, eso es innegable. Entonces, ¿por qué me siento como si estuviese haciendo trampas en este objetivo?

—Felicidades. Deja que vaya a buscar tu sobre.

Se levanta y va hasta el archivador contiguo a su escritorio.

—Número diecisiete —masculla mientras busca—. ¡Ajá, aquí está! —Me levanto del sillón y hago ademán de coger el sobre, pero él lo sostiene junto al pecho con aire protector—. Tu madre me dio la orden...

—¡Santo Dios! ¿Ahora qué?

—Lo siento, Brett. Me hizo prometer que abriría cada sobre por ti y leería el contenido en voz alta.

Vuelvo a dejarme caer en el sillón y cruzo los brazos sobre el pecho como una adolescente enfurruñada.

—Adelante, pues. Ábrelo.

Parece que tarda una eternidad en abrir el sobre y extraer la carta. Por curiosidad, mis ojos se posan en su mano izquierda buscando platino, pero no veo más que piel bronceada y un ligero vello masculino. Saca las gafas de lectura del bolsillo de la camisa y respira hondo.

—«Hola, Brett —lee—. Lamento que hayas cruzado la ciudad para decirme que estás enamorada de Andrew. Verás, lo que espero es esa clase de amor arrebatador a lo *moriría por ti.*»

—¿Cómo? —Alzo las manos—. ¡Está loca! Esa clase de amor sólo existe en las novelas románticas y la cadena Lifetime. Cualquier idiota lo sabe.

—«Solemos elegir relaciones que reflejan nuestro pasado. En Andrew, has elegido a un hombre muy parecido a tu padre, aunque sé que no estarás de acuerdo.»

Ahogo un grito. Los dos hombres no podrían ser más distintos. A diferencia de Andrew, que admira a las mujeres poderosas, a mi padre le intimidaban los logros de mi madre. Durante años se vio obligada a restar importancia a su éxito, riéndose de él y llamando «afición» a su empresa. Pero, con el tiempo, los pedidos entraron más rápido de lo que ella podía atender. Tu«» que alquilar un espacio y contratar empleados. De pronto estaba viviendo *su* sueño. Fue entonces cuando su matrimonio hizo agua.

—«Al igual que tu padre, Andrew es ambicioso y resuelto, pero más bien egoísta en el amor, ¿no te parece? ¡Ay! Y cómo me duele ver que te esfuerzas para obtener su aceptación, exactamente igual que te esforzabas para obtener la de tu padre. Compitiendo por su afecto, temo que hayas perdido tu auténtico yo. ¿Por qué crees que no mereces tus propios sueños?»

Me escuecen los ojos por las lágrimas, y parpadeo para ahuyentarlas. Una imagen asalta mi mente. Amanece y me doy mi caminata diaria para ir a nadar, el agua gélida y oscura me da pavor, pero ansío que mi padre esté orgulloso de mí. Años más tarde incluso estudié ciencias como asignatura secundaria, la que menos me gustaba, esperando encontrar puntos en común con el hombre al que, más tarde descubrí, jamás complacería.

—«Sólo quiero que seas feliz. Si estás realmente convencida de que Andrew es el amor de tu vida, comparte entonces con él esta lista de objetivos vitales. Si está dispuesto a cumplir estos objetivos como pareja, habré subestimado el amor que sientes, y el suyo, y puedes dar por conseguido este objetivo. Pero, por favor, sea cual sea el resultado, que sepas que el amor es lo único en lo que no deberías transigir jamás. Vuelve cuando hayas encontrado a tu amor, cariño. Valdrá la pena.»

Me froto el nudo de la garganta y procuro parecer alegre.

—Genial. Volveré en un abrir y cerrar de ojos.

Brad se gira hacia mí.

—Entonces, ¿crees que accederá? ¿Al hijo? ¿Al perro?

—Desde luego que sí —contesto mientras me muerdo la uña del pulgar.

—«Te quiero» —dice Brad.

Yo doy un respingo, pero caigo en la cuenta de que únicamente ha reanudado la lectura.

—«P.D.: Quizá te apetezca empezar por el número dieciocho: actuar en directo en un escenario supergrande.»

—Sí, claro. Me inscribiré en la escuela de danza Joffrey Ballet. Pero ¿esta mujer perdió completamente el juicio o qué?

—«Me pregunto qué tendrías en mente. Intuyo que el ballet, o tal vez interpretar un papel dramático. Tu compañía de teatro infantil te apasionaba casi tanto como tus clases de baile. Pero dejaste las dos cosas para ser animadora. Y aunque apoyé esta causa, traté de convencerte para que fueras a una audición para las obras de teatro de la escuela, para que te unieras al coro o la banda. No quisiste ni oír hablar de ello. Por lo visto tus nuevos amigos no estaban por estos menesteres, y lamentablemente eso a ti te importaba. ¿Qué ha sido de aquella niña intrépida y segura de sí misma a la que le encantaba actuar?»

Un recuerdo punzante aflora, uno que había mantenido soterrado durante veinte años. Fue la mañana de mi función de baile moderno; la primera vez que saldría al escenario sin Carrie. Se había mudado dos meses antes, justo semanas después de que mis padres se separasen. En un repentino ataque de soledad, descolgué el teléfono para llamarle. Pero cuando iba a marcar su número, oí la voz de mi madre por el auricular.

—Charles, por favor. Ella cuenta contigo.

—Oye, te dije que lo intentaría. Hay que pagar la matrícula la semana que viene.

—Pero se lo prometiste —suplicó mi madre.

—Bueno, quizá ya es hora de que entienda que el mundo no gira a su alrededor. —Entonces resopló en un tono burlón que jamás olvidaré—: Seamos realistas, Liz. La niña no va precisamente para actriz de Broadway.

Esperé media hora para llamar a mi padre, y me alivió que saltara el contestador automático.

—Soy yo, papá. En el auditorio ha habido un apagón. Han cancelado la función.

Aquel día fue la última vez que pisé un escenario.

Trago saliva.

—¿Qué ha sido de ella? Le ha pasado igual que a todas las niñas pequeñas con grandes sueños. Ha crecido. Se ha vuelto realista.

Brad me echa una mirada burlona, como si quisiera que entrara en detalles, pero continúa leyendo al ver que no lo hago.

—«Dadas las limitaciones temporales, sugiero que tu actuación sea breve y discreta, pero aun así tiene que alejarte de tu atrofiada zona de confort. ¿Recuerdas que en junio pasado celebramos el cumpleaños de Jay en el Third Coast Comedy? Cuando su maestro de ceremonias hizo publicidad de su próxima noche para aficionados, te inclinaste hacia mí y me dijiste que antes abordarías el ascenso del monte Everest con unos zapatos de Christian Louboutin. Me chocó entonces lo tímida que te habías vuelto. En aquel momento decidí mantener este objetivo de tu lista, y decidí que un número de monólogo cómico sería en antídoto perfecto contra tu mansedumbre. Subirás a un escenario y satisfarás tanto tu deseo como el mío.»

—¡No! ¡Ni en broma! —Me vuelvo a Brad, desesperada por hacer que vea las cosas desde mi punto de vista—. ¡No puedo! No lo haré. No soy nada graciosa.

—A lo mejor es que no has practicado mucho últimamente.

—Mira, aunque fuese la mismísima Ellen DeGeneres, no pienso hacer un monólogo. Ya es hora de que pasemos al plan B.

—Brett, no hay plan B. Si quieres satisfacer los deseos de tu madre, y recibir la herencia, debes alcanzar todos los objetivos de la lista.

—¡No! ¿Es que no lo entiendes? ¡No quiero satisfacer sus malditos deseos!

Él se levanta y va hasta la ventana. Con su silueta recortada contra los rascacielos colindantes y las manos metidas en los bolsillos, parece un filósofo griego meditando sobre los misterios de la vida.

—Elizabeth me hizo creer que estaba haciéndote un favor con estos objetivos. Me dijo que podrías mostrarte reacia, pero qué iba a saber yo. —Se atusa el pelo y se gira hacia mí—. Lo siento mucho.

Hay algo en su ternura, en su angustia manifiesta, que hace que me ablande un poco.

—¿Cómo ibas a saberlo? Ella creía que estaba haciéndome un favor. Éste fue su último esfuerzo desesperado por cambiar mi trayectoria vital.

—¿Pensaba que no eras feliz?

Bajo los ojos.

—Por lo visto sí, lo que es de locos. Mi madre casi siempre me veía con una sonrisa en la cara. Solíamos jactarnos de que salí del útero sonriendo.

—Pero ¿y detrás de la sonrisa?

La pregunta directa y formulada con dulzura me coge desprevenida. Por algún motivo me quedo sin habla. Mi mente se va al pequeño Trevor y las motas rojas de felicidad que inundan su cara regordeta cuando se ríe. Mi madre me dijo un día que de pequeña yo era como él. Me pregunto adónde va esa clase de dicha absoluta. Tal vez al mismo sitio donde va la seguridad de la juventud.

—Soy muy feliz. No sé, ¿por qué no iba a serlo?

Brad me dedica una sonrisa compungida.

—Según Confucio, «El camino a la felicidad está en el monólogo humorístico.»

No puedo evitar sonreír ante su pésima imitación del acento chino.

—¡Vaya! Confucio también dice: «Una mujer sin humor debería mantenerse alejada de los clubes de comedia».

Él se ríe entre dientes y vuelve donde estoy sentada. Se sienta en el borde de su sillón, sus manos enlazadas tan cerca de mi pierna que casi me tocan.

—Yo estaré a tu lado —dice—, si quieres que esté.

—¿Lo harías? —Lo miro como si acabara de acceder a un suicidio doble—. ¿Por qué?

Se reclina y se abraza la nuca con los dedos.

—Será un bombazo.

—¿Pretendes que formemos un dúo humorístico…?

Él se ríe.

—¡Ah…, no! ¡Ni hablar! Yo he dicho que estaría contigo, refiriéndome a que iré a verte, desde el público. Servidor no se acercará al escenario.

Entorno los ojos.

—¡Miedica!

—Exacto.

Lo escudriño con la mirada.

—¿Por qué eres tan amable conmigo? ¿Te propuso esto mi madre? ¿Te pagó o algo así?

Espero que se ría, pero no lo hace.

—En cierto modo, sí. Verás, la primavera pasada tu madre vino a un evento para recaudar fondos contra el Alzheimer del que yo era coanfitrión. Así es como nos conocimos. A mi padre le diagnosticaron esta enfermedad hace tres años.

Así que la tristeza le viene de ahí.

—¡Cuánto lo siento!

—Sí, yo también. La cosa es que con la economía por los suelos parecía que no alcanzaríamos nuestras previsiones. Pero tu madre intervino. Realizó una enorme contribución e hizo que superáramos el objetivo.

—¿Y ahora te sientes en deuda? ¡Qué locura! Mi madre se pasaba el día haciendo cosas como ésa.

—A la semana siguiente recibí un paquete en mi despacho. Jabones, botes de champú, lociones…, un montón de productos de Cosméticos Bohlinger. Estaba a nombre de mi madre.

—¿Tu madre? Espera, creía que habías dicho que tu padre…

—Eso es.

Tardo un segundo hasta que las piezas empiezan a encajar.

—Tu madre también era una víctima del Alzheimer.

—Exacto. Se puso a llorar cuando le di el paquete. Como enfermera de mi padre, sus necesidades eran básicamente ignoradas. Tu madre supo que ella también necesitaba calor.

—Mi madre era así. Era la mujer más sensible que he conocido jamás.

—Era una santa. De modo que cuando me nombró albacea de su patrimonio y me explicó lo que tenía pensado para ti, le di mi palabra de que me ocuparía de llevarlo a término. —Su rostro imperturbable transmite una firme determinación—. Y, créeme, lo haré.

6

El paro tiene sus ventajas, especialmente para alguien que necesita preparar un número cómico para fin de mes. Estoy tentada de robar frases que he oído en el canal Comedy Central, pero sé que mamá no lo aprobaría. En lugar de eso me paso la semana peinando la ciudad. Cualquier cosa que oigo o veo y es vagamente graciosa se convierte en posible pasto para mi función. Con la esperanza de vencer, o al menos minimizar, las probabilidades de hacer un ridículo absoluto en público, me paso horas frente al espejo trabajando para perfeccionar mi material, al tiempo que el estómago se me agarrota en una piedra compacta y unos círculos oscuros forman anillos de árbol debajo de mis ojos.

Se me ocurre que ésta podría haber sido la intención de mi madre desde el principio. Poniendo la actuación en directo a la cabeza de la lista, supuso que yo estaría demasiado nerviosa y angustiada como para pensar en ella. En realidad, se ha producido el efecto contrario. A Elizabeth Bohlinger nada le gustaba más que unas buenas risas. Cada vez que veo que alguien hace el tonto u oigo algo que me hace sonreír, con quien quiero compartirlo es con mi madre. De estar viva, le llamaría y le diría: «Tengo que contarte una historia».

Eso era cuanto necesitaba oír. O me suplicaba que se la contara en el acto o, las más de las veces, me invitaba luego a cenar. Servido el vino, se inclinaba hacia mí y me daba una palmadita en el brazo: «Tu historia, cariño. ¡Venga, que llevo todo el día esperando!»

Yo adornaba el relato, usando acentos y dialectos para producir más efecto. Incluso ahora puedo oír la cadencia de sus carcajadas, puedo verla enjugándose las lágrimas del rabillo de los ojos...

Me sorprendo sonriendo y me doy cuenta de que, por primera vez desde su muerte, su recuerdo me hace sentir feliz, no triste.

Y eso es exactamente lo que ella querría, la mujer a la que le encantaba reírse.

La noche antes de mi actuación la paso en vela, inquieta y tensa. Un haz de luz de las farolas se abre paso por las persianas de madera y aterriza sobre la caja torácica de Andrew. Me apoyo en un codo y lo miro fijamente. Su pecho sube perfectamente sincronizado con el pequeño estallido que escapa de sus labios cada vez que exhala. Debo hacer acopio de todas mis fuerzas para no pasar la mano por la suavidad mantecosa de su piel. Sus manos están cruzadas sobre su estómago plano y su rostro está sereno, a diferencia de la pose artificial de mi madre muerta.

—Andrew —susurro—. Tengo mucho miedo. —Su cuerpo inerte me invita a continuar, o eso parece—. Mañana por la noche actúo en un club de comedia. Necesito decírtelo desesperadamente, para que puedas estar allí conmigo o desearme suerte. Antes se te daba tan bien darme seguridad. ¿Recuerdas que te pasaste al teléfono toda la noche antes de mi presentación en Milán, únicamente para estar allí, junto a mi almohada, por si me despertaba? —Se me hace un nudo en la garganta—. Pero si te contara lo de este número cómico, tendría que hablarte de esta ridícula lista de objetivos que mi madre quiso que llevara a cabo, y no puedo hacerlo. —Levanto la cabeza hacia el techo y cierro los ojos con fuerza reprimiendo las lágrimas—. Mi lista de objetivos vitales es muy distinta a la que tú tendrías. —Empiezo a decir *Te quiero*, pero la frase se me atasca en la garganta, por lo que la digo en silencio.

Andrew se mueve y me da un vuelco el corazón. ¡Dios mío! ¿Y si me ha oído? Suspiro. ¿Y qué, si lo ha hecho? ¿De veras sería tan horrible que el hombre con quien vivo, el hombre con el que comparto cama, sepa que lo quiero? Cierro los ojos y la respuesta me llega con toda su fuerza. Sí lo sería; porque no estoy segura de que él fuese capaz de decirme lo mismo.

Me dejo caer en la almohada y contemplo las rejillas del techo.

Andrew ama mi éxito y mi estatus, pero eso ha desaparecido. ¿Realmente me quiere, a *mí*? ¿Acaso me conoce? ¿Conoce mi auténtico yo?

Cruzo un brazo sobre mi frente. No es culpa suya. Mi madre tenía razón. He mantenido oculto mi verdadero yo. He abandonado mis sueños y me he transformado exactamente en la clase de mujer que Andrew quiere que sea: poco convencional, fácil de conformar y libre de cargas.

Echo una mirada hacia mi novio durmiente. ¿Por qué he renunciado a la vida que quise en su día? ¿Está esa niña pequeña deambulando aún en mi interior, sintiéndose indigna? ¿Tiene mi madre razón? ¿He renunciado a mis propios sueños en un intento desesperado por conseguir la aprobación de Andrew, la aprobación que nunca obtuve de mi padre? No, eso es ridículo. Hace años decidí que la aprobación paterna no significaba nada para mí. Entonces, ¿por qué no he luchado por mis sueños? ¿Porque Andrew tenía otras aspiraciones, y yo decidí perseguir las suyas? No, ésa es sólo la versión altruista y abnegada de mi persona que me gusta imaginarme. Por mucho que deteste admitirlo, hay algo más, algo mucho menos noble…

Tengo miedo. Por débil y cobarde que pueda parecer, no quiero estar sola. Dejar a Andrew sería una apuesta fuerte a estas alturas de mi vida. Seguramente conocería a otra persona, pero, a los treinta y cuatro años, volver a empezar se me antoja demasiado arriesgado, como transferir los ahorros de toda mi vida de una cuenta de plazo fijo a un fondo de alto riesgo. Ciertamente, los beneficios podrían ser ingentes, pero la pérdida podría aniquilarme. Todo aquello por lo que he luchado podría desaparecer en un abrir y cerrar de ojos, y podría acabar sin nada.

A las dos y media me levanto por fin de la cama y bajo al sofá con paso cansino. Mi móvil centellea desde la mesa de centro. Lo cojo y leo un mensaje de texto, enviado a las 23.50. «Relájate. Lo harás de maravilla. Ahora duerme un poco.»

Es de Brad.

Una sonrisa me invade lentamente la cara. Me meto bajo la manta y me acurruco contra el cojín del sofá. Como si acabasen de darme un beso en la frente y un vaso de leche caliente, mi corazón desacelera el ritmo y vuelvo a sentirme a salvo.

Así me hacía sentir Andrew antes.

Del tamaño de un salón de baile, el Third Coast Comedy acoge esta noche a una agitada multitud; no cabe un alfiler. Unas mesas redondas llenan la pista principal, situada delante de un escenario de madera de unos sesenta centímetros de altura. Contra la pared del fondo la gente se arracima en tríos en el bar, alargando el cuello para ver la función. ¿Qué hace aquí toda esta gente un lunes por la noche? ¿Es que tampoco tienen trabajo? Desde el lado opuesto de la mesa, agarro a Brad del brazo y grito para que me oiga por encima del clamor del público.

—¡No puedo creerme que te dejara convencerme de esto! ¿No podrías haber encontrado un agujerito en la pared?

—Dentro de siete minutos habrás conseguido el objetivo dieciocho —me grita a su vez—. Entonces podrás pasar a los nueve restantes.

—¡Claro! Como si eso fuese un incentivo. Tacho éste y así podré comprarme un caballo y hacer de alguna manera las paces con el imbécil de mi difunto padre.

—¡Perdona! —Brad se señala la oreja—. ¡No te oigo!

Acabo mi martini y me vuelvo hacia mis amigas.

—¡Esta noche estás guapísima! —chilla Shelley por encima del barullo.

—Gracias. —Bajo la mirada hacia mi camiseta. En la parte de delante pone: «NUNCA CONFÍES EN UN PREDICADOR EMPALMADO.»

Oigo otra sarta de carcajadas y dirijo la atención al escenario. Como sólo a mí puede pasarme, salgo a continuación del favorito del público, un pelirrojo larguirucho que se ha arrancado con una disertación sobre las tetas con patas. Reparo en un tipo gordinflón de la primera mesa con una cerveza y tres chupitos en fila frente a él. Silba y chilla y agita el puño en el aire.

El maestro de ceremonias salta al escenario y sujeta el micrófono.

—Aplausos para Steve Pinckney. —Los espectadores se vuelven locos.

El corazón me late con fuerza e inspiro una bocanada gigante de aire.

—¡Suerte, hermanita! —chilla Shelley.

—Hazme reír, chica —añade Megan.

Brad me aprieta el brazo.

—Liz estaría orgullosa de ti. —Esto me da una punzada en el pecho. Con el rabillo del ojo veo a Bill, el director, haciéndome señas para que suba al escenario.

El tiempo se pliega sobre sí. Avanzo lentamente hacia el escenario como un preso dirigiéndose a la silla eléctrica.

—A continuación tenemos a Brett... —El maestro de ceremonias espera a que disminuya el alboroto—. Nuestro siguiente invitado es Brett Bohlinger, que hoy se estrena. Echémosle un cable.

Subo los escalones del escenario. Las piernas me tiemblan tan violentamente que temo que me fallen. No sé cómo, llego hasta el micrófono, y una vez allí sujeto con fuerza el pie de metal con ambas manos para aguantar el equilibrio. Un brillante foco blanco me ciega y miro al público con ojos entornados. Un sinfín de ojos me observan fijamente, expectantes. Ahora se supone que tengo que contar un chiste, ¿verdad? ¿Cómo era? ¡Ayúdame, Señor! No, ¡ayúdame, mamá!; al fin y al cabo, la artífice de esta trampa aberrante has sido tú. Cierro los ojos. Como si estuviera sentada frente a la mesa de su comedor, me imagino su voz. *Tu historia, cariño. ¡Venga, que llevo todo el día esperando!* Inspiro hondo y me sumerjo en las aguas plagadas de tiburones del Third Coast Comedy.

—Hola a todos. —Mi voz trémula es sofocada por un repugnante chirrido del micrófono. El borracho de la primera mesa refunfuña y se tapa los oídos. Saco el micro de su soporte—. Disculpadme —digo—. Hace tiempo que no me subo a un escenario. No pensé que me interrumpiría el micrófono. —Me río entre dientes, nerviosa, y miro a hurtadillas a mis amigas. Megan tiene una falsa sonrisa en la cara. Shelley está grabándome con el iPhone, y la rodilla de Brad se menea como si tuviese párkinson.

—Mmm…, se-seguramente habréis pensado en un chico al oír el nombre de Brett. Es algo que me pasa continuamente. Y esto no es vivir…, quiero decir que no es fácil vivir con un nombre de chico. No os podéis imaginar lo crueles que pueden llegar a ser los niños. Volvía a casa corriendo al salir del cole, llorosa porque se habían burlado de mí, y le suplicaba a mi hermano Tiffany que les diera una paliza.

Me cubro los ojos con la mano a modo de visera y contemplo al público, esperando las risas. Pero todo lo que oigo son las aisladas risitas agudas de Megan.

—Tal como lo oís —digo—. Mi hermano *Tiffany*.

—No tienes gracia —grita el borracho con voz cantarina.

Se me corta la respiración, como si me hubiesen dado una patada en la barriga.

—Mmm… ¿Y si os digo que todas esas burlas y ese suplicio por culpa de mi nombre tenían lugar en un colegio católico? ¿Cu-cuántos de vosotros sois producto de un colegio católico?

Un pequeño sector del público aplaude, y yo lo interpreto como un estímulo.

—Las… las monjas de mi colegio eran tan estrictas que en el Saint Mary el recreo era la pausa que hacíamos para ir al baño después de comer.

Brad, Megan y Shelley se ríen a conciencia con este chiste. Pero el resto del público se me queda mirando, algunos sonríen educadamente, otros miran sus relojes o móviles.

—Te has dejado la gracia del chiste —vocifera alguien.

Creo que voy a vomitar o, peor aún, a romper a llorar. Miro de reojo el reloj digital colocado al pie del escenario. Sólo han pasado dos minutos y cuatro segundos. ¡Señor! Tengo que estar cinco minutos más aquí arriba. ¿Qué viene ahora? ¡Dios! No recuerdo ni un solo chiste. Horrorizada, me seco las palmas sudorosas en los tejanos y meto una mano en el bolsillo trasero en busca de mi último recurso.

—¡No me lo puedo creer, está sacando una chuleta! —grita una voz al fondo—. Tiene que ser una broma.

Me tiembla un labio.

—Volvamos al Saint Mary…

Los espectadores protestan.

—¡Ya basta de chistes católicos! —chilla alguien.

Apenas puedo sujetar mis notas por lo mucho que me tiemblan las manos.

—No sólo era un colegio católico, sino exclusivamente de chicas, además. Una especie de cámara de tortura, un dos por uno.

El público me abuchea. Se me llenan los ojos de lágrimas y revuelvo torpemente en las notas. ¡Dios mío, ayúdame! Ahora la gente empieza a hablar en voz alta, sin ocultar ya su aburrimiento. Otros se van al bar o al lavabo. Veo que Shelley baja el teléfono, dejando de grabar este fiasco. El borracho de la primera mesa se reclina en su silla, con su puño regordete firmemente cerrado sobre una botella de cuello largo.

—¡Siguiente! —exclama, levantando el brazo y señalando al escenario para que den paso a otro.

¡A la mierda! ¡Yo me largo de aquí! Me giro, dispuesta a salir disparada. Pero al pie de los escalones del escenario veo a Brad.

—¡No hagas caso, B. B.! —vocifera por encima del ruido—. Continúa.

En este momento lo quiero tanto que me dan ganas de saltar del escenario y rodearle con los brazos. También tengo ganas de estrangularlo. Él (y mi madre) son los que me han obligado a hacer esto.

—Puedes hacerlo. Ya casi lo tienes.

Resistiendo todos los impulsos por salvar el pellejo, me giro de cara al público: los bárbaros groseros que se creen que estamos es el intermedio.

—Las monjas… hicieron todo lo posible para mantenernos a las chicas puras de pensamiento. —Nadie escucha, ni siquiera mi equipo de apoyo. Megan está hablando con un tío de la mesa de al lado, y Shelley está enviando un mensaje de texto. Nadie, salvo Brad. Lo miro y él asiente.

—Teníamos un… un crucifijo enorme en la clase. La hermana Rose… —me froto la garganta dolorida—. La hermana Rose incluso cubrió el taparrabos de Jesús con unos pantalones.

—¡Veinte segundos más, B. B.! —grita Brad.

—Mi amiga Kasey… ni siquiera le cambiaba el pañal a su muñeco sin cerrar los ojos.

—¡Siéntate, mujer! —chilla alguien—. Nos vas a matar.

Brad empieza la cuenta atrás:

—Siete, seis, cinco…

Oigo «cero» e incrusto el micro en su soporte. Brad grita de alegría. Cuando salto del escenario, me estrecha en un abrazo, pero ahora estoy sollozando. Me suelto y corro hacia la salida.

El aire de la noche es fresco y arde cuando lo inspiro. Entre lágrimas me tambaleo por el aparcamiento hasta que doy con mi coche. Apoyo los brazos en el techo y hundo la cabeza.

Instantes después noto una mano en mi hombro.

—No llores, B. B. Lo has conseguido. Ya ha pasado. —Brad me frota en círculos la espalda convulsiva.

—¡Lo he hecho de pena! —exclamo, aporreando el techo con el puño. Me doy la vuelta y lo miro—. Te dije que no era graciosa.

Él me estrecha entre sus brazos. No opongo resistencia.

—Maldigo a mi madre —digo contra su abrigo de lana.

Él me acuna en silencio.

—¿Por qué me ha hecho hacer esto? He sido el hazmerreír; no, el hazmerreír no…, eso implicaría que alguien se ha reído de verdad.

Él retrocede y extrae un sobre rosa pálido del bolsillo.

—¿Dejamos que se defienda a sí misma?

Me enjugo la nariz con el dorso de la mano.

—¿Vas a darme la carta?

Él sonríe y me seca una lágrima de la mejilla.

—Creo que te lo has ganado a pulso.

Nos metemos en mi coche y pongo la calefacción. En el asiento contiguo al mío, Brad desliza un dedo por debajo del lacre del sobre número dieciocho y empieza a leer.

—«Hija mía: ¿estás enfadada porque has fracasado? Bobadas.»

—¿Cómo? —digo—. Ella sabía que…

Brad no me deja acabar y sigue leyendo.

—«¿En qué momento decidiste que tienes que ser perfecta? Me resulta imposible establecer cuándo exactamente. Pero en algún momento dado perdiste el descaro. Esa niñita feliz a la que le encantaba contar historias y cantar y bailar se volvió taciturna e insegura.»

Crece la presión tras mis ojos. *No fuiste tú la que me silenció, madre.*

—«Pero esta noche has estado viva, mi pequeña actriz, como solías estar antes, y eso me alegra enormemente. Creo que esa pasión, incluso la pasión que nace del miedo y la angustia, es mucho mejor que una vida banal.

»Que la anécdota de esta noche te sirva de recordatorio de tus agallas, tu fortaleza, tu valentía. Cuando tengas miedo, deshazte de él aferrándote a este coraje, porque ahora sabes que te pertenece, como yo he sabido siempre.

»Eleanor Roosevelt dijo en cierta ocasión: "Haz cada día algo que te asuste". Continúa forzándote a hacer aquellas cosas que te asustan, cariño. Asume esos riesgos y a ver adónde te llevan, porque son justamente las cosas que hacen que este viaje merezca la pena. —Brad hace una breve pausa—. Con todo mi amor y mi orgullo, mamá.»

Cojo la carta y la releo, pasando los dedos por encima de las palabras de mi madre. Pero ¿qué me está pidiendo insistentemente que haga? Pienso en Andrew, y en el trabajo de profesora, y en Carrie. Me estremezco. Pero por mucho miedo que me den esas cosas, hay una que me aterroriza más. La alejo de mis pensamientos. Es verdad, esta noche he fracasado y he sobrevivido, pero no estoy preparada para volver a actuar.

7

Vestida con mi traje favorito de Marc Jacobs, estoy bebiendo a sorbos un café con leche en The Bourgeois Pig cuando llega Megan a media mañana.

—¡Otro crucigrama no! —Deja caer sobre la mesa su bolso morado de Dolce & Gabbana y me quita el crucigrama de delante—. Al final he entendido por qué tu madre te ha dado un jodido ultimátum. ¿Has hecho algo excitante desde el número cómico de la semana pasada? Cuando te dijo que persiguieras tus sueños, no creo que se refiriera a que durmieras la siesta en el parque. —Me señala el traje—. ¡Ni siquiera se lo has dicho a Andrew aún! —Aparta el periódico a un lado y saca el portátil de mi cartera—. Hoy buscaremos a tu amiga de la infancia.

—No puedo contactar con Carrie así sin más. Antes tengo que diseñar un plan. —Aparto el ordenador y me froto las sienes—. Te estoy diciendo que esta lista me destrozará la vida.

Megan me observa con el ceño fruncido.

—Eres un bicho raro, Brett. Tengo el presentimiento de que esos objetivos podrían incluso hacerte feliz. Es la vida de Andrew la que temes destrozar, no la tuya.

Su franqueza y perspicacia me desconciertan.

—Es posible. Pero, sea como sea, estoy jodida. Perderé a mi novio y encima no seré capaz de cumplir estos objetivos antes de septiembre.

Haciendo caso omiso de mis patéticas quejas, Megan corre su silla hacia atrás.

—Necesito cafeína. Tú entra en Facebook mientras voy a por mi dosis.

Mientras Megan hace cola frente al mostrador, entro en Facebook. Pero en lugar de buscar a Carrie, mis dedos teclean «Brad Midar» en la barra de búsqueda. Es pan comido localizarlo, incluso en la foto del perfil. Al contemplar su foto me sorprendo sonriendo. Se me pasa por la cabeza enviarle una solicitud de amistad, pero igual piensa que eso traspasa los límites profesionales; como si los mensajes de texto y los abrazos no lo hicieran. Y entonces me pongo a pensar en mis propios límites. ¿Qué pensaría Andrew si supiera que busco la amistad del abogado cuya existencia le he ocultado?

Me estiro dos puñados de pelo. Pero ¿qué me pasa?

—¿La has encontrado? —pregunta Megan a mis espaldas con un cortado y un bollo. Cierro el portátil de golpe—. Aún no.

Espero a que Megan esté al otro lado de la mesa para volver a abrir el ordenador; esta vez tecleo «Carrie Newsome» en la barra de búsqueda.

Con su silla cerca de mí, leemos varias páginas y entonces la encontramos. Luce una sudadera de Wisconsin y, sorprendentemente, no ha cambiado nada. Su aspecto sigue siendo atlético, aún lleva gafas, aún sonríe. La culpa se apodera de mí. ¿Cómo pude ser tan cruel?

—¿Es Carrie? —pregunta Megan—. No me extraña que quisieras deshacerte de ella. ¿Es que no venden pinzas de depilar en Wisconsin?

—Para, Megan. —Contemplo su foto desde un velo lagrimoso—. Quise mucho a esta chica.

De pequeñas, Carrie y sus padres vivían a dos manzanas de nosotros, en Arthur Street. No nos parecíamos en nada, ella era el marimacho valiente, yo, la princesita flacucha. Una tarde, cuando yo tenía cinco años, pasó tranquilamente por delante de mi casa con un balón negro y blanco. Al ver a una niña más o menos de su edad, me convenció de que jugara a fútbol con ella. Le propuse que en lugar de eso jugáramos a las casitas, pero no me hizo caso. De modo que anduvimos hasta el parque y nos encaramamos a las estructuras para trepar y nos columpiamos y nos reímos el resto de la tarde. Desde aquel día fuimos inseparables; hasta años después, cuando la dejé tirada.

—No tengo ningún derecho a esperar que esta mujer me brinde su amistad. Y lo que es peor, lo hago ahora únicamente porque tengo que hacerlo.

—¿En serio? —Megan tira de su brazo—. Porque yo diría que ella no tiene derecho a que tú le brindes tu amistad. —Meneo la cabeza. Megan jamás entendería que una persona del aspecto de Carrie pudiera estar fuera de nuestro alcance—. ¡Por Dios, Brett! ¿Cuál es el problema? —En un segundo se apropia del cursor y pulsa AGREGAR AMIGO.

Ahogo un grito.

—¡No puedo creer que hayas hecho eso!

—¡Y lo que nos queda, chica! —Levanta su taza de café, pero yo no levanto la mía. En cualquier momento Carrie Newsome recibirá un cruel recordatorio de aquella querida amiga que la traicionó. Tengo náuseas, pero Megan ya es imparable. Se frota las manos.

—Muy bien, ahora estamos en racha. Vamos a la tienda de mascotas a buscarte un perro.

—Ni pensarlo. Los perros huelen mal. Y destrozan la casa. —Tomo un sorbo de café—. Por lo menos eso opina Andrew.

—¿Qué pinta aquí Andrew? —Parte una esquina de su bollo—. Brett, lo siento, pero ¿realmente crees que Andrew forma parte de tu plan de vida? Quiero decir que tu madre prácticamente ha dicho que es historia. ¿Pretendes ignorar su última voluntad?

Megan ha dado con mi talón de Aquiles. Planto los codos en la mesa y me pellizco el puente de la nariz.

—Tengo que contarle a Andrew lo de esta maldita lista. Pero se pondrá hecho un basilisco. Él quiere comprarse un avión algún día, ¡no un caballo! Los niños no entran en su plan. Lo dejó clarísimo desde el principio.

—¿Y eso te pareció bien?

Miro por la ventana, mi mente se traslada a otra época, una época en la que yo era audaz e intrépida, y estaba convencida de que mis sueños, efectivamente, se harían realidad. Pero entonces pasó lo que pasó, y aprendí que el mundo no giraba a mi alrededor.

—Me autoconvencí de que estaba bien. Las cosas eran distintas en aquel entonces. Viajábamos mucho... Cuando me iba de viaje por trabajo, él me acompañaba. Nuestras vidas eran tan ajetreadas que costaba visualizar un hijo.

—¿Y ahora?

Me está preguntando por la versión actualizada de mi vida. La versión en la que ceno sola casi todas las noches delante de la televisión y el último viaje que hicimos fue para ir a la boda de su hermana en Boston hace dos años.

—Acabo de perder a mi madre y de quedarme sin trabajo. No puedo afrontar más pérdidas. Aún no.

Megan se seca la boca con la servilleta, y detecto que sus pestañas están perladas de lágrimas. Le cojo de la mano.

—Perdona. No pretendía descargarme en ti.

Su rostro se arruga.

—No puedo seguir así.

¡Vaya! No está llorando por mí. Llora por ella. Pero conmigo se puede hablar. Últimamente he estado tan ensimismada que he hecho que Megan parezca una psicoterapeuta. Le doy la mano.

—¿Más mensajes de texto en el teléfono de Jimmy?

—Peor. Ayer estaban haciéndolo en nuestra cama cuando llegué a casa. ¡En nuestra maldita cama! Gracias a Dios, pude largarme de allí antes de que me vieran.

—¡Será gilipollas! Mira que hay sitios, ¿por qué la llevaría a casa? Sabe que no tienes horario fijo.

—Quiere que lo pille. No tiene narices de romper y espera que lo haga yo. —Tira de su muñeca izquierda y suspira—. Malditos brazos. Estoy deforme.

—Eso es absurdo. Eres guapísima y tienes que darle una patada en el culo a ese tío.

—No puedo. ¿De dónde sacaría el dinero?

—Empezarías a vender casas.

Ella hace un gesto displicente con la mano.

—¡Bah! Lo que yo digo, Brett, que en mi anterior vida tengo que haber sido de la realeza, porque no me acostumbro a la idea de trabajar para ganarme la vida.

—Bueno, no puedes quedarte ahí sentada sin hacer nada. Tal vez, si le haces frente…

—¡No! —exclama ella, casi chillando—. No puedo hacerle frente hasta que tenga otra opción.

Al principio no lo entiendo, pero entonces caigo en la cuenta. Megan quiere un sustituto antes de abandonar al original. Es como una niña aterrorizada que espera dar con otra familia que la acoja antes de convertirse en huérfana.

—No necesitas que nadie cuide de ti. Eres una mujer inteligente. Te bastas tú sola. —Oigo mis propias palabras y me pregunto si le estoy hablando a Megan o a mí misma. Suavizo el tono—. Sé que es duro, Meggie, pero puedes hacerlo.

—Eso no pasará.

Suspiro.

—Entonces tienes que salir de ahí. Quizás entrar en alguna de esas páginas de contactos en Internet.

Megan pone los ojos en blanco y extrae de su bolso morado un tubo de brillo de labios.

—Busco millonario guapo. Tienen que gustarle los brazos cortos.

—En serio, cielo, encontrarás a otra persona en un santiamén. A alguien mucho mejor. —Se me ocurre una idea y chasco los dedos—. ¡Eh! ¿Qué me dices de Brad?

—¿El abogado de tu madre?

—Sí. Es realmente simpático. Y mono, también, ¿no crees?

Ella se da unos toques de brillo en los labios.

—¡Ya! Sólo hay un problemilla.

—¿Cuál? —Resoplo—. ¿No es lo bastante rico?

—No. —Presiona un labio contra otra—. Ya está enamorado de ti.

Echo la cabeza atrás como si me hubieran golpeado. ¡Dios mío! ¿Es posible que lo esté? Pero tengo a Andrew… Más o menos.

—¿Por qué crees eso? —pregunto cuando por fin puedo hablar.

Ella se encoge de hombros.

—¿Por qué otro motivo estaría tan empeñado en ayudarte?

Debería estar aliviada. Lo que necesito de Brad es su amistad, no un idilio. Pero, curiosamente, me deprimo.

—No. Hace lo que hace porque se lo pidió mi madre. Tan sólo está ayudándome porque se lo prometió a ella. Créeme. No soy más que su caso altruista.

En lugar de discutir conmigo, como esperaba que hiciera, Megan asiente.

—¡Ah, muy bien!

Bajo la cabeza. ¿Soy igual que Megan y estoy buscando un sustituto antes de perder al original?

Me tiemblan las manos cuando abro la carta. Leo sus palabras una vez más. «Continúa forzándote a hacer aquellas cosas que te asustan, cariño.» ¿Por qué, mamá? ¿Por qué me haces hacer esto? Me meto la carta en el bolsillo y cruzo la verja.

Hace años que no vengo al cementerio Saint Boniface. Aquella última vez fue con mi madre. Íbamos no sé dónde (a hacer compras navideñas, creo), pero ella insistió en que primero nos desviáramos brevemente. Era una tarde glacial. Me recuerdo observando el viento azotar las calles, transformando la escasa nieve que teníamos en iracundos remolinos rotatorios de hielo. Mi madre y yo vencimos al vendaval, y juntas sujetamos una corona de hoja perenne a la lápida de mi padre. Luego volví al coche y giré la llave en el contacto. Los ventiladores despidieron nubes de calor. Me calenté las manos y observé a mi madre que estaba en silencio y con la cabeza agachada. Entonces se enjugó los ojos con el guante y se santiguó. Cuando regresó al vehículo, yo fingí que jugueteaba con la radio del coche, con la esperanza de preservar su dignidad. Sentí lástima por ella, una mujer que seguía profesando devoción por el marido que la había abandonado.

A diferencia de aquel día de hacía siete años, hoy hace un día otoñal espléndido, el cielo está tan abierto y tan azul que la amenaza del invierno parece ridícula. Las hojas juegan al pilla-pilla con la suave brisa y, aparte de las ardillas que buscan nueces bajo los nogales, estoy sola en la bella ladera del cementerio.

—Seguramente te preguntarás por qué estoy aquí, después de todos estos años —le susurro a la lápida—. ¿Crees que soy como mamá? ¿Incapaz de odiarte?

Quito las hojas secas del pie de la lápida y me siento en la losa de mármol. Introduzco la mano en el bolso y busco su foto en el monedero, apretujada entre mi carné de biblioteca y el de socia del gimnasio. Está descolorida y tiene las esquinas dobladas, pero es la única foto que conservo de los dos. Mi madre la hizo la mañana de Navidad de mis seis años. Con un pijama de franela rojo, estoy apoyada en el borde de su rodilla, las manos entrelazadas, como rezando para poder abandonar tan precario lugar. Él tiene una mano pálida apoyada en mi hombro; la otra le cuelga muerta a lo largo del tronco. Una tenue sonrisa coquetea con su boca, pero su mirada está apagada y hueca.

—¿Qué pasaba conmigo, papá? ¿Por qué no pude hacerte sonreír? ¿Por qué te costaba tanto rodearme con los brazos?

Me escuecen los ojos y levanto la cabeza al cielo, esperando esa descarga de paz que mi madre debió de visualizar al dejar este punto en mi lista. Pero lo único que siento es el cálido sol en la cara y una herida abierta en el pecho. Bajo los ojos hacia la foto. Una lágrima cae en mi rostro de hada, intensificando mi mirada herida. La seco con la manga de la camisa, que deja a su paso una onda abombada.

—¿Sabes lo que más duele, papá? Es la sensación de que nunca fui lo bastante buena para ti. No era más que una niña. ¿Por qué no me dijiste, siquiera una vez, que era buena o lista o mona? —Me muerdo el labio hasta que me sabe a sangre—. Me esforcé tanto para que me quisieras. Me esforcé mucho.

Lloro a lágrima viva. Me levanto de la losa y contemplo la lápida como si fuese el rostro de mi padre.

—Esto ha sido idea de mamá, ¿sabes? Es ella la que quiere que establezca una relación contigo. Yo renuncié a ese sueño hace años.

—«Charles Jacob Bohlinger»; paso las yemas de los dedos sobre su nombre grabado—. La paz sea contigo, papá.

Me giro y me alejo andando, entonces echo a correr.

Son las cinco en punto cuando llego a Argyle Station, y aún estoy conmocionada. Pero me niego a dejar que mi horrible padre me afecte. El ferrocarril elevado está abarrotado y estoy apretujada entre una adolescente cuyo iPod resuena tan fuerte que puedo oír las obscenidades líricas a través de sus auriculares, y un hombre que lleva una gorra de béisbol en la que pone «DIOSTEOYE.COM». Me dan ganas de preguntarle si Dios utiliza un Mac o un PC, pero algo me dice que no le vería la gracia. Clavo los ojos en un hombre alto y moreno con gabardina Burberry de color habano. Sus ojos también son risueños y hay algo en él que me resulta familiar. Se inclina hacia delante, ambos sobrepasamos a las dos chicas que nos separan.

—La tecnología es increíble, ¿eh?

Me río.

—Y que lo digas. Los confesionarios pronto serán cosa del pasado.

Él sonríe, y no sé si fijar la vista en las motas doradas de sus ojos castaños o en su boca dulce y sensual. Detecto un hilo negro en su gabardina color habano y entonces caigo. ¿Podría tratarse del hombre Burberry que desde la ventana del *loft* solía ver entrar en el edificio cada tarde a las siete? Lo apodé el hombre Burberry porque siempre llevaba una gabardina Burberry; clavada a la que lleva ahora. Si bien, en realidad, nunca habíamos hablado, estaba secretamente colada por él; antes de que desapareciera tan deprisa como llegó.

Estoy a punto de presentarme cuando suena mi teléfono. Veo el número del despacho de Brad y contesto.

—Hola, Brett. Soy Claire Cole. He recibido su mensaje. El señor Midar podría verla el veintisiete de octubre a las…

—¿El veintisiete? Eso es dentro de tres semanas. Necesito… —Mi voz se apaga. *Necesito verlo* suena demasiado vehemente, demasiado desesperado. Pero, tras la visita de hoy al cementerio, estoy al borde del precipicio emocional y sé que Brad me convencería de que no me tirara—. Me gustaría verlo antes, mañana, por ejemplo.

—Lo siento. La semana que viene la tiene completamente llena y luego se va de vacaciones. Podría verla el veintisiete —repite—. Tiene un hueco a las ocho en punto.

Suspiro.

—Si eso es lo más pronto que tiene libre, de acuerdo. Pero si alguien cancela antes, llámeme. Por favor.

Anuncian mi parada. Meto el teléfono en el bolsillo del abrigo y me abro paso hacia la puerta.

—Que vaya bien —dice Burberry al pasar por su lado.

—Igualmente.

Bajo corriendo del tren, pero no antes de que una ola melancólica me asalte. Brad Midar se va de vacaciones, y no me hace ninguna gracia. Me pregunto adónde irá. ¿Viajará solo o con novia? Hasta ahora no ha surgido la ocasión adecuada para preguntarle por su estado civil, y él en ningún momento ha dicho nada. ¿Y por qué iba a hacerlo? ¡Soy su clienta, por amor de Dios! Pero también él es mi único vínculo con mi madre. Me temo que he entablado un vínculo anormalmente fuerte con él, como mensajero suyo. Como un patito huérfano de madre, me he fijado en la primera cara amable que he encontrado.

8

Cuando mi madre estaba viva y sana, los jueves por la noche eran tradicionalmente noches familiares para los Bohlinger. Nos reuníamos alrededor de su mesa de comedor, donde la conversación fluía con la misma facilidad que el Sauvignon Blanc. Con mamá presidiendo la mesa, los temas se enlazaban unos con otros, desde temas de actualidad hasta política o cuestiones personales. Esta noche, por primera vez desde su muerte, Joad y Catherine se atreven a intentar recrear la magia.

Joad me besa en la mejilla cuando llego.

—Gracias por venir —dice, su *blazer* de ante está protegido por un delantal a rayas negras y blancas.

Me quito los zapatos y me hundo en la suntuosa moqueta blanca. Aunque el gusto decorativo de Joad se inclina por lo tradicional, Catherine adora lo contemporáneo. El resultado es un piso impecable y de austera decoración en tonos blancos y beiges, salpicado de fabulosos y originales cuadros y modernas esculturas. El lugar más bien estéril es, sin duda, sensacional, si no acogedor.

—Hay algo que huele de maravilla —comento.

—Las costillas de cordero, y están casi a punto. Venga, Jay y Shelley ya van por su segunda copa de Pinot.

Como deberíamos habernos imaginado, la ausencia de mamá es tan acusada como el acento sureño. Nos sentamos los cinco en el serio comedor de Joad y Catherine con vistas al río Chicago, haciendo como si no notáramos que falta la energía de nuestra madre; antes bien, envolvemos el incómodo silencio en una cháchara insustancial. Después de los veinte minutos de perorata de Catherine sobre los beneficios de Cosméticos Bohlinger en el tercer trimestre y sus planes de futura expansión, el tema se centra en mí. Quiere saber por qué Andrew no está conmigo. Jay pregunta si he encontrado un trabajo de profesora. Cada pregunta me produce una sacudida, como las réplicas que siguen a un terremoto. Necesito un respiro y me retiro en el momento en que Joad se dirige a la cocina a caramelizar su famosa *crème brûlée*.

En mi recorrido por el pasillo hacia el cuarto de baño, echo un vistazo al estudio de Joad. La pequeña habitación revestida de cerezo es el despacho de mi hermano y también de su santuario, así que jamás entraría sin autorización. En los armarios cerrados con llave esconde su colección de whiskys puros de malta y, aunque Catherine detesta que se fume en casa, un humidificador lleno de habanos. Al pasar, algo en su escritorio llama mi atención. Retrocedo.

Mis ojos tardan un segundo en adaptarse a los tonos en sombra. Parpadeo unas cuantas veces. Allí, encima de una carpeta de la mesa de caoba de Joad, está el diario de cuero rojo.

Pero ¡qué caray! Entro en la habitación. Cuando pregunté por el cuaderno desaparecido, todos, incluido Joad, negaron haberlo visto. Lo cojo, la tapa ya no está oculta por la nota de mi madre. Veo su letra y se me encoge el corazón. «Verano de 1978»; el verano antes de que yo naciera. No me extraña que Joad lo quisiera. Este cuaderno es inestimable. Pero seguro que sabe que yo lo compartiría con él y con Jay.

Cuando voy a abrirlo, oigo pasos acercándose por el pasillo. Es Joad. Me quedo helada. Quiero contarle que he encontrado mi cuaderno y me lo voy a quedar, pero algo me dice que me quede calladita. Es evidente que no quiere que yo lo tenga. Pasa el despacho de largo sin siquiera echar una mirada, y suspiro aliviada. Me meto el cuaderno debajo del jersey y salgo de la habitación tan sigilosamente como he entrado.

Vuelvo al comedor abrochándome el abrigo.

—Lo siento, Catherine. Voy a saltarme el postre. No me encuentro bien.

—Espera, que te llevaremos en coche —dice Shelley.

Niego con la cabeza.

—No, gracias. Cogeré un taxi. Decidle adiós a Joad de mi parte.

Salgo por la puerta antes de que mi hermano sepa que me he ido.

Las puertas del ascensor se cierran de golpe y suspiro. ¡Socorro, soy una ladrona! Pero una ladrona con motivos. Saco mi tesoro de debajo del jersey y abrazo el pequeño cuaderno contra el pecho, como si fuese a mi madre a quien estuviese aferrándome. La echo tanto de menos ahora mismo. Era muy propio de ella saber exactamente cuándo la necesitaba.

El ascensor arranca con una sacudida. Pese a que sé que es un error y debería esperar a estar entre las sábanas a la luz de la lámpara de mi mesilla de noche, abro la cubierta para echar un rápido vistazo.

Cuando las puertas del ascensor se abren, estoy petrificada. Me tambaleo hasta una silla del rincón del vestíbulo, aturdida y desconcertada, y desentraño el misterio que me ha tenido intrigada toda la vida.

Podría tratarse de minutos. Podría tratarse de horas. No sabría decir cuánto tiempo llevo ahí sentada cuando oigo la voz de mi hermano.

—Brett —dice Joad en voz baja mientras corre hacia mí—. ¡No abras ese cuaderno!

No puedo contestar. No puedo moverme. Estoy paralizada.

—¡Dios! —Se acuclilla junto a mí y coge el diario abierto de mi regazo—. Esperaba alcanzarte antes de que lo leyeras.

—¿Por qué? —pregunto desde mi confuso aturdimiento—. ¿Por qué querías ocultármelo?

—Precisamente por esto —dice mientras me retira el pelo empapado de lágrimas—. Mírate. Acabas de perder a mamá. Lo último que necesitabas era otro golpe.

—Tengo derecho a saber, ¡maldita sea!

El suelo de mármol amplifica mi voz. Joad mira a su alrededor, asintiendo tímidamente al conserje que está tras el mostrador de la portería.

—Vayamos arriba.

—No. —Me incorporo y le hablo entre dientes—. Deberíais habérmelo dicho. ¡Mamá debería habérmelo contado! Esa relación me ha causado problemas toda la vida. ¿Y es… es *así* como me lo dice?

—No lo sabes seguro, Brett. Este diario no nos dice nada. Lo más probable es que fueras hija de Charles.

Lo señalo con un dedo.

—Nunca he sido hija de ese hijo de puta. Nunca. Y él lo sabía. Por eso nunca me quiso. ¡Y mamá no tuvo agallas para decírmelo!

—Está bien, está bien. Pero quizás este Johnny Manns fuese un imbécil. A lo mejor ella no quería que lo encontraras.

—No, eso está más claro que el agua. Me dejó el diario. Dejó el objetivo diecinueve de mi lista. Quería que encontrara a mi verdadero padre, que estableciera una relación con él. Puede que mamá fuese una cobarde en vida, pero por lo menos tuvo la decencia de dejarme su historia, *mi* historia, al morir. —Lo penetro con la mirada—. Y tú… ¡pretendías ocultármelo! ¿Desde cuándo lo sabes?

Joad aparta la vista y se pasa la mano por el brillante cuero cabelludo. Finalmente, se deja caer en una silla contigua a la mía y se queda mirando el diario.

—Lo descubrí hace años, cuando ayudé a mamá a trasladarse a Astor Street. Me dieron ganas de vomitar. Ella nunca supo que yo lo había leído. Me chocó que volviera a aparecer el día del funeral.

—¿Te dieron ganas de vomitar? ¿Acaso no ves lo feliz que estaba ella en estas páginas? —Cojo el cuaderno y abro por la primera entrada.

—«Tres de mayo. Tras veintisiete años de letargo, el amor ha llegado, despertándome de mi sueño. Mi antiguo yo diría que está mal, que es inmoral. Pero la mujer en que me he convertido es incapaz de pararlo. Por primera vez, mi corazón ha encontrado su ritmo.»

Joad alza una mano, como si no pudiera soportar seguir escuchando. Se me parte el corazón. No ha de ser fácil descubrir que tu madre tenía un amante.

—¿Quién más lo sabe? —pregunto.

—Sólo Catherine. Y ahora probablemente esté diciéndoselo a Jay y Shelley.

Dejo escapar un hondo suspiro. Mi hermano actuó lo mejor que supo. Quería protegerme.

—Lo superaré, Joad. —Me enjugo los ojos con la manga del abrigo—. Estoy furiosa con mamá porque tendría que habérmelo contado hace años, pero me alegra que al final lo haya hecho. Lo encontraré.

Él menea la cabeza.

—Me lo imaginaba. Supongo que no puedo disuadirte.

—Imposible. —Le dedico una sonrisa—. Pensabais devolvérmelo, ¿verdad?

Él me acaricia el pelo.

—Naturalmente. En cuanto hubiéramos decidido cómo afrontar el asunto.

—¿Afrontarlo?

—Sí, ya sabes, no podemos hacerlo público sin más. Mamá era una marca. Lo último que la compañía necesita es que su intachable reputación se vea empañada por una hija ilegítima.

Se me corta la respiración; después de todo, las intenciones de mi hermano no eran tan nobles. Para él soy la hija ilegítima que podría empañar la marca Bohlinger.

Esa noche, mientras Andrew duerme, me levanto sigilosamente de la cama, cojo el portátil y la bata, y me dirijo al sofá. Antes de dedicarme a buscar en Google a Johnny Manns, me encuentro un mensaje de Facebook de mi amiga de la infancia, Carrie Newsome. Observo la foto de la mujer con sudadera de aspecto campechano que en su día fue mi mejor amiga.

¿Brett Bohlinger? ¿Aquella vieja amiga de Rogers Park? No puedo creer que te hayas acordado de mí; ¡a menos que me hayas encontrado en Facebook! Tengo tantos recuerdos entrañables de ti. Aunque te parezca mentira, el mes que viene estaré en Chicago. El 14 de noviembre es la conferencia de la Asociación Nacional de Trabajadores Sociales en el centro de convenciones McCormick Place. ¿Tienes tiempo para comer conmigo o, mejor aún, para cenar? ¡Oh, Bretel, cómo me alegra que me hayas encontrado! ¡Te he echado de menos!

Bretel. El antiguo apodo que me puso cuando éramos pequeñas. Reunió una lista de posibilidades después de que me pasara una semana entera quejándome de mi nombre de chico. «¿Qué me dices de Bretchen? ¿Bretta? ¿Brettany?», me preguntaba. Al final nos decantamos por Bretel, un nombre que evocaba imágenes de casas de golosinas y niños ocurrentes. Y me quedé con ese apodo. Para todos los demás era Brett, pero para mi queridísima amiga era Bretel.

Era una mañana dorada de otoño cuando Carrie me anunció que su madre había aceptado un trabajo en la Universidad de Wisconsin. Vestidas con falda escocesa y blusa blanca, estábamos paseando por la acera en dirección al Loyola Academy, nuestro nuevo instituto. Casi puedo oír las hojas crujiendo bajo nuestros pies y ver el dosel de rojos y dorados sobre nuestras cabezas. Pero el dolor que siento por la pérdida de Carrie es inimaginable. Siento auténtico dolor de corazón, como si, después de todos estos años, éste aún estuviese herido.

—Mi padre me lleva esta noche a cenar a un restaurante—le dije a Carrie.

—Eso es genial —replicó, siempre mi mayor aliada—. Seguro que te echa de menos.

Levanté un montón de hojas de una patada.

—Sí, es posible.

Seguimos caminando en silencio media manzana más hasta que se volvió a mí.

—Nos mudamos, Brett.

No usó mi apodo entonces. Asustada, la miré a los ojos, llenos de lágrimas. Pero aun así yo me negaba a querer entender.

—¿Nosotras? —pregunté con absoluta sinceridad.

—¡No! —Carrie se rió, entre lágrimas, y disparó un misil de mocos por la nariz.

—¡Qué asco! —exclamé. Nos partimos de risa, empujándonos la una a la otra sobre las hojas, sin querer que la dicha acabara. Porque cuando finalmente lo hizo, nos quedamos la una mirando a la cara inexpresiva de la otra—. Por favor, dime que no.

—Lo siento, Bretel. Nos mudamos.

Aquel día mi mundo acabó. O eso me pareció a mí. La niña que podía leerme la mente, retar mis ideas, reírse de mis bromas absurdas iba a abandonarme. Madison parecía tan lejos de Rogers Park como Uzbekistán. Cinco semanas después me quedé en la entrada de su porche diciendo adiós con la mano mientras el camión de mudanzas se alejaba. Durante ese primer año, nos escribimos como fieles amantes. Hasta que un fin de semana vino de visita y nunca más volvimos a hablar. Por mucho que haya expiado, jamás me he perdonado a mí misma. Y por muchas amigas nuevas que haya hecho, no he vuelto a querer a ninguna como quise a Carrie Newsome.

Su mensaje me mira como un perrito hambriento junto a la mesa de comedor. ¿Acaso no recuerda cómo la traté la última vez que la vi? Hundo la cabeza en las manos. Cuando por fin la levanto, tecleo lo más de prisa que puedo.

Yo también te echo de menos, Care Bear, y lo siento mucho. Me encantaría verte el día 14. ¿En qué hotel estarás?

Le doy a INTRO.

Acto seguido tecleo «Johnny Manns».

9

Brad y yo nos sentamos en los sillones de cuero a juego. Bebo un sorbo de té mientras él bebe de una botella de agua y me habla de su viaje. Puedo oler su colonia y de cerca me fijo en que en su día se hizo un agujero en el lóbulo de la oreja.

—San Francisco es impresionante —dice—. ¿Has estado allí alguna vez?

—En dos ocasiones. Es una de mis ciudades favoritas. —Oculto el rostro en la taza de té y pregunto—: ¿Has ido por negocios o por placer?

—Por placer. Jenna, mi novia, se fue a vivir allí el verano pasado. Consiguió un puesto en el periódico *San Francisco Chronicle*.

Perfecto. Ambos tenemos una relación de pareja. No habrá entre nosotros tensión sexual que nos distraiga. Entonces, ¿por qué acaba de caérseme el alma a los pies?

—¡Genial! —exclamo, haciendo lo imposible por aparentar entusiasmo.

—Lo es. Para ella. Está encantada, pero tensa la relación.

—Me lo imagino. No ha de ser fácil estar a tres mil kilómetros de distancia, por no hablar de las dos horas de diferencia horaria.

Él sacude la cabeza.

—O de los once años que nos llevamos.

Enseguida hago el cálculo e intuyo que Jenna rondará los treinta.

—Once años no es tanta diferencia.

—Eso es exactamente lo que le digo. Pero de vez en cuando le da el ataque. —Va hasta su mesa y coge la foto de la mujer y su hijo; la que yo miré creyendo que eran su hermana mayor y su sobrino—. Ésta es Jenna —dice—. Y ése es su hijo, Nate. Está haciendo primero en la Universidad de Nueva York.

Escudriño a la mujer de sonrisa tímida e intensos ojos azules.

—Es guapísima.

—Lo es. —Brad sonríe al mirar la foto, y noto una punzada de envidia. ¿Cómo será sentirse tan adorada?

Me yergo en el sillón y procuro parecer oficiosa.

—Traigo noticias.

Él ladea la cabeza.

—¿Andrew y tú vais a tener un hijo? ¿A comprar un caballo?

—No, pero he ido por última vez a visitar la tumba de Charles Bohlinger.

Él enarca las cejas.

—¿Ya has hecho las paces con él?

Niego con la cabeza.

—Charles Bohlinger no era mi verdadero padre, y necesito que me ayudes a encontrar al hombre que sí lo es. —Le hablo del diario de mi madre y del hombre del que se enamoró el verano antes de nacer yo—. La última entrada es del veintinueve de agosto, el día en que Charles descubrió la aventura y Johnny se marchó de la ciudad. Mi madre estaba destrozada. Quiso dejar a Charles, pero Johnny le obligó a quedarse. Aunque él la amaba, su sueño era ser músico. No podía establecerse. Si ella sabía o no que estaba en estado, nunca lo sabré. Pero estaría embarazada de unos dos meses; del bebé de Johnny. —Reparo en el ceño fruncido de Brad —. Confía en mí. Charles y yo no nos parecíamos en nada. No teníamos absolutamente ninguna relación. No tengo la menor duda de que Johnny Manns es mi padre.

Él coge aire.

—Eso es mucho que asimilar. ¿Cómo te sientes al respecto?

Suspiro.

—Dolida. Decepcionada. Furiosa. No puedo creerme que mi madre no me lo contara, especialmente tras la muerte de Charles. Ella sabía lo mucho que yo necesitaba un padre. Pero, por encima de todo, siento alivio. Esto aclara muchas cosas. Por fin entiendo por qué mi padre me despreciaba. No fue porque yo era una niña horrible, como siempre supuse. Fue porque no era su hija. —Trago saliva y me llevo una mano a la boca—. ¡Tenía tanta rabia contenida contra él! Ahora que sé la verdad, esa rabia está desvaneciéndose.

—Eso es fantástico. Y, piénsalo, en algún sitio, ahí fuera, tienes un padre.

—Sí, eso es lo que me da miedo. No tengo ni idea de cómo localizarlo. —Me muerdo el labio—. Tampoco tengo ni idea de cómo reaccionará cuando me presente en su puerta.

Brad aprieta mi mano y me mira directamente a los ojos.

—Te querrá.

Mi estúpido corazón da un vuelco. Retiro la mano y la cierro sobre mi regazo.

—¿Crees que podrías ayudarme a encontrarlo?

—¡Faltaría más! —Se pone de pie de un salto y se acerca hasta su ordenador—. Empecemos por buscarlo en Google.

—¡Vaya! —exclamo con fingida admiración—. ¿En Google? Estás en todo. ¡Súbete el sueldo!

Brad se vuelve hacia mí y su sonrisa desaparece. Pero el rabillo de sus ojos se frunce, y sé que lo ha captado.

—Te las sabes todas.

Me río.

—¿Crees que no lo he buscado ya en Google? ¡Venga ya, Midar!

Él vuelve a su sitio y cruza una pierna sobre su rodilla.

—Muy bien, pues, ¿qué has averiguado?

—Creí que lo había encontrado a la primera; un líder de cierta banda llamado Johnny Mann. Pero nació en 1918.

—Sí, eso lo convertiría en un viejales de consideración, incluso en 1978. Además, el tipo éste se llama Manns, no Mann, ¿verdad?

—Así lo escribió mi madre en su diario. Pero no descarto lo de Mann. También he probado con John, Johnny y Jonathan. ¡El problema es que hay más de diez millones de entradas en Google! Es imposible que lo encuentre sin acotar la búsqueda.

—¿Qué más dijo ella sobre él? ¿Era de Chicago?

—Era de Dakota del Norte. A juzgar por la forma en que lo describe, me imagino que tenía la edad de mi madre, aunque no estoy segura. Subarrendó el apartamento de encima del de mis padres cuando vivían en la avenida Bosworth, en Rogers Park. Era músico y trabajaba en un bar llamado Justine que había justo calle abajo.

Brad chasca los dedos y me señala.

—¡Bingo! Vamos para allá ahora mismo, ¡al Justine! Preguntaremos por ahí, a ver si alguien se acuerda de él.

Me lo quedo mirando y pongo los ojos en blanco.

—Recuérdame en qué universidad a distancia te licenciaste en derecho.

—¿Qué?

—Estamos hablando de hace más de treinta años, Brad. El Justine ya ni siquiera es el Justine. Es un bar de gays llamado Neptune.

Él me mira con los ojos entornados.

—Ya lo has comprobado, ¿verdad?

Reprimo una sonrisa.

—Está bien, lo reconozco. Soy igual de mema que tú. —Alzo las manos—. Es evidente que no podemos hacer esto solos. Necesitamos a un experto, Brad. ¿No conoces a alguien que pueda echarnos una mano?

Se dirige a su mesa y vuelve con el móvil.

—Tengo a alguien a quien recurro ocasionalmente para casos de divorcio. Steve Pohlonski. Es un detective bastante bueno. Pero no te garantizo que pueda encontrar a Johnny Manns.

—¡Tiene que hacerlo! —chillo, de pronto desesperada por encontrar a mi padre—. Si él no puede, alguien más habrá que pueda. No pararé hasta dar con ese hombre.

Brad me observa y asiente con la cabeza.

—Bien. Ésta es la primera vez que te veo abordar un objetivo con entusiasmo. Estoy orgulloso de ti.

Tiene razón. Ya no es mi madre la que me insta a lograr el objetivo número diecinueve. Ya no es el objetivo de aquella niña. Una relación con mi padre es algo que deseo con todo mi corazón, algo que he deseado toda mi vida.

Salgo del despacho preguntándome por qué tengo esta extraña

necesidad de complacer a Brad. Al igual que mi madre, parece convencido de que puedo conseguir estos objetivos. Juntos, quizás hagamos realmente que mi madre se enorgullezca. Antes de que pueda ahondar en mis reflexiones, suena el teléfono. Abro la puerta doble para salir a Randolph Street y hurgo en el bolso.

—¿Brett Bohlinger? Soy Susan Christian del departamento de Educación Pública de Chicago. Hemos recibido tu solicitud y tu carné de vacunación, y hemos revisado tu currículum. Me alegra decir que todo parece en orden. Ya puedes ser suplente. Felicidades.

Una ráfaga de viento de octubre me golpea en la cara.

—¡Ah...! Muy bien, gracias.

—Necesitamos una sustitución para quinto mañana en el colegio de primaria Douglas J. Keyes Elementary, en Woodlawn. ¿Estás disponible?

Estoy acostada en la cama con mi novela, leyendo el mismo párrafo por tercera vez, cuando oigo que se abre la puerta. Antes me alegraba muchísimo ver a Andrew al final de la jornada. Ahora se me encoge el corazón y me cuesta respirar. Tengo que decirle la verdad, pero a las diez de la noche, cuando él está agotado y necesita relajarse, no parece precisamente un buen momento. Por lo menos así es como yo lo justifico.

Cierro el libro y le escucho revolviendo los armarios de la cocina y la nevera. Acto seguido oigo el sonido de sus pies subiendo lentamente la escalera hasta nuestra habitación como si llevase unas botas de dieciocho kilos. Siempre soy capaz de adivinar su humor por el sonido de sus pies al subir los escalones. Esta noche está agotado y desanimado.

—¡Hola! —exclamo, apartando a un lado el libro—. ¿Qué tal el día?

Él se deja caer en el borde de la cama con un botellín de Heineken en la mano. Tiene la cara paliducha y unos círculos oscuros le rondan bajo los ojos como cuartos crecientes.

—Te has acostado pronto.

Echo un vistazo al reloj de la mesilla.

—Son casi las diez. Llegas un poco más tarde de lo normal. ¿Quieres que te prepare algo de cena?

—Estoy bien. —Se quita la corbata y se desabrocha la camisa azul milagrosamente lisa—. ¿Qué tal el día?

—Muy bien —contesto, notando que mi presión sanguínea aumenta al pensar en el trabajo de mañana como profesora suplente—. Pero mañana será un rollazo. Tengo una reunión importante con unos clientes nuevos.

—Te irás adaptando. Tu madre supo desenvolverse. Tú también lo harás. —Toma un trago de cerveza—. ¿Catherine está colaborando?

Agito la mano con desdén.

—Ella dirige el despacho, como siempre ha hecho. —¡Dios mío! ¡Estoy andando, cual funámbula, por un alambre y tengo que bajarme antes de resbalar! Pego las rodillas contra el pecho y las abrazo—. Cuéntame qué tal te ha ido el día.

Andrew se atusa el pelo.

—Una mierda. Tengo un cliente acusado de matar a un chico de diecinueve años tras tirar una piedra contra su Hummer. —Deja la cerveza en un posavasos y va hasta su armario—. Al lado de eso, dirigir una empresa de cosméticos es como pasar un día en Disney.

Aunque yo no estoy dirigiendo la compañía y ni siquiera soy una ejecutiva de cuentas de poca monta, el insulto da en el blanco como un puñetazo en la cara. Hasta donde él sabe, soy la presidenta de esa compañía de cosméticos. Por lo tanto, agradecería un mínimo de respeto y, francamente, un poco de respeto y admiración también. Abro la boca para defenderme, pero la cierro de golpe antes de pronunciar la primera palabra. En este escenario soy yo la mentirosa, y lo único peor que un mentiroso es un mentiroso pretencioso.

Él debe de notar que me he ofendido, porque se me acerca y me aprieta el brazo.

—Oye, no lo he dicho con mala intención. Lo único que digo es que tienes un buen curro.

Se me acelera el corazón. Ahora es el momento. Inspiro hondo.

—No tengo un buen curro, Andrew. He estado fingiendo…

—Para ya con tus dudas, ¿quieres? Lo capto. Te sientes como una impostora. Todos nos sentimos así a veces. Pero tienes que sobreponerte, preciosa, demostrar que estás capacitada para la misión. Deja de dudar de ti misma. Ahora estás volando sola, convirtiéndote en la mujer que tu madre, y yo, siempre hemos sabido que podías ser.

¡Oh, Dios! Ahora no puedo decirle la verdad.

—Mmm… Bueno, no sé qué decirte.

—No me cabe la menor duda.

Saca una percha de cedro del armario y cuelga la americana. A continuación se quita los pantalones, marca raya y los engancha con la pinza, por la parte de abajo. Observo su piel suave y bronceada y sus abdominales marcados. En la vestimenta y el físico, Andrew aspira a la perfección total; incluso en su novia. Se me abre un agujero en el estómago.

—He estado dándole vueltas a lo de Cosméticos Bohlinger. Me gustaría que contemplaras la posibilidad de que me incorpore a la empresa.

Ahogo un grito.

—Es que… no estoy segura de que sea muy buena idea.

Clava los ojos en mí.

—¿De veras? ¿Qué ha cambiado? En su momento estabas totalmente a favor.

Hace tres años le pedí a mi madre que se inventara un puesto para Andrew, pero se negó:

—Brett, cariño, ni me lo plantearé a menos que os caséis. Y aun entonces te costaría convencerme de que contratase a Andrew.

—¿Por qué? Es brillante. No conozco a nadie más trabajador que él.

—Andrew sería un activo para muchas corporaciones, no lo dudo. Pero no estoy segura de que sea un buen fichaje para Cosméticos Bohlinger. —Clavó los ojos en mí entonces, como siempre hacía cuando tenía que decir algo delicado—. Me da la sensación de que es un poco más agresivo de lo que necesitamos en un negocio como el nuestro.

Trago saliva y me obligo a mirar a Andrew.

—Pero mi madre estaba en contra, ¿recuerdas? Además, tú has dicho muchas veces lo buena que fue esa decisión. Reconociste que nunca estarías a gusto en una empresa de cosméticos.

Se acerca a la cama y se inclina sobre mí, colocando un brazo desnudo a cada lado de mi cuerpo.

—Pero eso fue antes de que mi novia fuese la presidenta de la compañía.

—Lo que confirma el hecho de que no deberías trabajar allí.

Baja el cuerpo y me planta besos en la frente, la nariz, los labios.

—Imagínate las ventajas adicionales —susurra, su voz ronca—. Me instaló en un despacho contiguo al tuyo y soy el abogado de tu compañía además de tu esclavo sexual particular.

Suelto una risita.

—Ya eres mi esclavo sexual.

Mientras me acaricia el cuello con la cara me levanta el camisón.

—No hay nada más sexy que una mujer poderosa. Venga aquí, *madame* Presidenta.

Pero si supieras que soy una profesora suplente sin ningún poder, ¿seguiría pareciéndote sexy? Busco a tientas el interruptor de la lámpara, agradezco que la habitación se quede a oscuras, y permanezco inmóvil mientras él desciende por mi cuerpo.

Mi ángel bueno me recuerda que tengo que decirle la verdad, y pronto. Mi ángel malo le dice que se meta en sus asuntos, y con las piernas rodea la espalda desnuda de Andrew.

Me presento en la escuela vestida con pantalones negros y un jersey negro, me he puesto mis zapatos naranja chillón en honor a la festividad de Halloween. A los niños les encantan los profesores que visten ropa temática festiva, si bien me niego a llevar las consabidas sudaderas decoradas con calabazas hasta que no tenga cincuenta años como mínimo.

La directora Bailey, una atractiva afroamericana, me conduce por un pasillo de terrazo hacia la clase de la señora Porter.

—En Woodlawn hay varios complejos de viviendas subvencionadas y diversas bandas callejeras. Los niños que vienen aquí no son fáciles, pero asumimos el reto. Me gusta pensar que esta escuela es un refugio para nuestros chicos.

—Me parece muy bien.

—La señora Porter se ha puesto de parto esta mañana a primera hora, tres semanas antes de lo previsto. A menos que sea una falsa alarma, no vendrá en las próximas seis semanas. ¿Está usted libre para hacer una suplencia larga, por si la necesitamos?

Se me corta el aliento.

—Mmm…, déjeme que piense…

¿Seis semanas? ¡Eso son treinta días! Siento un dolor punzante en las sienes. Al final del pasillo, encima de una puerta doble veo un letrero de salida de color rojo fuerte. Estoy tentada de precipitarme hacia ella, de no volver jamás. Pero pienso en la lista de aquella niña. Si dedico mi tiempo a esto durante las próximas seis semanas, podré lograr el objetivo número veinte. Hasta Brad estaría de acuerdo en que lo intente. Pienso en las palabras de mi madre o, mejor dicho, de Eleanor Roosevelt: «Haz cada día algo que te asuste».

—Sí —digo, apartando la mirada del letrero de salida—. Estoy libre.

—Estupendo —replica ella—. No es fácil encontrar suplentes.

Una mezcla de pánico y arrepentimiento me recorre cada fibra nerviosa. ¿A qué caray me he comprometido? La señora Bailey abre la puerta con llave y encuentra el interruptor.

—Encontrará el plan de clase en la mesa de la señora Porter. Si necesita cualquier cosa, usted pregunte. —Hace el gesto de aprobación con el pulgar antes de marcharse, y me quedo sola en mi clase.

Inspiro el olor a polvo y a libros viejos y contemplo las mesas de madera. Revivo una vieja y conocida fantasía. Durante los primeros veinte años de mi vida, soñé con dar clase en un aula exactamente como ésta.

El sonido estridente de un timbre escolar suena, arrancándome de mi ensoñación. Clavo los ojos en el reloj que hay encima de la pizarra. ¡Oh, Dios mío! Las clases están a punto de empezar.

Corro a la mesa de la señora Porter y busco el plan de clase. Cojo el cuaderno de asistencia y me peleo con un montón de fichas de ejercicios, pero no doy con plan alguno. Abro con fuerza el cajón de la mesa. Nada. Revuelvo el armario de madera. ¡Tampoco nada! ¿Dónde diantres está mi plan de clase?

Desde el otro extremo del pasillo oigo el estruendo de un ejército en estampida hacia la clase. Se me acelera el corazón y cojo una carpeta de un cesto metálico. Los papeles sueltos se esparcen por el suelo. ¡Maldita sea! Alcanzo a ver el tema... antes de que caiga en cascada al suelo y aterrice al revés debajo de mi mesa. Mi plan de clase. ¡Gracias, Señor!

Ahora el ejército está más cerca. Cuando recojo los papeles caídos me tiemblan las manos. He recuperado la mayoría, excepto el más importante, el plan de clase, que se ha metido debajo de la mesa de la señora Porter. A cuatro patas, gateo hacia él, desesperada por recuperarlo. Pero está demasiado lejos. Es entonces cuando llegan mis alumnos, mis cuartos traseros ofreciendo la primera impresión de su profesora suplente.

—Bonito culo —oigo que dice alguien, a lo que siguen unas carcajadas sonoras generales.

Salgo de debajo de la mesa y me aliso los pantalones.

—Buenos días, niños y niñas. —Levanto la voz para que puedan oírme por encima del parloteo matutino—. Soy la señorita Bohlinger. La señora Porter hoy no está.

—¡Chachi! —exclama un pelirrojo pecoso—. Hola a todos. ¡Hoy tenemos suplente! ¡Sentaos donde queráis! —Como en el juego de las sillas, mis alumnos saltan de sus mesas y se pelean para hacerse con otro asiento.

—¡Volved a vuestras mesas! ¡Ya! —Pero mis palabras se las traga el caos. Sólo son las ocho y veinte y ya he perdido el control de la clase. Dirijo la atención al fondo del aula, donde una niña con trenzas al estilo de Medusa le grita a un chico de piel morena que aparenta unos veinte años.

—¡Para, Tyson!

Tyson da vueltas al tiempo que tira de su bufanda rosa chicle, ciñéndola cada vez más alrededor de su cintura.

—¡Dame mi bufanda! —dice Medusa.

Voy hacia ellos con paso resuelto.

—Dale la bufanda, por favor. —Intento cogerla, pero él se aleja de mí contoneándose y continúa dando vueltas en círculo, estirando la bufanda como si alargara un caramelo masticable—. ¡Venga, hombre! Que el rosa no te queda bien.

—¡Eso! —grita el pecoso desde el otro lado de la clase—. *¿Pa* qué quieres una bufanda rosa, Ty? ¿Eres gay o qué?

Tyson reacciona. Es casi igual de alto que yo, y pesa como nueve kilos más. Salta una hilera tras otra de mesas en dirección al pelirrojo.

—¡Basta! —Corro por el pasillo lo más de prisa que puedo, pero no puedo saltar las hileras como hace él. Ya tiene agarrado al niño del cuello, y lo agita como a un martini. ¡Dios mío, lo va a matar! Y será por mi culpa. ¿Podrían acusarme de homicidio involuntario? Le digo a Medusa—: ¡Vete a buscar a la directora!

Cuando llego al lugar de la refriega, la cara del pecoso está colorada y sus ojos están desorbitados. Forcejea para despegar los dedos de Tyson de su cuello. Tiro del brazo del grandullón, pero él lo sacude bruscamente y consigue que lo suelte.

—¡Suéltalo! —chillo. Pero parece que mi voz no le llega.

Los chicos se aglomeran alrededor de la pelea, gritando y chillando, intensificando el frenesí.

—¡Sentaos! —grito. Pero ellos no se inmutan—. ¡Basta ya! —Procuro despegar los dedos de Tyson del cuello del chico pecoso, pero son como tubos de acero. Justo cuando abro la boca para soltar un alarido, una voz imperativa interviene desde la puerta.

—Tyson Diggs, venga aquí. ¡Ahora!

Al instante, Tyson suelta el cuello de su compañero de clase. Yo casi me desplomo por el alivio, y al girarme veo a la señora Bailey en la puerta. Los alumnos se retiran de inmediato a sus sitios, en silencio y ordenadamente.

—He dicho que venga aquí —repite la directora—. Usted también, señor Flynn.

Los chicos avanzan cabizbajos. Ella agarra por un hombro a cada uno y asiente hacia mí con la cabeza.

—Continúe la clase, señorita Bohlinger. Estos jovencitos pasarán la mañana conmigo.

Tengo ganas de darle las gracias. No, quiero postrarme y besarle los pies. Pero no me fío de mi voz. Me limito a asentir, esperando que ella sea capaz de advertir la gratitud de mi rostro. Cierra la puerta tras ellos. Inspiro profundamente y me dirijo a mi clase.

—Buenos días, niños y niñas —digo, apoyando una mano en la mesa de un alumno para sostenerme. Esbozo una sonrisa temblorosa—. Soy vuestra profesora suplente.

—¡Bah! —exclama una niña que aparenta diecisiete años—. Eso ya lo sabemos.

—¿Cuándo vuelve la señora Porter? —pregunta otra niña, su camiseta de lentejuelas la identifica como la «princesa».

—Exactamente no lo sé. —Recorro el aula con la mirada—. ¿Alguna pregunta más antes de empezar? —¿Empezar el qué? El maldito plan de clase sigue debajo de mi mesa.

La princesa levanta la mano. Me inclino para leer su nombre.

—¿Sí, Marissa? ¿Tienes una pregunta?

Ella ladea la cabeza mientras con el lápiz señala mis zapatos naranjas de Prada de tacón bajo.

—¿Se los ha pagado usted?

Lo único que oigo son unas carcajadas agudas e infantiles, y vuelvo al Meadowdale. Doy una palmada.

—¡Ya vale! —Pero mis palabras se las traga el caos. Tengo que reconducir a estos monstruos prepúberes; ya. Reparo en una niña de la primera fila, presuntamente llamada Tierra—. Tú —digo—, ayúdame.

El volumen de la clase está subiendo, y no puedo perder ni un segundo.

—Necesito mi plan de clase, Tierra. —Señalo el folio de papel blanco metido bajo la mesa—. ¿Puedes colarte ahí debajo y cogerlo, por favor?

Posiblemente la única niña obediente del aula, se pone a cuatro patas y se mete debajo de la mesa de la señora Porter, tal como he hecho yo antes. Es más pequeña que yo y llega al papel sin problemas. La observo mientras lo coge y veo en el acto el encabezamiento: «Tema 9: «e» muda». ¡No es el plan de clase! ¡Es una lista de ortografía!

—¡Maldita sea! —exclamo sin pensar.

Tierra levanta sobresaltada la cabeza y se da un golpe contra la parte inferior de la mesa, emitiendo un bum como un trueno por toda la clase.

—¡Avisad a la enfermera! —grito a quienquiera que esté escuchando.

Tras seis horas y cuarenta y tres minutos interminables, saco a los alumnos de la clase con paso derrotado. Lo único que me apetece es salir corriendo del recinto escolar y beberme de un trago un martini bien cargado, pero la señora Bailey me ha llamado a su despacho. Con unas gafas de lectura azul lavanda manteniendo el equilibrio en la punta de la nariz, me pasa un montón de papeles y su bolígrafo.

—Necesito que firme estos informes de incidencias. —Con la cabeza me señala la silla frente a su mesa—. Siéntese, si quiere. Puede que esto dure un rato.

Me siento discretamente en la silla de vinilo y echo un vistazo al primer informe.

—Estará usted tremendamente atareada, si tiene que ocuparse todo el día de estos incidentes.

Me mira por encima de sus gafas con ojos escrutadores.

—Señorita Bohlinger, hoy me ha mandado al despacho a más

alumnos de los que la mayoría de los profesores me manda en un curso entero.

¡Trágame tierra!

—Lo lamento.

Ella sacude la cabeza.

—Me da que tiene usted un corazón de oro, en serio. Pero sus técnicas para controlar la clase...

—En cuanto le coja el tranquillo, será más fácil. —*¡Y un cuerno!*—. ¿Sabe algo de la señora Porter? ¿Ha tenido el bebé?

—Así es. Una niña completamente sana.

Se me cae el alma a los pies, pero me pinto una sonrisa en los labios.

—Volveré el lunes temprano, pues.

—¿El lunes? —La directora se quita las gafas—. No creerá que la dejaré volver a esa clase, ¿verdad?

Mi primer instinto es la euforia. ¡No tendré que volver a dar clase a esos gorilas! Pero el rechazo ruge en mi rostro. Esta mujer no me quiere en su escuela. Tengo que demostrarle, a ella y a mi madre, y a esa niñita de los sueños absurdos, que puedo dar clase.

—Sí. Necesito otra oportunidad nada más. Puedo hacerlo mejor. Sé que puedo.

La señora Bailey menea la cabeza.

—Lo siento, cielo. No hay trato.

No sé con seguridad si Brad estaba realmente disponible, o si Claire ha intuido que yo estaba en crisis y se ha apresurado a despejar su agenda. Sea como sea, me está esperando cuando llego a su despacho. Mi pelo, empapado por el chaparrón vespertino, está pegado al cráneo, y apesto a lana húmeda. Él me rodea los hombros con el brazo y me acompaña al consabido sillón de cuero. Huele a árbol de hoja perenne. Cierro los ojos y empiezo a llorar.

—Soy una fracasada —lloriqueo—. No puedo ser profesora. No puedo cumplir esos objetivos, Brad. No puedo.

—Para —me dice con ternura—. Tranquila.

—¿Has tenido noticias de Pohlonski?

—Todavía no. Ya te dije que llevará un tiempo.

—Estoy volviéndome loca. Te lo juro.

Me sujeta a un brazo de distancia.

—Lo superaremos, te lo prometo.

Su tono apacible me saca de quicio.

—¡No! —exclamo, apartándome de él—. ¡Eso no lo sabes! Hablo en serio. ¿Qué pasa si no logro los objetivos de esa lista?

Él se frota la barbilla y me mira directamente a la cara.

—¿Francamente? Supongo que estarías igual que millones de individuos de allí fuera, buscando empleo e intentando llegar a fin de mes. Pero, a diferencia de la mayoría de la gente, no tendrías que hacer frente a deuda alguna, ni preocuparte de ningún plan de pensiones…

Sus palabras me sacan los colores. He estado tan sumida en la autocompasión que había olvidado lo afortunada que soy; incluso ahora. Bajo los ojos.

—Gracias. Necesitaba eso. —Me hundo en el sillón—. Tienes absolutamente toda la razón. Encontraré otro trabajo en publicidad. Es hora de seguir con mi vida.

—¿Te refieres a tu antigua vida? ¿Con Andrew?

Me sacude una ola de tristeza cuando me imagino el resto de mis días en un trabajo que no me apasiona, y mis noches de soledad en un triste piso que ni siquiera puedo decir que es mío.

—Naturalmente —contesto—. Es la única que tengo.

—Eso no es verdad. Tienes opciones. Eso es lo que tu madre está intentando demostrarte.

Sacudo la cabeza, sintiendo de nuevo que mi frustración aumenta.

—¡Es que no lo entiendes! Es demasiado tarde para volver a empezar. ¿Sabes qué probabilidades hay de que encuentre al amor de mi vida y descubra que quiere hijos y un perro y un maldito poni? Y el reloj avanza, Brad; ese reloj biológico cruel y unilateral que detesta a las mujeres.

Él se sienta en el sillón que hay frente al mío.

—Mira, tu madre pensó que completar esa lista de objetivos vitales te llevaría a una vida mejor, ¿entiendes?

Me encojo de hombros.

—Supongo que sí.

—¿Alguna vez te ha fallado?

Suspiro.

—No.

—Entonces hazlo realidad, B. B.

—Pero ¿cómo? —casi grito.

—Conectando con aquella niña osada que solías ser. Criticas a tu madre porque era una cobarde, pero tú eres igual. Quieres alcanzar todos esos objetivos, sé que lo quieres. Pero te da un miedo horrible arriesgarte. Haz que tus deseos se hagan realidad, B. B. ¡Hazlo! ¡Ahora!

10

Andrew está dormido en el sofá cuando entro en el *loft*, el parpadeo luminoso de la televisión juega a la rayuela en su cara. Hoy seguramente habrá salido pronto del trabajo. Lo único que deseo es pasar de puntillas por su lado, cambiarme de ropa y fingir que acabo de llegar a casa tras una larga jornada en el despacho, pero no. El corazón repiquetea en mi pecho. Ha llegado el momento.

Enciendo una lámpara y él se mueve.

—¿Cuándo has llegado? —pregunta, su voz espectral.

—Hace sólo unos minutos.

Consulta su reloj.

—Tenía la esperanza de poder cenar en The Gage antes de que se llene de gente.

—Me parece genial —digo, oyendo el ligero temblor en mi voz—, pero antes tengo que decirte algo. —Inspiro hondo—. Te he mentido, Andrew. Ya es hora de que sepas la verdad.

Me siento a su lado en el sofá, y destapo los deseos de una niña que conocí en su día.

Cuando acabo, me duele la garganta.

—Bueno, así están las cosas. Siento no habértelo dicho antes. Me daba miedo que me... Me daba miedo... —Sacudo la cabeza—. Me daba miedo perderte, eso es todo.

Andrew apoya un codo en el brazo del sofá y se masajea la sien.

—Lo que te ha hecho tu madre es una putada.

—Ella creyó que me hacía un favor. —Me sorprendo a mí misma defendiendo a mi madre, lo cual parece una locura y al mismo tiempo sumamente acertado.

Por fin, Andrew se vuelve hacia mí.

—No me lo trago. Elizabeth no te impediría recibir tu herencia. Al final te caerá una fortuna, cumplas o no cumplas esos objetivos. ¡Ya lo verás!

Niego con la cabeza.

—No lo creo. Brad tampoco.

—Indagaré un poco. ¿No has recibido nada hasta el momento?

—No, y no hay tiempo para investigar. Tengo que completar esa lista antes de septiembre.

Se queda boquiabierto.

—¿Este septiembre próximo?

—Sí. —Respiro hondo—. Así que tengo que saber qué te parece todo esto.

—¿Qué me parece todo esto? ¡Es una locura! —Cambia de postura para mirarme a la cara—. Tienes que hacer lo que tú quieras, preciosa, no lo que tu madre quería que hicieras. Es verdad que yo no te conocía cuando tenías catorce años y aspirabas a ser profesora y tener hijos. —Enarca una ceja y me sonríe—. Únicamente conozco a la mujer brillante que eres hoy o, mejor dicho, la mujer que serás en cuanto te hagas con tu próximo puestazo; si eso es lo que eliges.

Me roza la mejilla con el pulgar.

—Mira, sé que no es perfecto, pero lo que tenemos está bastante bien. Claro que tenemos estrés en nuestras profesiones, pero no es nada comparado con aquellos amigos nuestros que tienen hijos. Y a eso añádele un perro, y un caballo, y los compromisos sociales. —Sacude la cabeza, como horrorizado ante la idea—. No puedo imaginármelo. Resulta que a mí me encanta la vida que hacemos, tal como está ahora. Pensaba que a ti también te gustaba. —Me esconde un mechón de pelo tras la oreja—. ¿Tengo razón?

Me arde la cara, pero él no deja de mirarme a los ojos. Si contesto con sinceridad, perderé a Andrew. Las palabras de mi madre llegan hasta mí como si las estuviera gritando desde las alturas: *Cuando tengas miedo, deshazte de él aferrándote a este coraje, porque ahora sabes que te pertenece, como yo lo he sabido siempre.*

—No —susurro—. Mi madre tenía razón.

—¡Dios!

Se me anegan los párpados en lágrimas y me las seco.

—Esta semana me mudaré.

Me dispongo a levantarme, pero él me agarra del brazo.

—¿Estás diciéndome que ésta es la única manera que tienes de poder recibir tu herencia? ¿No hay otra opción?

—Sí, eso es exactamente lo que estoy diciéndote.

—¿De cuánto estamos hablando? ¿De cinco, de seis millones?

¿Está hablando de mi herencia? Al principio me quedo de piedra, pero estoy pidiéndole que me acompañe en este proyecto. ¿Acaso no tiene derecho a saber?

—Sí, algo así. No lo sabré seguro hasta que tenga el sobre. —No sé por qué no le hablo de los fondos desorbitados que han recibido mis hermanos.

Andrew exhala ruidosamente, haciendo que se le ensanchen las aletas de la nariz.

—Esto es una mierda, ¿lo sabes?

Yo asiento y me enjugo la nariz con el dorso de la mano.

—¡Está bien! —exclama. Por fin me mira—. De acuerdo. Si eso es lo que hay que hacer para seguir juntos, supongo que tendremos que hacerlo.

¿Quiere seguir conmigo? ¿Entiende lo que está en juego? Lo miro fijamente, boquiabierta.

—¿Me... me ayudarás a lograr mis objetivos? ¿Todos ellos?

Él se encoge de hombros.

—No tengo otra opción, ¿no?

Se me antoja una respuesta extraña, puesto que él es el único personaje de esta obra que, ciertamente, *sí* tiene opciones. Pero la cuestión es ¡que está dispuesto a ayudarme a conseguir mis objetivos! ¡Formaremos una familia! Por primera vez, Andrew está anteponiendo mis necesidades a las suyas. ¿O no? Me invade una desagradable sensación, pero la apisono, esperando contra todo pronóstico que mis instintos se equivoquen. ¿Qué derecho tengo a dudar de sus intenciones?

Con una deliciosa sensación de alivio, el domingo por la tarde estoy sola en el *loft*. Desde nuestra decisión del viernes por la noche, Andrew ha estado más frío que los vientos del lago Michigan. De modo que hoy, cuando ha protestado porque tenía que ir al despacho, le he tirado su abrigo y lo he echado por la puerta, no fuera a cambiar de idea. Aunque no puedo culparle por estar disgustado. Esta descabellada lista de objetivos vitales le ha cogido por sorpresa, como a mí. Y, como yo, necesitará tiempo para hacerse a la idea de cambiar de estilo de vida.

Me llevo el portátil a la mesa de comedor y entro en Facebook. Un mensaje. Una respuesta de Carrie Newsome.

¡Hurra! ¡Qué ganas de verte el 14! Gracias por proponerme cenar en el hotel. Será más fácil que intentar pegarme la paliza de cruzar la ciudad. A las seis en punto perfecto. No me había dado cuenta de lo mucho que te he echado de menos, Bretel.

Ni una sola mención a mi deslealtad. ¿Quién puede ser tan indulgente?

La última vez que vi a Carrie yo hacía cuarto de secundaria en la Loyola Academy. Ella había estado un año en Madison y por su cumpleaños sus padres le compraron un billete de autobús para venir a verme. Pareció sorprendida al verme, habían pasado muchas cosas en aquellos doce meses. Aquel año yo había entrado en el grupo de animadoras y eso me catapultó de inmediato al lado de la gente guay. Me habían quitado los aparatos de ortodoncia y me maquillaba. El pelo, cortado al nuevo estilo de Rachel, de *Friends*, me lo planchaba concienzudamente cada mañana. Pero Carrie estaba exactamente igual: feúcha, bajita, fornida y desaliñada.

Nos sentamos en el suelo de mi cuarto, escuchando un CD de Boyz II Men mientras hojeábamos mi anuario. Al ver la foto de Joni Nicol, la señalé.

—¿Recuerdas a Nick, el hermano de Joni? Estoy coladita por él. ¿Hay muchos tíos buenos en Madison?

Ella me miró como si le sorprendiera la pregunta.

—No lo sé. No me he fijado mucho.

Se me partió el alma. Carrie nunca había tenido novio. Mantuve la mirada en el anuario, apenada por ella.

—Algún día conocerás a alguien genial, Care Bear.

—Soy lesbiana, Bretel. —Lo dijo sin vergüenza ni pesar, como si estuviera informándome de su estatura o de su grupo sanguíneo.

Me la quedé mirando, rezando para que rompiera a reír.

—Es broma.

—No. Se lo dije a mis padres hace unos meses. Lo he sabido prácticamente toda la vida.

Me dio vueltas la cabeza.

—Así que todas esas veces que hemos estado juntas, esas veces que te quedabas a dormir…

Ella se rió.

—¿Qué? ¿Crees que intentaba ligar contigo? ¡Tranquila, Bretel, esto no va así! —Yo debí de parecer disgustada, porque entonces ella dejó de reírse y alargó un brazo para tocarme la manga—. Oye, no pretendía asustarte. Sigo siendo yo, Carrie. Lo entiendes, ¿verdad?

—Sí —farfullé. Pero mi mente estrecha de quinceañera no lo entendió. Mi mejor amiga no era normal. Analicé su pelo corto y sus uñas cortadas, su cara sin maquillar y sudadera holgada. De pronto me pareció una desconocida, masculina y extraña.

No la llevé a la fiesta de Erin Brown aquella noche, como teníamos previsto. Me daba miedo que mis nuevos amigos descubriesen la verdad. Y, de hacerlo, quizá pensaran que también yo era lesbiana; por el contrario, fingí dolor de cabeza y nos quedamos en casa a ver vídeos. Pero en lugar de sentarnos la una al lado de la otra compartiendo Doritos y una manta, como normalmente hacíamos, yo me senté en el viejo sillón reclinable de mi padre. Más tarde, cuando entró mi madre y vio a Carrie dormida en el sofá, me acerqué un dedo a los labios: «No la despiertes. Está muy cómoda». Mi madre la tapó con una manta y se fue sigilosamente del salón. Yo me fui a mi cuarto de puntillas y pasé el resto de la noche despierta en la cama.

A la mañana siguiente mientras me duchaba, Carrie llamó a la estación de autobuses. Se marchó a mediodía, un día antes de lo previsto. Me avergüenza reconocer el alivio que me inundó cuando ese autobús Greyhound giró en la esquina de la estación en dirección norte.

A la semana siguiente llegó una carta de Carrie, disculpándose por revelarme su «peculiar naturaleza» sin previo aviso. Esperaba que nuestra amistad no cambiara nunca. Acabó la carta con un: «¡Bretel, escríbeme pronto, por favor! Necesito saber qué piensas».

Escondí la carta debajo de una pila de revistas *Seventeen* mientras reflexionaba sobre cómo responder. Pero las semanas se convirtieron en meses, y luego en años. Para cuando finalmente tuve el valor de abordar su orientación sexual, no tuve agallas de escribirle. Fui demasiado cobarde para desenterrar el recuerdo de aquel desagradable fin de semana o, para ser más exactos, de mi deslealtad. Ardo de bochorno por mi falta de sensibilidad.

Es lunes y acabo de colgar el teléfono tras hablar con el departamento de Educación Pública de Chicago cuando Brad me escribe un mensaje de texto. Su reunión en el North Side se ha cancelado y se pregunta si puedo encontrarme con él para comer en el P. J. Clarke. Tal como le prometió a mi madre, me está vigilando de cerca, asegurándose de que me acerco poco a poco a mis objetivos.

Me aplico un poco de brillo en los labios, vierto mi café recién hecho en un vaso para llevar, y me dirijo escalera abajo. Al salir tranquilamente del edificio por poco choco con un hombre alto y moreno. Derramo el café en mi abrigo.

—¡Mierda! —exclamo sin pensar.

—¡Oh, no! Lo siento mucho. —Su voz contrita de pronto se torna alegre—. ¡Eh, volvemos a encontrarnos!

Dejo de secarme el abrigo y alzo la vista hacia los imponentes ojos del hombre Burberry.

—¡Ah…, hola! —digo, sonriendo como una adolescente estúpida en la que acaba de fijarse la estrella de fútbol.

—Hola. —Señala el edificio—. ¿Vives aquí?

—Pues sí. ¿Y tú? —*¡Qué hipócrita! Sabes perfectamente que sí.*

—Ya no. He estado aquí de alquiler un par de meses mientras hacía obras en mi casa. Sólo he pasado un momento para cobrar la fianza. —Sus ojos se posan en la mancha de café—. ¡Vaya! Te he destrozado el abrigo. Vamos, deja que te invite a un café. Hay un Starbucks justo a la vuelta de la esquina. Es lo mínimo que puedo hacer.

Se presenta, pero no oigo una palabra de lo que dice. Mi mente sigue procesando la invitación a café. ¡Qué diantres, sí! No, espera…, se supone que he quedado con Brad. Tenía que pasarme a mí.

—Gracias, otra vez quizá. He quedado para comer.

Su sonrisa se desvanece.

—Está bien, pues, que vaya bien la comida. Una vez más, te pido disculpas por la mancha de café.

Me entran ganas de llamarle y explicarle que mi cita es sólo con un amigo, que luego estaré libre para tomar un café. Pero eso es despreciable. Brad *es* sólo un amigo…, pero Andrew no.

—¿Qué tal te va la vida? —le pregunto a Brad después de pedir sendos sándwiches de beicon, lechuga y tomate—. ¿Organizando tu próximo viaje a San Francisco?

—Espero ir el fin de semana de Acción de Gracias —dice—. Nate estará con su padre, pero Jenna no ha decidido qué hará.

Asiento con la cabeza, pero en mi fuero interno me preocupa que estén mareando a Brad.

—¿Qué tal tú? —me pregunta—. ¿Has hecho algún progreso con la lista?

Me deslizo hasta el borde del banco corrido y sostengo la cabeza en alto.

—La verdad es que sí. ¿Te acuerdas de la señora Bailey, esa directora de la escuela Douglas Keyes de la que te hablé? Bueno, pues me ha recomendado para este trabajo de atención educativa a domicilio; consiste en dar clase a niños enfermos en sus casas o en el hospital.

—¡Qué bien! ¿Son como clases particulares?

—Exacto. Mañana por la mañana tengo una entrevista.

Él alza la mano para chocar esos cinco.

—¡Genial!

Hago un gesto displicente con la mano.

—No cantes victoria. Nunca me darán ese trabajo, pero, por alguna razón, la señora Bailey cree que quizá tenga aptitudes para desempeñarlo.

—Pues yo te apoyo.

—Gracias. Y eso no es todo. —Nuestros sándwiches llegan y le hablo de mi cita con Carrie para cenar el 14—. Vive en Madison. Ahora es trabajadora social y vive en pareja. No puedo creerme que tenga tres hijos.

—Será estupendo poneros al día, ¿no?

Siento que me arde la cara.

—Sí, pero me porté fatal con ella como amiga. Tengo mucho que recuperar.

—¡Eh! —exclama, y cubre mi mano con la suya—. Estás progresando. Estoy orgulloso de ti.

—Gracias. ¿Y adivina qué más? Por fin le he hablado a Andrew de la lista. ¡Ha aceptado!

En lugar de celebrarlo, Brad me mira de reojo.

—¿En serio?

Me limpio la boca con la servilleta.

—Sí, en serio. ¿Por qué te sorprende tanto?

Él sacude la cabeza como si tratase de despejarla.

—Perdona. Sí, es fantástico.

—¿Has sabido algo de ese detective? ¿Steve como-se-llame?

—Pohlonski —dice, engullendo el sándwich con un trago de Coca-Cola *light*—. Todavía no, pero en cuanto él tenga algo te aviso.

—Ha pasado más de una semana. Estoy pensando que ya es hora de prescindir de él y contratar a otra persona.

Él se limpia la boca.

—Sé que esto te tiene preocupada, Brett, pero está en ello. Como te dije, ha encontrado a noventa y seis Manns nacidos en Dakota del Norte entre 1940 y 1955. Los ha reducido a seis posibilidades. La semana que viene llamará a todos.

—¡Eso es lo que me dijiste hace tres días! ¿Cuánto se tarda en hacer una llamada de teléfono? Dame la lista. Les llamaré esta tarde.

—No. Pohlonski dice que lo mejor es que el contacto inicial lo haga un tercero.

Suspiro.

—Está bien. Más vale que me traiga noticias el viernes o estará fuera del caso.

Brad se echa a reír.

—¿Fuera del caso? Alguien ha visto demasiado *CSI*.

Procuro mantener mi mohín, pero por dentro pienso cuánto me gusta este tío.

—No hay quien te aguante, Midar.

El cielo es del color de los ojos de un recién nacido, y la espuma, blanca sobre el oleaje gris ahumado. Meg, Shelley y yo recorremos Grant Park a paso rápido, turnándonos para empujar el cochecito de Emma.

—Mi cociente intelectual ha bajado veinte puntos desde que dejé el trabajo —afirma Shelley, jadeando un poco—. Hace semanas que no leo un periódico. Y los grupitos de mamás del vecindario… ¡peores que las pandillas de chicas de secundaria!

—A lo mejor es que no estás hecha para ser ama de casa —digo, dando zancadas a su lado.

—En serio, nunca he visto a mujeres más competitivas. El otro día en el parque comenté de pasada que Trevor sabe contar hasta treinta. No está mal a los tres años, ¿verdad? Error. Melinda enseguida intervino: «Sammy cuenta hasta cincuenta». Y Lauren, la rubia cabrona, frunció la boca y le hizo señas a la pequeña Kaitlyn. «Hasta cien», le susurró. «En mandarín.»

Megan y yo nos partimos de risa.

—Hablando de competir —dice Megan, agitando los puños frente a su cara—. ¿Ha habido suerte buscando ese trabajo de profesora, Brett? ¿Ese para el que no piensas poner un pie en un aula? —Suelta una risita tonta.

—La verdad es que sí.

Shelley y Megan se vuelven hacia mí.

—Me han ofrecido un trabajo esta mañana.

—¡Eso es genial! —exclama Shelley—. ¿Lo ves? Y tú que no te considerabas competente.

Me muerdo el labio.

—Era la única candidata.

—Parece increíble tal como está el mercado laboral… —pregunta Megan, estirándose el brazo mientras zanquea.

—Ya, pero es que, al parecer, ese doscientos noventa y nueve es una zona difícil del Distrito Escolar de Chicago; eso es lo que me comentó el director de recursos humanos. Me dijo que tienen que gustarte un poco los riesgos. —Les hablo del empleo de atención educativa a domicilio, dando clases particulares a niños enfermos en sus casas o en el hospital.

—Un momento. —Megan me obliga a parar—. ¿Irás a las casas? ¿En el South Side?

Me duele el estómago y reanudo la marcha.

—Eso es.

Megan camina a mi ritmo, sus ojos desmesuradamente abiertos.

—¡Ni de coña! Cielo, que estamos hablando de viviendas subvencionadas, de pisos de alquiler. No son más que pocilgas de mierda plagadas de cucarachas.

—Megan tiene razón —dice Shelley—. ¿Estás segura de que no hay ningún peligro?

—Naturalmente —contesto, deseando sentirme tan segura como aparento.

—Oye —dice Megan—, acepta ese trabajo si tienes que hacerlo, pero déjalo en cuanto a Brad le parezca que puedes hacerlo.

—¿Podéis creerlo? Es posible que hasta consiga el objetivo número veinte. —Me doy la vuelta y camino hacia atrás, de cara a ellas—. Y adivina qué más, Shelley. Andrew ha contratado a Megan. Vamos a comprarnos una casa.

—No te lo pierdas —dice Megan, dando un manotazo a Shelley en el brazo con el dorso de la mano—. Se compran una casa en el lago.

—No —digo yo—. Déjate de supermansiones, Meg. Esas casas son odiosas.

—Si tú lo dices. Claro que yo no le haría ascos a una comisión así. —Se muerde el labio inferior, como si calculara mentalmente su seis por ciento correspondiente.

—Olvídalo. No podemos permitírnoslo.

—Andrew me ha dicho que recibirás una enorme fortuna. También me ha hablado de tu cobro de dividendos. No tendrás ningún problema para conseguir un crédito, créeme.

Niego con la cabeza.

—Los dividendos que cobre se irán directos a mi plan de pensiones. Me freirían a impuestos si lo tocara. Y Andrew se olvida de que tendremos que pensar en el futuro de nuestro hijo. Intenta encontrarnos algo acogedor, algo con un jardincito trasero, cerca de un parque tal vez.

Me mira como si estuviese loca, pero acaba asintiendo.

—¡Claro! Estoy en ello.

—Es increíble hasta dónde ha llegado Andrew —continúo—. Todo va encajando. El otro día me compré un libro: *Qué se puede esperar cuando se está esperando*. Me hace tanta gracia pensar que pronto podría estar embarazada, y…

—¿Cuándo es la boda? —interrumpe Shelley.

Camino más deprisa, con la mirada fija en la acera. Shelley es la única persona que sabe que, en un mundo perfecto, me gustaría estar casada cuando tenga un bebé.

—El matrimonio no está en la lista de objetivos vitales.

—No te he preguntado por la lista.

Al final, me paro y me enjugo el sudor de la frente.

—La verdad, Shel, es que no lo sé.

—Tienes que decirle a Andrew que…

Niego con la cabeza.

—Mira, la vida no es perfecta. Todos hacemos este viaje lo mejor que sabemos. Reconócelo, Megan, tú estás con Jimmy porque te da miedo ser pobre.

Ella frunce el ceño, pero luego se encoge de hombros.

—Tienes razón. Básicamente soy una prostituta, pero no puedo evitarlo. Odio trabajar.

—Y, afróntalo, Shel, estás hecha polvo desde que dejaste tu trabajo. —Le paso el brazo por encima—. Francamente, no sé si Andrew se casará conmigo. Pero está dispuesto a hacer otras cosas por mí, cosas importantes, como tener un hijo. De momento, quizá baste con eso.

Shelley resopla.

—¿Tanto se me nota que estoy hecha polvo?

Sonrío.

—¿Recuerdas cuando me caí por la escalera en el funeral de mamá? Sí, estaba borracha, pero también estaba intentando embutir los pies en unos zapatos que no me cabían. Me preocupa que estés intentando amoldarte a ser ama de casa cuando es evidente que no estás hecha para eso.

Shelley levanta la vista y me mira.

—¿Sí? Pues a mí me preocupa que estés intentando amoldarte a Andrew cuando es evidente que no es tu tipo.

Touché. Si tuviese agallas, reconocería que a mí también me preocupa. Confesaría que, en ocasiones, cuando Andrew se muestra distante y me siento sola, me pregunto si aún estoy a tiempo de conocer a otra persona antes de septiembre próximo, alguien de quien pudiera enamorarme y con quien poder tener hijos. Pero, lógicamente, no lo estoy. Me pregunto qué pensaría mi madre si supiera que su pequeño plan me ha hecho más dependiente de Andrew que nunca.

11

Mis primeros días de trabajo transcurren en una neblina confusa. Desde el miércoles he estado siguiendo como una sombra a Eve Seibod, la sesentona que dejará el puesto en cuanto me considere mínimamente competente. Por el momento, no ha hablado de fechas. El viernes por la tarde estamos en la oficina de atención educativa para escolares enfermos del tercer piso del edificio gubernamental. En comparación con el espacioso despacho que tenía en Cosméticos Bohlinger, esta habitación del edificio de cemento se parece a una garita de centinela. Pero una bonita ventana da a la calle 35 Este, y después de llenar el alféizar con las macetas de geranios de mi madre, el lugar parece casi alegre.

Estoy frente al ordenador, leyendo con detenimiento los expedientes de los alumnos mientras Eve hace limpieza general de su mesa.

—Ashley Dickson parece muy honrada —digo—. Dos semanas más de baja por maternidad y volverá al colegio.

Eve se ríe entre dientes.

—Créeme, nunca son honradas.

Dejo a un lado el expediente de Ashley y abro otro, éste de un niño de sexto.

—¿Enfermedad mental a los once años?

—¡Ah…, Peter Madison! —Eve saca dos libretas de su mesa y las mete en una caja de cartón—. Está loco. Su psiquiatra quiere hablar contigo. El doctor Garrett Taylor. Tiene una autorización firmada por la madre de Peter. —Señala un número de teléfono garabateado en la parte superior de la carpeta—. Ahí tienes el número del médico.

Hojeo el expediente y doy con el informe psiquiátrico de Peter. Actos de agresión en clase, expulsión durante el resto del semestre. ¿Y yo preocupada por las casas en mal estado?

—¿Qué problema tiene?

—Síndrome del Emperador —me dice. Saca un pastelito de crema aplastado del fondo de su cajón, lo contempla unos instantes y acto seguido lo tira a la papelera metálica—. El doctor Taylor lo llama trastorno de conducta, pero no soy idiota. El niño es exactamente igual que otros cientos de niños de estas zonas de Chicago. Ausencia paterna, historial familiar de drogodependencia, falta de atención, etcétera, etcétera, etcétera.

—Pero no es más que un niño. Debería estar en el colegio. No pueden negarle la educación.

—Ahí es donde intervienes tú. Dale un servicio a domicilio dos veces por semana y se considerará que está instruido. Ley Pública de Illinois noventa y no sé cuántos. Asegúrate de llamar al doctor Taylor antes de irte esta noche. Él te pondrá al día.

Para cuando he acabado de leer los siete expedientes de los alumnos, son casi las seis. Eve se ha ido hace una hora, llevándose dos cajas enormes atiborradas de toda clase de cosas, desde bomboneras hasta marcos con fotos de sus nietos. Recojo mis notas y mi bolso, de pronto también deseosa de que empiece el fin de semana. Justo cuando me dispongo a apagar las luces, recuerdo que tengo que llamar al psiquiatra de Peter. ¡Maldita sea! Camino pesadamente hasta mi mesa. A esta hora, un viernes, ya se habrá ido, pero me sentiré mejor si dejo un escueto mensaje de voz. Marco su número y ensayo mentalmente el mensaje que dejaré.

—Garrett Taylor —contesta una melodiosa voz de barítono.

—¡Ah...! Hola. Es que... mmm..., no esperaba que contestara. Iba a dejarle un mensaje.

—Diez minutos más tarde y lo habría hecho. ¿En qué puedo ayudarle?

—Soy Brett Bohlinger. La nueva profesora a domicilio. Trabajaré con Peter Madison.

—¡Ah, sí, Brett! Gracias por llamar. —Suelta una risita—. Usted esperaba que saltara mi buzón de voz; yo esperaba una voz masculina.

Sonrío.

—Muy bueno. Es uno de los inconvenientes de tener un nombre de varón.

—Me gusta. ¿No hay un personaje de Hemingway que se llama Brett?

Me reclino en la silla, impresionada de que haya establecido la conexión.

—Sí, lady Brett Ashley de *Fiesta*. Mi madre… —me doy cuenta de que estoy yéndome por las ramas. ¿Producen los psiquiatras este efecto en todo el mundo?—. Perdone. Estaba a punto de irse. Deje que vaya al grano.

—Tómese su tiempo. No tengo ninguna prisa.

Su voz tiene un tono amistoso y familiar, y tengo la sensación de estar hablando con un viejo amigo y no con un médico. Cojo un papel y levanto el bolígrafo.

—Le llamo por el alumno Peter Madison. ¿Qué puede contarme sobre él?

Oigo un ruido, como si el doctor Taylor estuviera arrellanándose en su silla.

—Peter es un niño muy atípico. Es sumamente inteligente, pero muy manipulador. Según tengo entendido, causó estragos en clase. El distrito escolar quería un diagnóstico completo, razón por la cual solicitaron mi ayuda. Sólo llevo trabajando con él desde septiembre, de modo que ambos, usted y yo, iremos descubriendo a Peter conforme vayamos avanzando.

Me habla de las fechorías del niño en el aula, que van desde intimidar a un alumno con parálisis cerebral hasta torturar al hámster de la clase, o cortarle el pelo a un compañero.

—La reacción que recibe de los demás le produce placer. Disfruta infligiendo dolor emocional. De hecho, supone un gran estímulo para él.

Fuera el viento aúlla y me envuelvo el pecho con el jersey.

—¿Qué le ha hecho ser así? ¿Sufrió malos tratos?

—Su madre es un tanto limitada, pero parece preocupada. El padre no aparece en escena, por lo que podría haber cierto trauma emocional asociado a eso. O cabe la posibilidad de que las alteraciones psicológicas de Peter sean simplemente el resultado de un legado genético poco afortunado.

—¿Se refiere a que nació así?

—Es posible.

Nada de lo que he leído en *Qué se puede esperar cuando se está esperando* menciona esto. Me imagino un capítulo titulado «Legados genéticos poco afortunados».

—Pero ya verá que Peter puede ser sumamente encantador cuando quiere.

—¿En serio? ¿Como cuando le dé un tijeretazo a mi pelo?

Él se ríe entre dientes.

—Me temo que la he asustado. Lo hará bien. Parece usted muy capaz.

¡Claro! Tan capaz que mi madre me despidió.

—Será usted los ojos y las orejas de la casa, lo cual será de gran ayuda. Me gustaría que me llamase después de cada clase. ¿Es eso posible?

—Sí, puedo hacerlo. Se supone que Eve y yo tenemos que verlo el lunes. —*A menos que pueda inventarme una excusa.*

—Mi última visita acaba el lunes a las cinco. ¿Podría llamarme cuando sea a partir de esa hora?

—Naturalmente —digo, pero a duras penas retengo sus palabras. Todas las células de mi cerebro están puestas en el hecho de que dentro de tres días estaré dando clase al futuro Hannibal Lecter.

El lunes por la mañana me esmero especialmente en vestirme, decantándome al fin por unos pantalones de lana azul marino a juego con el jersey de cachemir gris brezo que mi madre me compró la Navidad pasada. Hoy no sólo quiero causar una buena impresión a mis nuevos alumnos, sino que también quiero estar lo mejor posible cuando me encuentre con Carrie. Pienso en ella durante todo el trayecto hasta el despacho, y espero que el trabajo vaya como una seda y que al término de la jornada Eve no se dedique a refunfuñar sin parar. Quiero ir con tiempo de sobra a McCormick Place y buscar el restaurante dentro del hotel Hyatt antes de que llegue Carrie.

Cuando llego al despacho, descubro que la cháchara de Eve habría sido el menor de mis problemas. El señor Jackson, mi supervisor, viene a verme antes incluso de que encienda el ordenador.

—Eve ha llamado esta mañana —dice. Su enorme cuerpo llena el hueco de la puerta de mi despacho—. Le ha surgido una emergencia familiar y no vendrá. Pero confía plenamente en que podrá usted apañarse sola. Me ha dicho que le desee suerte. —Me saluda escuetamente con la cabeza—. Buena suerte.

Salgo disparada de detrás de mi mesa y me engancho el jersey en su borde astillado. Adiós a las buenas impresiones.

—Pero Eve iba a presentarme hoy a los alumnos, a ayudarme a coger el tranquillo a las cosas.

—Estoy convencido de que sabrá desenvolverse. ¿Ha venido en coche o en bus?

—En..., en coche.

—Muy bien, pues, ya está lista. —Se gira para irse—. Asegúrese de llevar la cuenta del kilometraje. Se le reembolsarán los gastos, ya lo sabe.

¿Que me reembolsarán el kilometraje? Me importa un comino el kilometraje. ¡Mi vida está en juego! Lo sigo mientras se aleja.

—Señor Jackson, espere. Tenemos a este alumno... Peter Madison. Parece que puede ser problemático. No creo que deba verlo a solas.

Cuando se gira, la arruga de su entrecejo está torcida como la rama de un árbol.

—Señorita Bohlinger, me encantaría ofrecerle un guardaespaldas personal, pero lamentablemente nuestro presupuesto no lo permite.

Abro la boca para protestar, pero él ya está caminando de vuelta a su despacho, dejándome sola mientras me muerdo la uña del pulgar.

Mi primera alumna del día es Amina Adawe, una niña de tercero que vive en South Morgan. Me choca descubrir un edificio abandonado con el número de la casa colgando sobre la puerta de entrada. Aflojo el paso y me detengo. ¿En serio vive gente en este sitio? La puerta astillada se abre hacia fuera y sale un pequeñín anadeando, seguido de una mujer que cotorrea por el móvil y va vestida como si saliese de juerga.

Recorro la acera agrietada, pensando en mi tranquilo despacho de Cosméticos Bohlinger, con sus exuberantes plantas verdes y mi neverita llena de fruta y agua embotellada. Se apodera de mí una rabia que me resulta familiar. ¿Por qué me ha puesto mi madre en este aprieto?

Inspiro hondo y, con ayuda de la manga del abrigo, giro el pomo de la puerta. Antes de entrar miro a mi alrededor una vez más, como si fuese mi último vistazo.

El estrecho pasillo está oscuro, frío y húmedo, y apesta a pañal sucio y basura. Repleto de envoltorios de comida y colillas de cigarrillo, lo atravieso penosamente. Una canción de rap suena a tal volumen en uno de los pisos que juraría que el suelo retumba. Por favor, que no sea éste el apartamento de Amina.

Los números de los apartamentos de esta planta son de dos dígitos. El piso de Amina, el número cuatro, seguramente estará en el sótano. El corazón me late con fuerza en el pecho y desciendo lentamente por un tramo de escalera. ¿Quién me encontraría si desapareciese dentro de este sitio de mala muerte? ¿Cuánto tiempo tengo que seguir en este maldito trabajo para poder convencer a Brad de que lo tache de mi lista? Una semana más, decido; dos como máximo. En Acción de Gracias se acabó.

Llego al pie de la escalera. Una bombilla desnuda parpadea en lo alto, creando un espectáculo de luces frenético. Desde el otro lado de la puerta cerrada del apartamento número dos, me asaltan las obscenidades, desagradables y atroces. Me quedo helada. Justo estoy a punto de echar a correr de nuevo escaleras arriba cuando se abre una puerta al final del pasillo. Aparece una mujer delgada de piel de caramelo y bondadosos ojos dorados, un *hiyab* de seda le cubre el pelo.

—Es-estoy buscando el apartamento cuatro —articulo lentamente, mostrando mi identificación—. Amina Adawe. Soy su profesora.

Ella sonríe y me invita a entrar con un gesto. Cuando cierra la puerta a nuestras espaldas, los gritos y el hedor se esfuman. El ordenado apartamento huele a pollo asado y especias exóticas. Asiente cuando me quito los zapatos, y me conduce al salón donde una niña menudita descansa en un sofá raído, con su pierna enyesada apoyada sobre cojines.

—Hola, Amina. Soy la señorita Brett. Seré tu profesora durante tu recuperación.

Sus ojos oscuros me escrutan poco a poco.

—Es usted muy guapa —dice con adorable acento árabe.

Sonrío.

—Tú también lo eres.

Me dice en un inglés entrecortado que el invierno pasado vino desde Somalia, que tenía una pierna demasiado corta y que por eso el doctor se la arregló. Le da mucha pena saltarse el colegio.

Le doy unas palmaditas en la mano.

—Estudiaremos juntas. Cuando vuelvas al colegio, tendrás el mismo nivel que el resto de la clase. ¿Qué te parece si empezamos con la lectura?

Saco su texto de lectura de mi cartera de cuero y un niño pequeño entra corriendo en la habitación. Se agarra con fuerza a la tela de algodón del *yilbab* de su madre.

—Hola —le saludo—. ¿Cómo te llamas?

Él me escudriña tras el vestido de su madre y susurra:

—Abdulkadir.

Repito el palabro polisílabo y se le forman unos hoyuelos. Amina y su madre sueltan una risita, sus caras rebosan de orgullo. Amina recostada en la cama y su hermano sentado en el regazo de su madre, los tres permanecen embelesados mientras leo la historia de una princesa que no podía llorar. Observan las ilustraciones, interrumpen para hacer preguntas, se ríen y aplauden.

¡Héteme aquí, en mi propia escuela de una sola aula! Y esta vez todos los alumnos están ávidos de aprender. Es el sueño de todo profesor. ¡*Mi* sueño!

Veinte minutos más tarde estoy conduciendo por Englewood. Procuro centrarme en el hecho de que una de mis cantantes favoritas, Jennifer Hudson, se crió aquí, e ignorar que a su familia la asesinaron precisamente en este sitio. Me recorre un escalofrío. Me tranquiliza detenerme junto a una gran casa verde en la avenida Carroll que parece absolutamente segura. Pero ¿qué le pasa al cartel del jardín delantero?

Cuesta creer que Sanquita Bell, embarazada de tres meses y aquejada de una enfermedad renal, estudie segundo de bachillerato. La chica, de aspecto mestizo, es menuda como una niña de doce años. Su cara pálida no lleva maquillaje y su piel es sedosa y brillante, como un caramelo alargado. Pero son sus ojos avellana los que me rompen el corazón. Son los ojos cansados de una mujer mucho mayor; una que ha visto demasiado de un mundo cruel.

—Siento llegar tarde —digo al tiempo que me quito el abrigo y los guantes—. He visto el cartel donde pone Residencia Joshua, y he pensado que tenía mal la dirección. ¿Dónde estoy?

—En una casa de acogida para mujeres sin hogar —contesta como si tal cosa.

La miro fijamente, estupefacta.

—¡Oh, Sanquita! Siento oír eso. ¿Tu familia lleva mucho tiempo aquí?

—Mi familia no está aquí. —Se acaricia la barriga todavía plana con la mano mientras habla—. Mi madre se mudó a Detroit el año pasado, pero yo me negué a vivir allí. Mi bebé no tendrá esa clase de vida. No define *esa clase de vida*, ni yo le pregunto. Me muerdo el labio y asiento.

Cruza los brazos delante del pecho a la defensiva.

—No lo sienta tanto. El bebé y yo estaremos bien.

—Por supuesto que sí. —Me dan ganas de estrecharla entre mis brazos, a esta pobre niña sin techo, pero no me atrevo. Es evidente que esta jovencita siente rechazo al consuelo—. Yo tampoco tengo padres. Es duro, ¿verdad?

Ella se encoge de hombros como quitándole importancia.

—Yo quería que mi bebé conociese a su papi, pero eso no pasará.

Antes de que pueda contestar, una morena bajita aparece con un bebé en la cadera.

—¡Eh, Sanquita! ¿Ésta es tu nueva profesora? —La mujer me agarra del codo—. Soy Mercedes. ¡Venga! Sanquita y yo le enseñaremos esto.

Sanquita se queda atrás mientras Mercedes me conduce desde la funcional cocina hasta un comedor inmaculado. Dos mujeres doblan ropa limpia encima de una mesa de comedor. En el salón, otras dos están sentadas delante de un viejo televisor, viendo *El precio justo*.

—¡Qué bonito es esto! —digo, y vuelvo la vista hacia Sanquita. Ella aparta la mirada.

—En total hay nueve dormitorios —me cuenta Mercedes, su voz teñida de orgullo.

Nos paramos frente a la puerta de un despacho, donde una negra imponente está sentada tras una mesa, tecleando números en una calculadora.

—Ésta es Jean Anderson, nuestra directora. —Mercedes llama a la puerta abierta—. Señorita Jean, venga a conocer a la profesora de Sanquita.

La señorita Jean levanta el mentón. Tras darme un exhaustivo repaso con la mirada, baja los ojos hacia la calculadora y continúa tecleando números.

—Hola —masculla.

—¿Qué tal? —digo, asomándome con la mano tendida—. Soy Brett Bohlinger. Trabajaré con Sanquita el tiempo que no vaya al colegio.

—Sanquita —dice sin levantar la vista—, hoy tienes que conseguir que te extiendan esa receta. No te olvides.

Me cae el brazo junto al cuerpo y Sanquita me mira incómoda.

—Sí, está bien. Nos vemos luego, señorita Jean.

Subimos por la escalera, Sanquita un peldaño por delante de Mercedes y de mí.

—La señorita Jean es fría —me cuenta Mercedes—. No se fía mucho de los blancos, eso es todo.

—¡Pues nadie lo diría!

Mercedes estalla de risa.

—Es usted una descarada. Sanquita y usted se llevarán de maravilla, ¿verdad, Quita?

La chica no responde.

Mercedes y yo seguimos charlando cuando llegamos a lo alto de la escalera. Al levantar la vista veo a Sanquita delante de la puerta de una habitación, tamborileando con los dedos sobre uno de sus brazos cruzados.

—Gracias por la visita guiada —le digo a Mercedes, y me apresuro a entrar en la habitación.

Una mesilla de noche desgastada separa dos camas individuales, con colchas de un azul desvaído. A los lados de una ventana que da a la calle hay dos armarios que no hacen juego. Sanquita se sienta en la cama.

—Podemos estudiar aquí. Chardonay está trabajando.

No hay silla, de modo que me siento en la cama junto a ella, procurando no fijarme en sus manos abotargadas, sus párpados hinchados, ni las ronchas de piel rosada de brazos y manos que parece haberse rascado hasta dejar en carne viva.

—¿Te gusta esto? —le pregunto rebuscando su carpeta en mi cartera.

—Es correcto. Sin dramas excesivos. El último sitio en el que me alojé no tenía ni una sola norma. Allí me robaron el bolso y una loca se pensó que estaba metiéndome con ella, e intentó buscar pelea.

—¡Caramba! ¿Te pasó algo?

—Yo no sufría por mí. Lo único que me preocupaba era mi bebé. Fue entonces cuando vine aquí.

—Me alegra que ahora estés en un sitio seguro. ¿Cómo te encuentras?

Se encoge de hombros.

—Bien. Un poco cansada, nada más.

—Cuídate. Si hay algo que pueda hacer por ti, dímelo.

—Sólo que me ayude a conseguir mi diploma. Mi bebé tiene que saber que su madre era lista.

Lo dice como si no fuese a estar aquí para decírselo ella misma al bebé, y me pregunto hasta qué punto está realmente enferma esta chica.

—Trato hecho —contesto, y saco un libro de química del bolso.

Al cabo de una hora, tengo que obligarme a mí misma a dejar a Sanquita. Podría pasarme el día entero dando clase a esta niña. La química le cuesta especialmente, pero escucha con atención lo que le explico y está dale que te pego hasta que al final le sale.

—Las ciencias se me dan fatal normalmente, pero la verdad es que hoy lo estoy entendiendo todo.

No me atribuye a mí su éxito, ni debería. Aun así, casi reviento de orgullo.

—Eres muy aplicada —digo, y meto su carpeta en la cartera—. Y una chica lista.

Ella se mira las uñas con atención.

—¿Cuándo volverá?

Abro mi agenda.

—Bueno, ¿cuándo te gustaría volver a verme?

Sanquita se encoge de hombros.

—¿Mañana?

—¿Tendrás los deberes hechos para mañana?

Su mirada se torna fría y cierra de golpe el libro de química.

—Déjelo. Sé que sólo tiene que verme dos veces a la semana.

—Veamos... —digo, estudiando mi calendario. El único hueco libre que tengo mañana es una hora a mediodía reservada para comer y hacer papeleo—. Puedo venir a mediodía. ¿Te va bien?

—Sí. A mediodía está bien.

No sonríe. No me da las gracias. Pero a pesar de eso me voy con una agradable sensación.

Telefoneo a Brad de camino a Wentworth Street y le dejo un mensaje.

—¡Este trabajo está hecho para mí, Brad! Voy hacia casa de Peter, así que deséame suerte.

Cuando llego, una mujer obesa abre la puerta, con un teléfono a la oreja y un cigarrillo entre los dedos. Ésta debe de ser Autumn, la madre de Peter. Lleva una camiseta holgada con un dibujo de Bob Esponja. Sonrío al ver el extravagante personaje, pero ella se limita a sacudir bruscamente la cabeza, lo cual interpreto como un gesto para que entre.

La peste a humo de cigarrillo y orina de gato por poco me deja sin aliento. Una manta de lana negra clavada en el ventanal impide que la luz natural renueve el aire enrarecido. En la pared distingo una imagen enmarcada de Jesús, sus ojos suplicantes y sus ensangrentadas palmas extendidas.

Autumn cierra el teléfono de un chasquido y se vuelve hacia mí.

—¿Es usted la profesora de Peter?

—Sí. Hola, soy Brett Bohlinger. —Extraigo mi carnet identificativo, pero ella no se molesta en mirarlo.

—¡Peter! ¡Ven aquí! —Yo sonrío nerviosa y me recoloco la cartera sobre el hombro. Autumn se pone en jarras—. Maldita sea, Peter. He dicho que vengas aquí, ¡ya! —Sale disparada por el pasillo y oigo que aporrea una puerta—. Tu profesora ya ha llegado. ¡Mueve el culo y ven aquí antes de que eche abajo la maldita puerta!

Es evidente que Peter no quiere verme. El chorreo continúa hasta que al final camino hacia el pasillo.

—Oiga —digo—. ¿Por qué no vuelvo en otro momento...?

De pronto se abre la puerta. Al final del lúgubre pasillo, una figura toma forma. Un chico corpulento, de pelo castaño greñudo y un brote de fino vello en el mentón, avanza pesadamente hacia mí. De manera instintiva, retrocedo un paso.

—Hola, Peter —digo con voz temblorosa—. Soy la señorita Brett.

Pasa tan campante junto a mí.

—¡No joda!

La hora de clase con Peter parecen más bien tres. Nos sentamos frente a la pegajosa mesa de la cocina de los Madison, pero él rehúye mi mirada. Lo bastante cerca como para oírnos, Autumn cotorrea al teléfono con alguien llamado Brittany. Su voz áspera compite con la mía, y doy las instrucciones en voz alta, decidida a ganar este concurso. Peter se limita a gruñir, como si yo fuese un tremendo incordio que está obligado a soportar. Me doy por afortunada cuando obtengo una ocasional respuesta lacónica de una sola palabra. Al finalizar la clase, sé muchas más cosas de Brittany que de él.

La nieve recién caída cubre la ciudad ventosa como una capa de azúcar glaseado blanco, y la región entera va a paso de tortuga. Son casi las cinco cuando subo a rastras la escalera y abro con llave la puerta de mi despacho. Le doy al interruptor y veo un fabuloso jarrón de orquídeas encima de mi mesa. ¡Qué detallista es Andrew! Abro la tarjeta adjunta.

Felicidades por tu nuevo trabajo, Brett.
Nos alegramos muchísimo por ti.

Un abrazo,
Catherine y Joad

¿En qué estaría yo pensando? Andrew nunca ha sido de mandar

flores. Vuelvo a meter la tarjeta en su sobre y tomo nota mentalmente de invitar a Catherine y Joad a la cena de Acción de Gracias.

La luz roja del teléfono del despacho parpadea y descuelgo para comprobar si hay mensajes.

«Hola, Brett. Soy Garrett Taylor. Es que estoy un poco preocupado por saber qué tal ha ido hoy con Peter. Me han cancelado la visita de las cuatro, así que estoy disponible cuando quiera.»

Marco su número y coge el teléfono al primer pitido.

—Hola, doctor Taylor. Soy Brett Bohlinger.

Le oigo suspirar. Parece un suspiro de alivio más que de fastidio.

—Hola, Brett —dice—. Y llámame Garrett; no hace falta que me llames doctor.

Me gusta su tono informal, como si fuésemos colegas.

—¿Ha ido todo bien hoy?

—Sigo teniendo pelo, lo que considero un éxito.

Él se ríe.

—Eso son buenas noticias. Entonces, ¿el chico no es tan tremendo?

—De eso nada. Es un idiota redomado. —Me cubro la boca con la mano y se me encienden las mejillas—. ¡Cuánto lo siento! Eso ha sido muy poco profesional. No pretendía…

El doctor Taylor se ríe.

—No pasa nada. Puede que sea un idiota, estoy de acuerdo. Pero tal vez, sólo tal vez, podamos ayudar a este pequeño idiota a adquirir ciertas habilidades sociales.

Le hablo de la reticencia de Peter a salir de su cuarto.

—Pero al final ha salido cuando te ha oído decir que te ibas. Eso es positivo. Quería conocerte.

La nube oscura que me ha estado siguiendo desde que he salido de casa de Peter se aleja. Hablamos del chico durante diez minutos más antes de que la conversación derive hacia lo personal.

—¿Enseñabas en un colegio antes de aceptar este trabajo dando clase a escolares enfermos?

—No, soy un desastre en el aula.

—Eso lo dudo.

—Pues créeme. —Me reclino y apoyo los pies encima de la mesa. Sin pretenderlo, me pongo a relatar con pelos y señales la historia de mi día de suplente en la escuela Douglas Keyes, aderezándola con el fin de entretener. Resulta liberador oírle reír con mi relato, como un globo de plomo que se eleva milagrosamente y se aleja surcando el cielo. Supongo que esta hora me costaría unos doscientos dólares si estuviese en su consulta.

—Lo siento —digo, de pronto avergonzada—. Estoy haciéndote perder tiempo.

—En absoluto. Ya he visto a mi último paciente, y esto me divierte. O sea que, aunque tu día como suplente fuese un reto, sabías que enseñar era tu pasión.

—Francamente, es mi madre la que estaba empeñada en que es mi pasión. Murió en septiembre y me dio instrucciones de volver a intentarlo.

—Vamos, que sabía que era lo tuyo.

Sonrío.

—Supongo que sí.

—Tengo un gran respeto por tu profesión. Mis dos hermanas mayores son profesoras jubiladas. Mi madre también enseñó, aunque por poco tiempo. Lo creas o no, dio clases en una escuela de una sola clase.

—¿En serio? ¿Cuándo fue eso?

—En la década de los cuarenta. Pero nada más quedarse embarazada le hicieron dimitir. Así era como funcionaba en aquel entonces.

Con total descaro, hago un rápido cálculo. Su hermana mayor nació en los cuarenta..., él rondará los sesenta, como mínimo.

—No es justo —digo.

—Desde luego que no, aunque nunca me dio la sensación de que ella lo lamentara. Como la mayoría de las mujeres de la época, se pasó el resto de su vida de ama de casa.

—¿Qué te hizo elegir tu profesión?

—Mi historia es un poco distinta a la tuya. Mi padre era médico; cirujano cardiovascular. Como yo era el único chico, esperaban que trabajara con él al salir de la facultad de medicina y que a la larga me quedara con su consulta. Pero en algún momento entre la facultad y mi internado, me di cuenta de que ansiaba relacionarme con mis pacientes. En los cambios de turno siempre ocurría lo mismo: «Taylor», me decía mi supervisor médico, «no ganarás dinero hablando con los pacientes. Obtén la información y cállate de una puñetera vez».

Me echo a reír.

—¡Qué lástima! ¡Ojalá más médicos se preocuparan de sus pacientes!

—No es que no se preocupen. Es sólo que la medicina se ha convertido en una cadena de montaje, por decirlo de alguna manera. El médico dispone de veinte minutos para diagnosticar al paciente y que salga por la puerta, con una receta en la mano o una petición para hacer más pruebas. Luego le toca al siguiente paciente y al otro. Ése no era mi estilo.

—Bueno, por lo que veo, elegiste la especialidad adecuada.

Son las seis y media cuando al fin cuelgo, y estoy tan relajada como un gato al sol. Peter será un reto para mí, de eso no hay duda. Pero ahora tengo un aliado, Garrett.

El mío es el único coche que queda en el aparcamiento tenuemente iluminado. Como no tengo una espátula, uso mi mitón para quitar la nieve del parabrisas. Pero debajo de la nieve acecha una capa de hielo, demasiado gruesa para romperla con las manos.

Sentada en el coche con el aire caliente al máximo para desempañar el vidrio, veo el destello rojo de mi móvil. Cuatro mensajes de texto: uno de Meg, otro de Shelley y dos de Brad. Todos son una versión similar del mismo mensaje. «¿K tal el día?», «¿K tal el niño loco?» Escribo una respuesta escueta a cada uno mientras noto que me crece un bulto en la garganta hasta que a duras penas puedo tragar saliva. Me doy un masaje y procuro respirar.

Nada de Andrew. Ni siquiera un simple: «¿Estás bien?»

El trayecto a casa se parece a una carrera de obstáculos. Los conductores aún no están acostumbrados a las condiciones invernales, y cada manzana o dos manzanas tengo que dar un volantazo para no chocar o dar la vuelta para evitar un atasco. Al final, a las ocho y veinte, llego al edificio del aparcamiento. Justo cuando apago el motor, la fecha del salpicadero llama mi atención. Giro la llave y el tablero de mandos vuelve a iluminarse. 14 de noviembre.

—¡Oh, Dios mío! —Doy un puñetazo en el volante—. ¡Mierda, mierda, mierda!

14 de noviembre, mi cita con Carrie Newsome.

12

Carrie se muestra tan cordial cuando llamo a la habitación de su hotel que casi estoy tentada de volver a coger el coche para ir a verla a McCormick Place.

—Ni si te ocurra —me dice—. He estado escuchando las noticias y por lo visto hace un tiempo de perros ahí fuera. Me preocupaba que hubieras tenido un accidente.

Niego con la cabeza.

—Casi desearía haberlo tenido. Por lo menos así tendría una buena excusa.

Se ríe, la misma risa simpática y fácil de su juventud.

—No te preocupes. Me he tomado una copa de vino en el comedor. Me ha sabido a gloria.

—Suelo ser más organizada, pero acabo de empezar en un trabajo nuevo y… —Me callo, no quiero confesar que estaba flirteando con el psiquiatra de mi alumno mientras ella estaba sola en el restaurante del hotel—. Perdóname. —Inspiro hondo—. Por todo, Carrie.

—Olvídalo. Háblame de este trabajo nuevo.

Se me acelera el corazón, pero tengo que hacerlo.

—Nunca me he perdonado a mí misma por lo mal que me porté aquella vez que viniste a verme. Tú confiaste en mí, y te fallé. Ni siquiera contesté a tu carta.

Ella se ríe.

—¿Qué? Brett, ¡de eso hace muchos años! Éramos unas crías.

—No. Lo siento muchísimo. Seguramente fue una época muy difícil para ti. Debería haber estado a tu lado.

—Sinceramente, Brett, lo entiendo. Me dolió, es verdad. Pero lo superé. No puedo creerme que hayas estado atormentándote durante todos estos años.

—Tendría que haberte contestado en el acto, implorando tu perdón. ¡Qué cobarde fui!

—Para… Te perdoné hace años. —Se ríe—. Ahora haz el favor de perdonarte a ti misma.

—De acuerdo —digo—. Pero hay otra cosa que deberías saber.

Desvelo el motivo fundamental por el que me he puesto en contacto con ella después de todos estos años.

—Para que veas; empezó como una instrucción de mi madre, pero cuando te localicé me di cuenta de lo mucho que te había echado de menos.

Se queda callada, y me parece que está a punto de echarme la bronca.

—¡Qué inteligente era tu madre! —exclama al fin—. ¡Ojalá pudiese darle las gracias!

Siento el corazón más ligero que en años. Hasta ahora no me había dado cuenta de lo cargado que estaba de culpa. Me seco el rabillo del ojo y sonrío.

—Bueno, cuéntame lo que me he perdido en estos últimos dieciocho años.

Me habla de los amores de su vida: Stella Myers, su pareja desde hace ocho años, y sus tres hijos adoptivos. Me sorprende que el estilo de vida de Carrie, el que en su día me pareció anormal y extraño, sea mucho más convencional que el mío.

—Me alegro mucho por ti —digo—. ¿Y tus padres, cómo están?

—Igual de extravagantes y adorables que siempre. ¡Eh! ¿Recuerdas su almuerzo navideño de cada año?

—Por supuesto. Era el mejor almuerzo del mundo.

—Todavía los organizan, y estaba pensando, si podéis, que tu novio y tú tendríais que venir. Este año es el domingo once. Madison está a dos horas en coche nada más.

Los recuerdos se agolpan en mi memoria; el señor Newsome con sus sandalias Birkenstock, un whisky en una mano y su cámara de vídeo en la otra, y la madre de Carrie rasgueando su guitarra, tocando villancicos y antiguas canciones populares.

—Le he hablado muchísimo de ti a Stella. Te encantará, Brett. También es profesora. Y a mis padres les haría mucha ilusión verte. Mi padre tiene unos vídeos de nosotras geniales. Siempre le has caído bien; tu madre también. Por favor, dime que vendrás.

De pronto echo tanto de menos a mi amiga de la infancia que cruzaría el país en coche para verla. Sujeto el teléfono con el hombro y cojo la agenda.

—Muy bien —digo sonriendo—. Está en mi agenda, en negrita. Y esta vez, Care Bear, estaré a tu lado. Palabra de honor.

Me quedo dormida en la mesa de la cocina escribiendo un menú para la cena de Acción de Gracias. Es ahí donde me encuentra Andrew cuando vuelve a casa del trabajo.

—¡Eh! —exclama sacudiéndome ligeramente del brazo—. Es hora de irse a la cama, dormilona.

Me enjugo un hilo de baba que me cae de la boca.

—¿Qué hora es?

—Las diez y cuarto nada más. Tienes que estar agotada. Subamos a la cama.

Me levanto de la mesa con dificultad y veo de refilón mi menú parcialmente acabado.

—Este año quiero celebrar Acción de Gracias —comento—. En casa de mi madre. Prepararé todos los platos que ella hacía siempre. ¿Qué te parece?

—Haz lo que quieras. Te he dicho que Joad y Catherine no están, ¿verdad?

Frunzo el ceño.

—No. No lo sabía.

Él abre la nevera.

—Joad dejó un mensaje el otro día. Se van a Londres. Un viaje de negocios, por lo visto.

—¿En Acción de Gracias? ¡Eso es absurdo! Llamaré a Catherine y veré si pueden cancelarlo.

Se hace con un trozo de queso y un botellín de Heineken.

—¿En serio crees que dejarán de ir a Londres para cenar pavo?

Un sentimiento de soledad me coge desprevenida. Yo había dado por sentado que estaríamos todos juntos en nuestra primera celebración sin mamá, apoyándonos unos a otros. Pero, en realidad, probablemente sea yo la única que necesita apoyo. Se me escapa un suspiro.

—Tienes razón. Supongo que sólo estaremos nosotros dos, pues, y Jay y Shelley con los niños. —Me animo y me vuelvo hacia Andrew—. ¡Eh! Invitemos a tus padres. ¿Crees que vendrían?

—Ni hablar. Es un viaje demasiado largo para ellos.

—Boston no está tan lejos.

—Aun así… —Cierra la puerta de la nevera con un golpe de cadera y saca un cuchillo del cajón.

Me lo quedo mirando fijamente.

—¿Es eso lo que haremos algún día? Cuando nuestros hijos crezcan y nos inviten por Acción de Gracias, ¿pondrás reparos?

Corta un triángulo de Asiago y se lo mete en la boca.

—¿Hijos? —pregunta, arqueando una ceja—. Pensaba que habías dicho que tenías que tener un hijo. En singular.

—Pues eso. Ya me has entendido.

Traga el queso con un trago de cerveza.

—Si tenemos *un* hijo, doy por sentado que querrás celebrar con él todas las fiestas. Me parece perfecto.

Un sabor amargo me inunda la boca. No quiero oír la respuesta a la siguiente pregunta, pero tengo que preguntarlo igualmente:

—¿Y tú? ¿Querrás pasar tiempo con nuestra familia?

—¡Señor! —Golpea el botellín de cerveza sobre la encimera de granito. Como su genio, la espuma se desborda—. No basta con que esté dispuesto a tener un hijo. No. Esperas que sea Cliff Huxtable, de *La hora de Bill Cosby*. —Niega con la cabeza, y cuando vuelve a hablar, el volumen es más bajo, y yo sé que está intentando contener su frustración—. Estoy cambiando mi vida entera para hacer realidad este maldito cuento de hadas, Brett, y aun así no es suficiente.

—Perdona. Valoro todo lo que estás haciendo. De verdad que sí. —Empieza a temblarme el mentón y levanto una mano para disimularlo—. Esto no es lo que quieres. Lo sé.

El hedor del silencio incómodo inunda la habitación. Andrew levanta el botellín de cerveza y lo examina. Finalmente, se frota la cara con la mano.

—¿Podemos hablar de esto en otro momento? Ha sido un día infernal.

Asiento con la cabeza, pero sé que ese *otro momento* tiene que llegar pronto. Es tan egoísta por mi parte pretender que él comparta mis sueños como lo es que él pretendiera que yo compartiese los suyos.

Es viernes por la tarde y he programado deliberadamente la cita con Peter al final, consciente de la facilidad que tiene para incidir en mi estado de ánimo. Autumn me indica la cocina, donde el chico está sentado frente a la mesa abarrotada de cosas. Aunque ahora sale de su cuarto sin batallar, sigue siendo grosero y hosco, a diferencia de su madre. Hoy ella se sienta en el salón, llenando nuestra clase con la voz del presentador Maury Povich y el olor a humo de cigarrillo.

Hurgo en mi bolso y extraigo un libro de álgebra.

—Hoy nos dedicaremos a hacer mates, Peter. La mayoría de los niños de sexto no hacen álgebra. Deberías estar orgulloso de estar en la sección de honor.

Abro por el capítulo de polinomios.

—Veamos, la señora Kiefer quiere que hoy repasemos la división de polinomios. Echemos un vistazo a la primera. ¿Quieres intentarlo?

Él contempla la página, luego frunce el ceño y se rasca la cabeza.

—Demasiado difícil. —Me pasa el libro—. Enséñeme.

Peco de ingenua, lo sé. La señora Kiefer me aseguró que esta tarea sería coser y cantar para Peter. Pero doy con mi lápiz y papel.

—Hace mucho tiempo que no hago polinomios. —Copio el problema y me reprocho interiormente por no haberme estudiado la lección de antemano.

No tardo mucho en sacar la calculadora del bolso. Tecleo los números, garabateo dígitos en el papel, borro, tecleo más números y vuelvo a borrar; mientras tanto, Peter me observa con una sonrisa de suficiencia en la cara.

Pasados unos cinco minutos, tengo el resultado; y una intensa sensación de éxito. Me aparto de un soplido el flequillo de la frente y me vuelvo hacia él, sonriendo.

—Lo tengo. La respuesta es 3y dividido por 8x elevado a menos cuatro. —Coloco el papel delante de él—. Ahora deja que te explique cómo he obtenido el resultado.

Peter menosprecia mi trabajo como un profesor arrogante.

—¿Ha invertido los negativos?

Se me enciende la cara y analizo mi trabajo.

—¿Que si he invertido...? ¿Exactamente qué...? ¿Te refieres a si he...?

El chico suspira.

—Para encontrar el cociente de los polinomios, hay que invertir los números negativos. Un numerador negativo se convierte en denominador positivo. Eso lo sabía, ¿verdad? La respuesta correcta es 3y dividido por 8x elevado a ocho.

Apoyo los codos en la mesa y me masajeo las sienes.

—Sí, claro. Tienes toda la razón. Muy bien, Peter.

Siento sus ojos clavados en mí mientras se rasca el brazo izquierdo, lenta y metódicamente, hasta que por fin alargo la vista hacia él.

—Puta *túpida* —dice, mirándome fijamente y rascándose la urticaria.

Puta estúpida es lo que me acaba de decir.

El cielo se ha oscurecido con nubes de color gris ahumado cuando me alejo en coche de la vieja casa blanca. Al cabo de unas cuantas manzanas, paro delante de un parque infantil desierto y saco el móvil del bolso.

—Hola, doc... Garrett. Soy Brett.

—¡Hola! Precisamente estaba pensando en ti. ¿Qué tal ha ido hoy?

Apoyo la cabeza en el reposacabezas.

—He perdido jugando a *¿Eres más lista que un chico de primero de secundaria?*

Él se echa a reír.

—Ese chico va a último de primaria —me recuerda—. No te me pongas chula.

Pese a mi horrible clase, me parto de risa. Luego me trago el orgullo y le hablo de la clase de mates; la que *me* han dado.

—Cuando me ha preguntado si había invertido los negativos, le he mirado en plan: *¿Qué? ¿Si he invertido qué?*

Él se ríe a carcajadas.

—Ya he pasado por eso. Es humillante que un crío sea más listo que tú.

—Sí, Peter seguramente estará pensando que soy la camarera del bar, que a la escuela no le llega el dinero para pagar a una profesora de verdad.

—Eres lo mejor que la escuela podía haber mandado, de eso estoy convencido.

Mi corazón da un pequeño brinco.

—Y yo creo que él tiene mucha suerte de tenerte como médico. ¿Quieres oír la segunda parte de mi relato de la humillación?

—¡Claro!

Le hablo del picor de Peter y su comentario grosero.

—Es evidente que me ha llamado puta estúpida.

—Es evidente que eso no puede estar más lejos de la verdad.

Sonrío.

—Sí, bueno, no me conoces.

Él se ríe entre dientes.

—Pero espero hacerlo algún día. Y, cuando lo haga, estoy seguro de que mi corazonada se confirmará.

Mi horrible día acaba de mejorar un montón.

—Gracias. Eres un auténtico encanto.

—Sí, bueno, no me conoces. —Los dos nos reímos—. En fin —dice—, será mejor que no te entretenga. Oficialmente, ya es fin de semana.

Una ola de tristeza me sacude. Tengo ganas de decirle que no pasa nada, que preferiría quedarme aquí sentada en mi frío coche hablando con él a irme a casa, al *loft* vacío; por el contrario, me despido.

Diminutos copos de nieve caen y revolotean en el frío aire de noviembre. Robles desnudos bordean ambos lados de la avenida Forest, sus ramas larguiruchas se extienden unas hacia otras como amantes implorando. El cuidado césped de verano está escondido debajo de una capa de nieve, pero todos los caminos y aceras están perfectamente despejados. Hace unas cuantas semanas habría contemplado con admiración los señoriales edificios de ladrillo estilo Tudor. Pero hoy el enorme contraste entre este idílico barrio de Evanston y las calles del South Side de mis alumnos me perturba.

En el jardín trasero, Jay y Trevor hacen un muñeco de nieve mientras Shelley y yo nos sentamos frente a su mesa de la cocina, tomando cabernet y picoteando brie.

—Este queso está delicioso —digo mientras corto otro trozo.

—Es orgánico —comenta ella.

—¿Qué? Yo creía que todos los quesos eran orgánicos.

—No. Estas vacas han sido alimentadas con pasto. Me enteré por el grupito de mamis.

—¿Lo ves? Y tú que creías que ser madre y ama de casa no era mentalmente estimulante.

Shelley pone los ojos en blanco y se sirve otra copa de cabernet.

—No encajo con estas mujeres. Sólo hablan de sus hijos, que es fantástico, ¿quién puede criticarlas por ello? Pero ¡venga ya! Le pregunté a una mujer qué le gusta leer y con semblante serio me dijo que al doctor Seuss, el escritor de libros infantiles.

Estallo de risa.

—¡Sí, claro! *Huevos verdes con jamón* es un libro realmente apasionante.

Shelley se muere de risa.

—Y ese giro argumental de *Horton escucha a quién*..., ¡brillante!

Nos doblamos de risa, hasta que las risotadas de Shelley se transforman en sollozos.

—Adoro a mis hijos —dice, dándose de bofetadas en las mejillas—. Pero...

La puerta trasera se abre y Trevor entra corriendo en la cocina.

—El muñeco nieve *ta* hecho, tía Blett.

Shelley se da la vuelta.

—Es Brrrett —suelta—. *Rrr.* ¿Es que no lo oyes?

Al niño se le desencaja la cara y vuelve a salir corriendo. Me giro hacia ella.

—¡Shelley! Trevor tiene tres años. Todavía no tiene por qué pronunciar las erres, y lo sabes. Tú eres la logopeda.

—*Era* la logopeda —dice, repanchingándose en la silla—. Ya no soy nada.

—Eso no es verdad. Eres madre, lo más importante...

—Soy una mierda de madre. ¡Dios! Mira cómo acabo de gritarle a Trevor. —Se agarra la cabeza—. Me estoy volviendo loca. Sé que debería estar agradecida por poder estar en casa con mis hijos, pero si tengo que quedar con esas mamás una vez más para que los niños jueguen, juro que me desquiciaré.

—Vuelve a trabajar —sugiero en voz baja.

Se masajea las sienes.

—Y tu hermano cada vez me hace menos caso.

—¿Qué? Imposible.

Corta otro pedazo de queso, lo mira unos instantes, luego vuelve a dejarlo en el plato.

—Ya no tengo nada que contar. Estoy aburrida y agotada, y soy una madre de mierda, vomitiva.

—Vuelve a trabajar.

—Sólo han pasado un par de meses. Tengo que darle una oportunidad.

—Entonces a lo mejor es que los dos necesitáis largaros; sin los niños. Plantaos en alguna isla tropical. Bebed cócteles con sombrillitas dentro, chupad sol.

Shelley levanta los brazos y se mira de arriba abajo.

—Sí, seguro. Como que embutir este cuerpo en un bañador me levantará los ánimos.

Aparto la mirada. Pobre Shelley. ¿Qué podría ser peor que sentirte como si tu cociente intelectual se hubiera encogido mientras tu trasero se ha ensanchado?

—Está bien. Olvídate del Caribe. ¿Qué tal Nueva York o Toronto? Id a ver unos cuantos espectáculos, de compras, haced el amor sin interrupciones.

Por fin sonríe. Se va hasta la encimera y trae su agenda consigo.

—Quizá podríamos irnos a algún sitio por mi cumpleaños, en febrero. A algún lugar diferente y divertido, como Nueva Orleans.

—Perfecto. Organízalo. Por cierto, que tu agenda me recuerda que había pensado en celebrar Acción de Gracias en casa de mamá, ¿sabes?, para que… no sé, pudiese estar allí con nosotros.

Shelley arquea las cejas.

—Entonces, ¿la has perdonado?

—No. Aún me hierve la sangre cuando pienso en cómo mantuvo en secreto la identidad de mi verdadero padre. —Meneo la cabeza—. Pero es mi madre, y quiero que esté presente en nuestras celebraciones.

Se muerde el labio.

—Yo hace días que quería decirte que Patti nos ha invitado a Dallas.

Se me cae el alma a los pies, pero no digo nada.

—No paso Acción de Gracias con mi familia desde hace tres años, Brett. No me hagas sentir culpable.

Sacudo la cabeza.

—Perdona. Lógicamente tenéis que ir. Te echaré de menos, eso es todo.

Me da unas palmaditas en la mano.

—Tendrás a Andrew, y a Catherine y Joad. Será divertido ¿no?

—De hecho, Joad y… —Me contengo. Lo último que Shelley necesita es más culpa—. Tienes razón, será divertido.

13

La noche antes de Acción de Gracias Andrew y yo cargamos el coche con un pavo fresco, tres DVD, dos botellas de vino y el portátil de Andrew. Ya he llenado la cocina de mamá de todo lo demás que necesitaremos. Pero nada más salir del aparcamiento, el coche derrapa sobre el hielo, esquivando por los pelos el bordillo del otro lado de la calle.

—¡Dios! —Andrew sujeta el volante con fuerza y controla el coche—. No entiendo por qué te has empeñado en hacer esto en casa de tu madre. Sería mucho más fácil hacerlo aquí.

¿Aquí? Andrew nunca llama al *loft nuestra* casa o *nuestro* hogar. Y, técnicamente, no debería. No es nuestra casa, es suya. Lo cual explicaría por qué he insistido en que la cena sea en la casa de mamá, el único lugar que últimamente se parece a un hogar.

Tardamos casi treinta minutos en hacer el recorrido de cinco kilómetros, y el mal genio de Andrew va en aumento a cada minuto que pasa.

—El tiempo no hará más que empeorar, con esta lluvia helada. Demos media vuelta.

—Esta noche tengo que hacer los preparativos. Toda la comida está en casa de mamá. —Él suelta una palabrota entre dientes—. Casi hemos llegado —digo—. Y si nos quedamos encerrados en casa de mamá, será una pasada. Asaremos malvaviscos en la chimenea, jugaremos a cartas, o al Scrabble…

Él mantiene la mirada en la carretera.

—Te estás olvidando de que uno de los dos tiene trabajo que hacer. —Sin mirarme, me aprieta una pierna con la mano—. ¿Ya has conseguido hablar con Catherine?

Se me retuerce el estómago, como cada vez que él habla de trabajar en Cosméticos Bohlinger.

—Está en Londres, ¿recuerdas?

—Se fueron ayer. ¿No le llamaste el lunes?

—Ha estado muy liada preparando el viaje.

Él asiente.

—Entonces, ¿hablarás con ella la semana que viene?

La casa de mamá aparece ante nuestros ojos como un faro en una tormenta. Andrew detiene el coche junto al bordillo. Dejo escapar un suspiro y abro la puerta.

—¡Ah..., hemos llegado!

Cojo la bolsa de comida y subo los escalones del porche, rezando para que la pregunta sin contestar no nos siga adentro.

Para cuando acabo de hacer la salsa de arándanos e introduzco la tarta de nueces en el horno, la casa huele casi como olía cuando mamá vivía aquí. Tiro el delantal encima de un taburete de bar y entro tranquilamente en el salón. Miles Davis sale de los altavoces y la sala resplandece con la luz ambarina del fuego y las lámparas de cristal de Murano de mi madre. Me acerco sigilosamente hasta donde está Andrew, en el sofá, con el portátil.

—¿En qué estás trabajando?

—Sólo miraba si hay alguna propiedad en venta.

Se me anuda el pecho. Otra vez con la casa. Veo la horquilla de precios que busca y por poco grito de asombro. Apoyo la cabeza en su hombro y miro la pantalla.

—Lástima que el *loft* valga menos que lo que pagamos de hipoteca.

—Megan no sabe de lo que habla.

—Pero de momento tal vez deberíamos buscar algo más pequeño. Algo que podamos pagar juntando nuestros ahorros.

—No sabía que fueras tan agarrada. ¡Señor! Que estás a punto de heredar una fortuna.

Se me hace un nudo en el estómago. Por mucho que quiera evitarlo, es hora de que haga la pregunta que lleva semanas consumiéndome.

—¿Y si no hubiese herencia, Andrew? ¿Accederías igualmente a ayudarme con la lista?

Él levanta el rostro y frunce el ceño.

—¿Es esto una especie de examen?

—Verás, cabe la posibilidad de que no reciba la herencia. Gracias al secretismo de mi madre, no tengo ni idea de dónde está mi padre. Es posible que no me quede embarazada.

Él devuelve la atención al portátil.

—Entonces pelearíamos en los tribunales. Y ganaríamos.

Basta. Suficiente. Si sigues agobiándolo, lo único que conseguirás es que se enfade.

—¿O sea que tu disposición a ayudarme —digo con el corazón desbocado— no tiene nada que ver con el dinero?

Sus ojos centellean de ira.

—¿Crees que voy detrás de tu dinero? ¡Jesús! Prácticamente estoy suplicando un empleo en la empresa ¡y tú aún no me has dicho si me ayudarás! Estoy haciendo todo lo que me has pedido, Brett. He accedido a lo de tu perro, tu trabajo de profesora, a todas las malditas peticiones. Sólo pido una cosa a cambio: un trabajo en el negocio familiar y un salario acorde.

Eso son dos cosas, pienso para mis adentros. Pero tiene razón. A regañadientes o no, Andrew está haciendo todo lo que le he pedido. ¿Por qué no estoy contenta, pues?

—Es delicado —digo cogiéndole de la mano—. A mamá no le gustaba la idea, y pocas veces se equivocaba en los negocios.

Retira bruscamente la mano.

—¿Gobernará tu madre nuestras vidas eternamente?

Me toco el collar.

—No... no. Al final sería decisión de Catherine.

—Tonterías. Tú tienes el poder para incorporarme a bordo y lo sabes. —Me fulmina con la mirada—. Yo estoy ayudándote con tus objetivos y necesito saber que tú me ayudarás con el mío.

Desvío la mirada. Lo que dice es bastante razonable. Sería tan fácil decirle que sí. Podría llamar a Catherine el lunes y en una o dos semanas le encontraría un sitio en la compañía; después de todo, es abogado, fácil de encajar en nuestro equipo legal, el departamento financiero o incluso en recursos humanos. Tengo el poder de cambiar el mal humor de esta noche con una sencilla frase enunciativa. *Sí, te ayudaré.*

—No —digo en voz baja—. No puedo ayudarte. No me parece bien contradecir a mi madre en esto.

Andrew se levanta del sofá. Alargo el brazo hacia él, pero me rehúye con brusquedad, como si mi roce le quemara.

—Antes eras tan fácil, tan agradable. Pero has cambiado. No eres la chica de la que me enamoré.

Tiene razón. No lo soy. Me enjugo una lágrima de la mejilla con un manotazo.

—Lo siento. No era mi intención arruinar la noche.

Recorre el largo de la sala, atusándose el pelo. Conozco esta cara. Está tomando una decisión. Está decidiendo si formaré o no parte de su vida. Como impotente, yo me quedo observándolo, incapaz de hablar y apenas capaz de respirar. Al fin, se para frente a la ventana en voladizo, de espaldas a mí. Baja los hombros, como si una tensión enorme acabara de abandonar su cuerpo. Se vuelve hacia mí.

—¿Arruinar la noche? Acabas de arruinar tu vida, preciosa.

Parece una traición dormir en la cama de mi madre esta noche; al fin y al cabo, ella es el enemigo. Por su culpa he perdido mi trabajo, mi casa y toda esperanza. Sí, Andrew era difícil (incluso un capullo a veces), pero era mi capullo y sin él jamás me quedaré embarazada.

Arrastro un edredón escaleras abajo y lo tiro sobre el sofá. Tardo unos instantes en adaptarme al resplandor ambiental de las farolas de la calle. Mis ojos se encuentran con los de mi madre al otro lado de la sala. La foto fue tomada en una ceremonia de entrega de premios hace dos años cuando la nombraron Mujer Empresaria del Año de Chicago. Lleva el pelo canoso cortado con su estilo característico, capas cortas a lo *garçon* que yo solía decir que sólo ella y Halle Berry sabían lucir. Está deslumbrante, sí, con sus pómulos altos y su impecable piel aceituna. Pero más allá de su belleza física, siempre me ha parecido que la foto captaba la mismísima esencia de mi madre, su sabiduría, su serenidad. Me levanto, cruzo la sala y cojo la foto, y la dejo en la mesa de centro frente al sofá. Me arrebujo bajo el edredón y miro fijamente a mi progenitora.

—¿Te has propuesto destrozarme la vida, mamá? ¿Es eso lo que querías?

Sus ojos verdes me miran penetrantemente.

Acerco la foto más a mí y miro a mi madre furiosa.

—Además, ¿quién eres tú? No sólo me mentiste toda la vida, sino que por tu culpa he perdido a Andrew, la única persona que podía ayudarme a hacer realidad mis sueños.

Las lágrimas se deslizan por mis mejillas.

—Ahora estoy completamente sola. Y soy muy mayor. —Se me atragantan las palabras—. Y tenías razón. Ansío tan desesperadamente tener un hijo que duele. Y ahora… ahora me han arrebatado mi sueño como en una cruel inocentada.

Me incorporo y agito un dedo frente a su cara sonriente.

—¿Ya estás contenta? Nunca te gustó él, ¿verdad? Pues te has salido con la tuya. Se ha ido. Ahora no tengo a nadie. —Planto la foto boca abajo sobre la mesa de centro con tanta fuerza que estoy convencida de que he roto el cristal. Pero no lo compruebo. Me doy la vuelta y lloro hasta quedarme dormida.

Gracias a Dios, el primer atisbo del amanecer se cuela por la ventana en voladizo, dándome permiso para despertar de mi sueño intermitente. Lo primero que hago es rescatar el móvil debajo del arrugado edredón y comprobar los mensajes. Me odio por ello, pero espero tener un mensaje de Andrew. Me quedo mirando fijamente el teléfono, pero el único mensaje que tengo es uno de texto de Brad, enviado a medianoche, hora del Pacífico. «Feliz día del pavo.»

Escribo: «Ídem.» Está en San Francisco con Jenna, y de repente lo echo tremendamente de menos. Si estuviese en la ciudad, le invitaría a cenar. Le abriría mi corazón y luego le escucharía mientras me contara sus frustraciones con Jenna. Al igual que Andrew y yo, él y Jenna están pasando por una racha pésima. «Dos imanes —me dice—. Tan pronto se atraen indisolublemente como se repelen.» Abriríamos el vino mientras prepararamos el relleno a la salvia. Nos reiríamos a placer, comeríamos en exceso, veríamos pelis...; todo lo que Andrew y yo se suponía que íbamos a hacer. Pero cuando lo visualizo con Brad, resulta informal y desenfadado, en vez de forzado y poco natural.

Estoy a punto de enviar el mensaje de texto cuando reparo en la foto de mi madre, boca abajo sobre la mesa de centro. La levanto. Sus ojos me dicen que me ha perdonado por haberle gritado. Aumenta la presión tras mis ojos. Me beso un dedo y lo acerco al cristal, dejando una huella en su mejilla. Hoy su cara transmite ánimos, algo similar a un empujoncito, como si estuviese intentando darme aliento.

Bajo los ojos hacia el teléfono, el dedo índice colocado en la tecla ENVIAR. Como por voluntad propia, mis dedos vuelven al teclado y escriben una frase más.

«Te echo de menos.»

Luego le doy a ENVIAR.

Son sólo las seis de la mañana. El día entero se extiende ante mí como los páramos de Siberia. Compruebo de nuevo si no tengo mensajes en el teléfono, entonces, frustrada, lo tiro al otro lado de la sala. Aterriza con un ruido sordo sobre la alfombra persa de mamá. Me dejo caer en una silla y me doy un masaje en las sienes. Si me quedo en esta casa comprobando si tengo mensajes cada treinta segundos, me volveré loca. Cojo la chaqueta y la bufanda, meto los pies en un par de botas de goma de mamá y salgo afuera.

Al este, rosas y naranjas limpian un cielo gris plomizo. Un viento glacial arrecia por el este, cortándome la respiración. Me tapo la nariz con la bufanda y me pongo la capucha. En la autopista Lake Shore me recibe el inquietante aullido del lago Michigan. Olas enfurecidas azotan la orilla, se retiran y rompen de nuevo. Recorro el Lakefront Trail, las manos hundidas en los bolsillos del abrigo. El sendero que acoge a aficionados al ejercicio físico y turistas durante todo el verano ha perdido su clientela esta mañana, un recordatorio deprimente de que toda la ciudad entera está de celebración con amigos y familiares. La gente está despertándose, charlando mientras toma café y rosquillas, troceando apio y cebollas para el relleno del pavo.

Tuerzo por el Drake Hotel y me dirijo al sur. Una noria vacía aparece ante mi vista, como un anillo en el dedo del centro comercial Navy Pier. La noria abandonada parece tan triste como me siento yo. ¿Estaré siempre sola? Los hombres de mi edad ya están casados o salen con veinteañeras. En el menú de citas de la vida, soy unas sobras.

Un corredor de *footing* viene hacia mí, su labrador atado delante de él. Me desplazo lateralmente para dejarles pasar y el perro clava en mí su simpática mirada. Cuando el corredor me adelanta, me doy la vuelta. Viste de negro de pies a cabeza, de Under Armour, pero aun así hay algo en él que me resulta familiar. Él vuelve la vista atrás, también, y durante unos instantes nuestras miradas se encuentran. Titubea, como si quisiera retroceder y hablar conmigo, pero entonces se lo piensa mejor. Sonríe y me saluda con el brazo, luego se gira y continúa. Lo observo alejándose. Al final caigo. Creo que era el hombre Burberry; el hombre con el que hablé en el tren… ¡y al salir del edificio! ¿O no?

—¡Eh! —exclamo, pero el rugido de la marea se traga mis palabras. Echo a correr. La última vez que lo vi, yo había quedado para comer. Le haré saber que ahora estoy soltera. ¡Tengo que alcanzarlo! Pero mis pesadas botas hacen imposible que lo consiga. Estará ya tranquilamente a unos cuarenta y cinco metros de distancia. ¡Más deprisa! De pronto, la punta de la bota se engancha con algo y me caigo de culo. Me quedo sentada en el cemento frío, viendo cómo el hombre Burberry desaparece sendero adelante.

¡Oh, Dios! No podía caer más bajo. Andrew y yo justo lo dejamos anoche. Y yo estoy aquí esta mañana persiguiendo (sí, persiguiendo) a un hombre cuyo nombre ni siquiera sé. ¿Se puede ser más patética? Como si mi reloj biológico no fuese presión suficiente, mi madre me ha atado una bomba de relojería a la espalda, preparada para estallar en septiembre próximo.

El día ha empezado oficialmente para cuando vuelvo paseando a casa de mi madre, pero típico de noviembre en Chicago, se han formado unas gruesas nubes grises, tomando al sol como rehén. Diminutos copos de nieve revolotean en el aire, desapareciendo en el acto cuando aterrizan en mi abrigo de lana. Un mal presentimiento se apodera de mí mientras subo los peldaños de cemento hasta la puerta. No quiero estar sola hoy. No puedo soportar la idea de ser ese personaje miserable que sale en las películas cocinando para él solo el día de Acción de Gracias.

Quito la mesa de comedor que había puesto anoche, doblando con esmero las preciosas servilletas y el mantel de mi madre. Compró la mantelería bordada a mano cuando fuimos de viaje a Irlanda hace tres años, y se empeñó en que la usáramos en todas las celebraciones familiares. Las lágrimas corren por mi cara. Jamás imaginamos que nuestras celebraciones familiares desaparecerían con tanta rapidez.

Por aquello de seguir torturándome, le doy vueltas a mi relación con Andrew. ¿Por qué no soy adorable? Nuevas lágrimas hacen que me escuezan los ojos. Lo visualizo viviendo su vida sin mí, encontrando a una mujer absolutamente perfecta, alguien que podrá hacerle feliz. Alguien con quien él querrá casarse.

A pesar del velo de lágrimas, logro rellenar el pavo y meterlo en el horno. Mecánicamente, pelo patatas y mezclo los ingredientes para el guiso de boniatos de mi madre. Para cuando corto fruta a trozos y la meto en un cuenco, ya no estoy llorando.

Tres horas después extraigo del horno el pavo más maravilloso que he preparado jamás. La piel brilla crujiente y dorada, y su jugo borbotea en la base de la fuente. A continuación, saco el guiso de boniatos e inspiro el familiar aroma de la nuez moscada y la canela. Cojo la macedonia de frutas de la nevera y la salsa de arándanos. Troceo los tomates restantes, los añado a la ensalada y coloco ésta al lado de mis tartas. Después de envolver todo dos veces, meto la comida en cestas de *picnic* y cajas de cartón recuperadas del sótano.

Por el camino llamo a Sanquita a la Residencia Joshua. Está esperando en la puerta cuando llego.

—¡Hola, tesoro! ¿Te importa coger esto? —Le paso la cesta y vuelvo al coche—. Enseguida vuelvo.

—¿Nos ha *trajido* la cena de Acción de Gracias? —pregunta mientras observa la cesta de *picnic*.

—¡Eso mismo!

—La señorita Brett nos ha *trajido* la cena —informa a sus compañeras de residencia. Escudriña el interior de la cesta—. No un simple fiambre de pavo, como teníamos otras veces, sino pavo de verdad con todos los acompañamientos.

Hacen falta tres viajes para llevar todo a la Residencia Joshua. Sanquita me ayuda a colocarlo sobre la encimera de la cocina, donde el resto de mujeres se aglomeran como hormigas alrededor de un terrón de azúcar. A estas alturas reconozco la mayoría de los rostros y hasta me sé algunos nombres. Tanya, Mercedes y Julonia sacan la comida mientras las demás curiosean.

—El relleno está dentro del ave, justo como me gusta.

—¡Mmm...! Este guiso huele delicioso.

—¡Mirad..., tarta de nueces!

—A disfrutar, chicas —digo mientras recojo las cestas vacías—. Te veo el lunes, Sanquita.

—No se vaya —masculla ella, mirándose fijamente los pies—. Quiero decir que podría comer algo si quiere.

Me quedo anonadada. La chica que no confía en la gente está abriéndome la puerta; tan sólo una rendija. Por más que me gustaría entrar, hoy no puedo.

—Gracias, pero he tenido un día largo. Necesito irme a casa. —¿Que está dónde, exactamente? Quizá debería preguntar si tienen habitaciones aquí.

Ella endereza los hombros y la dureza vuelve a su rostro.

—Pues claro.

Me paso un dedo por debajo de los ojos y detecto escamas de rímel seco.

—No me encuentro muy bien. —Observo su cara hinchada y reparo en una zona de la frente que se ha rascado, dejándose la piel en carne viva, un cruel efecto secundario de la acumulación de toxinas—. ¿Qué tal tú, niña? ¿Qué tal te encuentras?

—Bien —responde sin mirarme a los ojos—. Me encuentro muy bien.

Justo entonces Jean Anderson, la directora cascarrabias, entra por la puerta principal. El bolsillo de su abrigo de lana está roto y lleva en la mano un bolso de viaje de vinilo.

—Señorita Jean —comenta Sanquita—, hoy no tiene que estar aquí.

—Lisa ha llamado diciendo que está enferma. —replica deshaciéndose del abrigo—. Es curioso cómo la gente se pone enferma siempre cuando es festivo.

—Pero ha venido su hija desde Misisipí —dice Mercedes—, y sus nietos pequeños.

—Mañana aún estarán aquí. —Mete la mano en el armario en busca de una percha y, cuando se da la vuelta, me ve. Se le queda la cara de piedra—. ¿Qué hace usted aquí?

Antes de que pueda responder, Sanquita se pone a aplaudir.

—La señorita Brett nos ha *trajido* un pavo y varios acompañamientos. Venga a verlo.

Me mira atentamente, pero no da su brazo a torcer.

—¿Ha acabado, señorita Bohlinger?

—¡Uy, sí! Ya me iba. —Le doy a Sanquita unas palmaditas en el brazo—. Te veo el lunes, tesoro.

Estoy a tres manzanas cuando freno en seco y hago un rápido giro en U. Me detengo junto al bordillo y subo veloz los escalones del porche, entrando sin llamar en la Residencia Joshua. La señorita Jean está frente a la encimera de la cocina cortando el pavo en rodajas.

—¡Mm... mmm...! Esta ave es una maravilla. Mercedes, cariño, ¿te importa poner la mesa, por favor? —Su sonrisa se esfuma al verme. —¿Ha olvidado algo?

—Váyase a casa —le digo jadeando—. Yo me quedaré esta noche.

Me lanza una mirada, luego devuelve la atención al pavo.

Yo me paso la mano por el pelo estropajoso.

—El distrito escolar acaba de contratarme. Han comprobado mi currículum a conciencia. Soy de fiar, lo prometo.

Ella deja el cuchillo encima de la tabla de cortar y me mira con el ceño fruncido.

—¿Por qué iba alguien como usted a decidir celebrar una festividad en una casa de acogida? ¿No tiene familiares en casa?

—Me gusta estar aquí —digo con franqueza—. Y adoro a Sanquita. Además, mi familia está fuera de la ciudad y estoy sola. Usted, en cambio, tiene la casa llena de invitados. Tiene que estar con ellos.

—Váyase a casa, señorita Jean —le dice Mercedes—. Estaremos bien.

Ella se muerde el labio inferior. Finalmente señala el despacho con un movimiento de cabeza.

—Sígame.

Mientras sigo a la señorita Jean por el pasillo, echo un vistazo por encima de mi hombro. Sanquita está observando, los brazos cruzados sobre el pecho. ¿He superado algún límite? ¿Estoy invadiendo su espacio personal quedándome esta noche? Nuestras miradas se encuentran. Una mano sale de sus brazos cruzados. Veo un puño cerrado, luego la señal de aprobación con el pulgar.

Si bien esta noche la Residencia Joshua está al completo, hasta donde la señorita Jean sabe, está libre de dramas: ningún ex novio que lance amenazas, ningún adicto.

—Las alojadas, así es como las llamamos, tienen la casa a su entera disposición hasta las siete de la tarde. A partir de entonces el acceso a la cocina está prohibido. Los niños no tienen que acostarse más tarde de las nueve. La televisión se apaga a las once y media y todo el mundo debe encerrarse en su propia habitación. —Señala una cama individual que hay contra la pared—. Usted dormirá aquí. Cambiamos las sábanas de esta cama a diario, así que las quitará por la mañana. Amy Olle la relevará por la mañana, a las ocho. —Suspira—. Creo que eso es todo más o menos. ¿Alguna pregunta?

Quiero tranquilizarla, de manera que no la acribillo con el coro de preguntas de mi cabeza. ¿Hay alguien peligroso? ¿Hay alarma de seguridad en esta casa?

—Me las arreglaré —digo, con más convicción de la que siento—. Márchese.

En lugar de irse, se queda mirándome de frente y en jarras.

—No sé qué intenciones tiene, pero si descubro que se aprovecha de estas mujeres, la echaré de aquí sin que pueda decir está boca es mía. ¿Me entiende?

—¿Aprovecharme? No. No lo entiendo, no.

Cruza los brazos por delante de su pecho.

—La primavera pasada una mujer blanca y guapa muy parecida a usted se presentó aquí ofreciéndose como voluntaria. Naturalmente, accedí. Necesitamos toda la ayuda posible. No había pasado una semana cuando los encargados de las videocámaras nos pusieron al corriente. La inofensiva Miss Belleza iba a presentarse como candidata a juez de tribunal de distrito. Quería que la ciudad viese lo fantástica que era, haciendo de voluntaria con los pobres negros del South Side.

—Yo jamás haría eso. Se lo prometo.

Nos miramos fijamente hasta que al final ella baja los ojos hacia su mesa.

—El número de teléfono de mi casa está aquí mismo —dice, señalando un *post-it*—. Llame si tiene cualquier pregunta.

Coge el bolso y sale con aire resuelto de la habitación sin un adiós o un buena suerte. Me desplomo en una silla, procurando encontrar una razón por la que dar hoy las gracias.

14

Brad me telefonea el lunes por la mañana para preguntarme si puedo pasarme por su despacho de camino a casa al salir del trabajo. Toda la tarde mi pálpito gana velocidad, y, ahora, mientras el ascensor sube hasta la trigesimosegunda planta, ya no es un pálpito. Estoy convencida de que tiene noticias de mi padre.

Levanta la vista al verme y sonríe.

—¡Hola, B. B.! —Cruza la habitación y me da un abrazo—. Gracias por venir. —Echa el cuerpo hacia atrás y frunce el ceño—. ¿Todo bien? Pareces un poco cansada.

—Agotada. No consigo dormir suficiente estos días. —Me froto las mejillas con la esperanza de que aflore cierto color a su pálida superficie—. Bueno, dime, ¿qué pasa?

Me acompaña a los sillones y suspira.

—Siéntate. —Su voz suena monótona y derrotada, y reprimo el temor que amenaza con invadirme.

—¿Ha encontrado Pohlonski a mi padre?

Se deja caer en el sillón contiguo al mío y se pasa una mano por la cara.

—Ha fracasado, Brett.

—¿Qué quieres decir con que ha fracasado? Creía que tenía seis posibilidades.

—Ha llamado a todas. Había un tipo que le pareció que podía ser él. Estaba en Chicago en el verano de 1978. Pero no conocía a tu madre.

—A lo mejor sencillamente lo habrá olvidado. ¿Este tipo toca la guitarra? Dile a Pohlonski que le pregunte por el Justine.

—En aquella época estudiaba un posgrado en DePaul. Jamás oyó hablar del Justine. No tenía absolutamente ningún talento para la música.

—¡Maldita sea! —Doy un golpe en el borde del sillón—. ¿Por qué mi madre no me habló de Johnny en vida? Seguro que tenía más información sobre él. Pero no, fue demasiado egoísta. Le preocupaba más protegerse a sí misma que ayudarme a mí. —Me giro hacia Brad y procuro aplacar mi enfado—. Bueno, ¿qué plan tiene ahora Pohlonski?

—Ha hecho cuanto podía, me temo. Ha intentado seguir la pista de los propietarios del Justine, pero ambos han fallecido. Es probable que Johnny cobrara en negro, porque Steve no ha logrado encontrar constancia alguna de que pagase impuestos. Incluso localizó al propietario del inmueble en Bosworth.

—¿El casero? Eso es estupendo. Seguro que tiene un viejo contrato de alquiler a Johnny Manns, ¿verdad?

—No. Nada. El viejo ahora vive en una residencia de ancianos en Naperville y no recuerda a Johnny Manns ni a tus padres.

—Tiene que seguir intentándolo. Le continuaré pagando.

El silencio de Brad me pone nerviosa, así que lo rompo.

—Quizá no nació en Dakota del Norte, después de todo. Ampliaremos la búsqueda. También probaremos con distintos nombres.

—Brett, está en un punto muerto. Sencillamente, no hay suficiente información para continuar.

Cruzo los brazos delante del pecho.

—No me gusta este tío; Pohlonski. No tiene ni idea de lo que hace.

—Estás en tu derecho de buscar a alguien más, pero echa un vistazo a estas notas. —Me pasa una hoja de cálculo que muestra la búsqueda de Jon, John, Jonathan, Jonothon o Johnny Manns. Algunos nombres están marcados con un círculo; otros están tachados. Hay notas garabateadas en los márgenes, indicando fechas y horas de las llamadas telefónicas. Una cosa es obvia: este tal Pohlonski ha hecho lo imposible por encontrar a mi padre.

—Muy bien, pues, dile que siga intentándolo. Johnny está ahí fuera en alguna parte.

—He decidido eximirte de este objetivo.

Le miró.

—¿Eximirme? ¿Estás diciéndome que debería tirar la toalla?

Él coge la hoja de cálculo de mi regazo.

—No tienes que rendirte. Dejaré que eso lo decidas tú. Pero no voy a obligarte a cumplir este objetivo, Brett. Lo has intentado, pero esta búsqueda no va a ninguna parte.

Inclino el cuerpo hacia delante.

—Bien, pues te digo que no pienso tirar la toalla. Pohlonski tiene que intentarlo con más ahínco. Necesitamos un margen de edades más amplio. Tal vez mi padre era mayor… o más joven.

—B. B., esto podría durar años. Te costará una fortuna. Creo que por el momento deberías centrarte en tus otros objetivos.

—Olvídalo. No pienso rendirme.

Me mira con el ceño fruncido.

—Brett, escúchame. Sé que se te está acabando el dinero en efectivo y…

—Ya no —digo, interrumpiéndole.

Sus ojos se posan en mi muñeca desnuda.

—¡Ostras, no! ¿Dónde está tu Rolex?

Me froto el lugar donde solía estar mi reloj.

—No lo necesitaba. El reloj del móvil funciona mejor de lo que ha funcionado nunca ese viejo reloj.

Brad se queda boquiabierto.

—¡Dios mío! ¿Lo has empeñado?

—Vendido. En eBay. También he vendido unas cuantas joyas. Lo siguiente serán mis trajes y algunos bolsos.

Brad inspira hondo y se pasa una mano por la cara.

—¡Oh, B. B.! ¡Cuánto lo siento!

Cree que estoy tirando el dinero. Cree que nunca encontraré a mi padre. Le agarro del brazo con fuerza.

—No lo sientas, porque yo no lo siento. Ahora tengo dinero. Puedo seguir buscando a mi padre. Y encontrarlo, amigo mío, no tiene precio.

Esboza una media sonrisa.

—Me parece bien. Le diré a Pohlonski que siga buscando.

Asiento con la cabeza y trago saliva.

—¿Qué tal en San Francisco?

Inspira profundamente y suspira.

—No ha sido el más tranquilo de los viajes. Jenna estaba un poco preocupada por un artículo en el que está trabajando.

Me habla de la excursión que hicieron un día a Half Moon Bay, pero me cuesta concentrarme. Tengo la mente puesta en mi padre. ¿Se parecerá a mí? ¿Qué clase de hombre es? ¿Le caeré bien o se avergonzará de su hija ilegítima? ¿Y si está muerto? Se me cae el alma a los pies.

—¿Pohlonski puede consultar los archivos de defunciones?

—¿Qué?

—Tengo que encontrar a Johnny, aunque esté muerto. Dile que consulte los archivos de defunciones; al igual que el registro de nacimientos.

Me mira con los ojos entornados. Cuando escribe algo en su bloc de notas, sé que lo hace para serenarme.

—¿Qué tal Acción de Gracias? —pregunta.

Le hablo de mi ruptura con Andrew. Él procura mostrarse neutral, pero en su rostro detecto aprobación.

—Mereces a alguien que comparta tus sueños. Y, recuerda, tu madre nunca estuvo convencida de que él fuera *esa* persona.

—Ya, pero ahora que estoy sola, mis objetivos parecen aún más imposibles.

Me mira directamente a los ojos.

—No estarás sola eternamente. Confía en mí.

Me da un vuelco el corazón y me maldigo a mí misma. Brad tiene novia. Es intocable.

—Da igual —digo, y miro por la ventana—. Él se fue y pasé Acción de Gracias en la Residencia Joshua.

—¿En la Residencia Joshua?

—Es una casa de acogida para mujeres. Tengo a una alumna viviendo allí. No te creerías lo fantásticas que son esas mujeres; todas ,excepto la directora, que me detesta. Sea como sea, un par de ellas padecen una enfermedad mental, pero la mayoría son mujeres absolutamente normales que han pasado por momentos difíciles.

Brad me observa.

—¿De verdad?

—Sí, como Mercedes. Madre soltera a la que liaron para que firmara una hipoteca de interés variable. Cuando el tipo de interés se disparó y no pudo vender su casa, tuvo que irse. Afortunadamente, alguien le habló de la Residencia Joshua, y ahora ella y sus hijos tienen un lugar donde vivir.

Él me mira con una sonrisa en la cara.

—¿Qué?

—La verdad es que te admiro.

Quito importancia a su comentario con un gesto de la mano.

—No seas ridículo. ¡Ah...! Me he apuntado como voluntaria los lunes por la noche. La semana que viene tendrías que pasarte a conocer a estas mujeres; especialmente a Sanquita. Sigue siendo dura como una piedra, pero hasta me invitó a quedarme a la cena de Acción de Gracias.

Alza un dedo índice y se levanta. De pie frente a su archivador, extrae los sobres de mi madre y vuelve donde estoy sentada.

—Felicidades. —Me ofrece el sobre número doce: «ayudar a los pobres».

No hago ademán de cogerlo.

—Pero yo no... No lo he...

—Lo has hecho naturalmente, sin segundas intenciones. Eso es exactamente lo que tu madre habría querido.

Pienso en los cinco minutos que dediqué a hacer una donación a Heifer International la semana pasada, pensando que eso quizá me permitiría acceder a mi sobre. Incluso entonces sabía que mi madre esperaba más de mí, pero ignoraba qué. Cosas del azar, la Residencia Joshua me encontró.

—¿Quieres que lo abra? —me pregunta.

Asiento con la cabeza, no me fío de mi voz.

—«Querida Brett:

»Tal vez recuerdes la historia que solía contarte del viejo que buscaba la felicidad. Recorre el mundo, pidiéndole a todo el que se encuentra que le cuente el secreto para una vida feliz. Pero nadie es capaz de expresar cuál es el secreto. Finalmente, el anciano conoce a un buda que accede a revelarle el secreto. El buda se inclina y coge al anciano de las manos. Lo mira a sus ojos cansados y dice: "No hagas cosas malas. Haz siempre cosas buenas".

»El anciano lo mira fijamente, confundido. "Pero eso es demasiado simple. ¡Lo sé desde que tenía tres años!"

»"Sí", dice el Buda. "Todos lo sabemos a los tres años. Pero a los ochenta nos hemos olvidado."

»Felicidades, hija mía, por hacer cosas buenas. Es, en efecto, el secreto para una vida feliz.»

Rompo a llorar y Brad se acuclilla a mi lado, estrechándome en sus brazos.

—La echo de menos —digo entre sollozos—. La echo mucho de menos.

—Lo sé —me dice, frotándome la espalda—. Sé perfectamente cómo te sientes.

Oigo el temblor de su voz. Echo el cuerpo atrás y me enjugo los ojos.

—Echas de menos a tu padre, ¿verdad?

Él se masajea la garganta y asiente.

—Sí, al hombre que fue.

Esta vez soy yo la que le froto la espalda y le susurro palabras de consuelo.

Estoy agotada. Estoy llorona. Creo que tengo las tetas un poco sensibles. Aunque Andrew y yo sólo hemos hecho el amor dos veces desde mi último periodo, no puedo evitar preguntarme si… ¡no! No puedo siquiera llegar a pensarlo. Si lo hago, estaré gafada. Aun así, de vez en cuando brota en mi interior una burbuja de felicidad tan pura e intensa que casi me levanta del suelo.

Pero el miércoles por la tarde, esa felicidad no está en ninguna parte. Son las cuatro en punto cuando llego al *loft* de Andrew. Con cajas vacías a cuestas, entro y busco a tientas el interruptor. Hace frío en el espacio sin vida, y un escalofrío me recorre. Tiro el abrigo y los guantes sobre el sofá y corro escaleras arriba hasta el dormitorio. Quiero estar fuera de aquí antes de que Andrew llegue de trabajar.

Sin pararme a doblar u ordenar, meto mi ropa en las cajas vacías, vaciando primero los estantes y luego mi armario. ¿Cuándo he acumulado tantas cosas? Pienso en las mujeres de la Residencia Joshua, con sus tres cajones y un armario común, y me da asco mi codicia. Arrastro cuatro cajas hasta el coche, conduzco hasta casa de mi madre con el maletero atado, tiro las cajas en el vestíbulo y vuelvo a por el siguiente montón.

A las ocho no puedo con mi alma. He sacado del *loft* hasta la última prenda de ropa, maquillaje, loción y producto para el pelo de mi pertenencia. Con las llaves del coche en la mano, deambulo por la vivienda una vez más. Mentalmente, empiezo a fijarme en todas las cosas que he traído a la casa, todo lo que he comprado desde que vinimos a vivir aquí. ¿Estaba intentando llenar este espacio con fragmentos de mi persona, con la esperanza de que eso me hiciera sentir como en casa? Además de pagar la mitad de la hipoteca y los suministros, compré la mesa de comedor, el sofá grande y el sofá de dos plazas, y dos televisores de alta definición. Al subir los escalones, recuerdo que compré el dormitorio entero a la semana de trasladarnos. Una cama trineo de arce, una cómoda, dos mesillas de noche y el armario antiguo sin el cual dije que no podía vivir. En el cuarto de baño veo mis suntuosas toallas Ralph Lauren, y la alfombrilla de Missoni que encontré en Neiman Marcus. Meneando la cabeza, apago la luz y bajo. Entro en la cocina y abro el armario, descubro mis platos italianos, mis ollas y sartenes de All-Clad, la cafetera exprés Pasquini. Me tapo la boca con la mano.

Todo lo que hay en esta casa, al parecer, es mío. ¡Habrá existencias por valor de decenas de miles de dólares! Pero no puedo vaciar la casa de Andrew. Se pondría furioso. Y, la verdad, ¿qué haría yo ahora con todo el mobiliario? Tendría que dejarlo en un guardamuebles hasta tener mi propia casa. ¿Y si en realidad soy de las que dice de perdidos al río? ¿Cabe la posibilidad de que vuelva a vivir en el *loft*?

Cierro el armario de la cocina. Que se lo quede Andrew. Que se quede con todo. Será mi ofrenda de paz.

Estoy abrochándome el abrigo cuando oigo su llave en la puerta. ¡Mierda! Apago la luz de la cocina y voy al pasillo cuando la puerta se abre y oigo una voz de mujer.

Vuelvo a la cocina sin que me vean y me quedo pegada a la pared, al lado de la nevera. El corazón me late tan frenéticamente que temo que lo oigan.

—Te cogeré el abrigo —dice Andrew.

Ella dice algo, pero no logro descifrar las palabras. Aunque es una voz de mujer. De eso no hay duda. Me quedo helada, tratando de decidir qué hacer. ¿Por qué simplemente no he informado a Andrew de que iría a casa a recoger mis cosas? Si me dejo ver ahora, parecerá que he estado espiando. Pero si me encuentran aquí escondida, pareceré la ex novia acosadora.

—Me gusta tenerte aquí —dice él—. Alegras la casa.

Ella suelta una risilla aguda y yo ahogo un grito. Me tapo la boca con la mano para evitar gritar. Le oigo revolviendo el mueble bar.

—Ven —dice—. Te enseñaré la planta de arriba.

Ella se pone a reír con frescura.

Desde la oscuridad de la cocina veo a Andrew siguiendo a Megan escaleras arriba, una botella de Glenlivet en una mano, y dos copas en la otra.

Al día siguiente por la tarde quedo en casa de Andrew con la furgoneta de mudanzas. Me reciben tres hombres corpulentos con monos de Carhartt y guantes de cuero.

—¿Qué tiene hoy para nosotros, señorita? —pregunta el de más edad.

—Quiero que saquen todo lo del número cuatro.

—¿Todo?

—Sí. Excepto la butaca marrón del salón. —Abro la puerta del edificio—. Pensándolo bien, dejen el colchón también.

Lleno cajas con toallas y sábanas, platos y utensilios de cocina y plata. Los de la mudanza se ocupan de los artículos grandes. Entre los cuatro tardamos tres horas, pero acabamos antes de que Andrew llegue a casa. Miro alrededor. La casa que nunca sentí como mi hogar no contiene nada mío.

—¿Dónde llevamos todo esto? —pregunta el hombre de la perilla.

—A la avenida Carroll. A la Residencia Joshua.

La mañana del 11 de diciembre, provista de un maletero lleno de regalos y el depósito de gasolina lleno, salgo hacia el almuerzo navideño anual de los Newsome. Dos horas después, exhausta y mareada, me detengo junto al bordillo, al lado de una docena de coches más, y alzo la vista hacia una hermosa finca amarilla. Un letrero del jardín, apenas visible sobre el suelo nevado, reza: «OTRA FAMILIA A FAVOR DE LA PAZ». Sonrío, contenta de ver que hay cosas que no cambian.

Huellas de diversos tamaños sobre la acera nevada dan idea del movimiento que hay. Abro el maletero y oigo el ruido de la puerta principal al abrirse. Una mujer en tejanos y un chaleco polar sale disparada de la casa y corre por el sendero. Cuando se acerca a mí, resbala y por poco se cae. La sujeto y nos echamos a reír.

—¡Bretel! —exclama—. ¡No puedo creerme que estés aquí!

Me estrecha entre sus brazos, con fuerza. Se me llenan los ojos de lágrimas.

—Sólo por esto valía la pena —susurro.

Me observa.

—¡Vaya! Estás incluso más guapa que en las fotos de Facebook.

Sacudo la cabeza mientras escudriño a la mujer que tengo delante. Lleva el pelo castaño corto y su grueso cuerpo ha ganado casi siete kilos más. Su piel translúcida resplandece sonrosada, y tras sus gafas unos ojos azules brillan enormes y vivaces y absolutamente risueños. Sacudo la nieve de su manga.

—Estás guapísima —digo.

—¡Vamos! —contesta—. Entremos.

—Espera. Antes de entrar, necesito hacer esto. —La sujeto por los brazos y la miro a los ojos—. Siento muchísimo cómo te traté, Carrie. Perdóname, por favor.

Se ruboriza y hace un gesto de indiferencia con la mano.

—Eres ridícula. No hay nada que perdonar. —Me agarra del codo—. Ahora, vamos. Todos se mueren de ganas de conocerte.

El olor a café recién hecho y el murmullo de fondo de carcajadas y parloteo me devuelven a la antigua casa de una sola planta que tenían los Newsome en Arthur Street. Los tres hijos mestizos de Carrie están sentados alrededor de una mesa de roble con agujas e hilo, ensartando palomitas y arándanos. Me acuclillo al lado de Tayloe, de nueve años.

—Recuerdo que un año ensarté palomitas con tu madre y tus abuelos. Habíamos viajado al norte, a Egg Harbor. —Me vuelvo a Carrie—. A la vieja cabaña de madera de tus abuelos, ¿recuerdas?

Ella asiente.

—Ahora es de mis padres. Mi padre lleva toda la semana buscando vídeos antiguos, en honor a tu visita. Seguro que tiene alguna secuencia de nosotras en Egg Harbor.

—La verdad es que tendría que haber sido cineasta. Siempre llevaba la cámara encima. ¿Recuerdas que nos filmó tomando el sol cuando aún había nieve en el suelo?

Estamos riéndonos cuando Stella entra en la cocina. Es bajita y delgada, de pelo rubio al rape y gafas de montura oscura. Parece inteligente y seria, como una preparadora física. Pero en el momento en que sonríe, su cara se suaviza.

—¡Eh, Brett! ¡Estás aquí!

Deja la taza de café en la encimera y luego se apresura a darme la mano. Mirándome directamente a los ojos, sonríe con alegría.

—¡Ah...! Por cierto, soy Stella.

Me río de alegría, tengo la sensación de que Carrie ha elegido bien. En lugar de darle la mano, abro los brazos.

—Me alegro mucho de conocerte, Stella.

—Lo mismo digo. Carrie lleva toda la mañana mirando por esa ventana por si venías. No la he visto tan emocionada desde que nos dieron a los niños en adopción. —Le guiña un ojo a Tayloe y se ríe entre dientes—. ¿Te apetece un café?

Carrie arquea las cejas.

—¿O un *bloody mary*? También tenemos cóctel de champán y naranja, o el famoso ponche de huevo y *brandy* de mi madre.

Miro hacia los niños con sus tazas altas de chocolate caliente.

—¿Tenéis más chocolate?

—¿Chocolate?

Me pongo una mano en el estómago.

—Probablemente soy excesivamente cautelosa.

Los ojos de Carrie se desplazan hacia lo que estoy convencida que es el bulto de mi incipiente embarazo.

—¿Estás…? ¿Podrías estarlo?

Me río.

—Tal vez. No lo sé con seguridad, pero tengo un retraso de diez días. Y estoy todo el rato cansada…, tengo el estómago siempre revuelto…

Me rodea con los brazos.

—¡Es maravilloso! —Echa el cuerpo hacia atrás y me mira—. Es maravilloso, ¿verdad?

—Ni te imaginas.

Con una taza alta de chocolate caliente en la mano, sigo a Carrie a la sala de estar donde una ecléctica mezcla de jóvenes y mayores se mezclan y charlan. Un árbol de Navidad deforme ocupa un rincón entero de la habitación, y un fuego de auténtica leña crepita en una chimenea colosal de piedra rústica.

—¡Santo cielo! —exclama el señor Newsome al verme—. Sacad la alfombra roja. ¡Creo que acaba llegar una estrella en ciernes de Hollywood!

Me abraza y damos vueltas en círculo hasta que casi me desplomo. Levanto la vista hacia él entre una cortina de lágrimas. Tiene la barba entrecana y su antigua y gruesa cola de caballo es ahora un manojo corto de pelo canoso, pero su sonrisa sigue siendo radiante.

—¡Cómo me alegro de verlo! —digo.

Una mujer adorable se halla tras él, su cabello rubio rojizo todavía grueso y rizado.

—Me toca —dice, dando un paso adelante y estrechándome en sus brazos. Su abrazo es cálido y protector, el primer abrazo maternal que me dan en meses.

—¡Oh, señora Newsome! —digo mientras percibo un olorcillo a su aceite de pachulí—. La he echado de menos.

—Y yo a ti, cariño —susurra—. Y, por el amor de Dios, te conocemos desde hace casi treinta años. Llámanos Mary y David. Ahora deja que vaya a buscarte un plato. David ha hecho una *quiche* de champiñones fabulosa. Y tienes que probar mi pudín de pan de calabaza. La salsa de caramelo está de vicio.

Es como volver a casa. Me regocijo con el amor y la atención de esta excéntrica pareja, vestida con sus jerseys de lana hechos jirones y sus sandalias Birkenstock. Mi corazón, vacío tras la muerte de mi madre y la traición de Andrew, empieza a llenarse.

A primera hora de la tarde, me duele la garganta de hablar y reír. El gentío se ha ido, y Carrie, Stella y yo estamos en la cocina con Mary, charlando y guardando la comida que ha sobrado. Desde la habitación contigua el padre de Carrie nos llama para que vayamos a su estudio.

—Venid a ver lo que tengo aquí.

Nos abrimos paso hasta el acogedor estudio forrado con madera de pino, y los hijos de Carrie se aglomeran alrededor de la televisión como si esperasen un DVD de Disney; por el contrario, cobran vida una niña de rostro pecoso y su amiga de ojos negros. Carrie y yo vemos dos cintas, hipnotizadas, a carcajadas y riéndonos de nosotras mismas.

David va hasta su armario y se pone a mirar los estantes repletos de DVD.

—He tardado unos seis meses en pasar mis viejas cintas VHS a DVD. —Localiza un DVD y lo saca del estante—. Aquí hay uno que no recordaréis. —Introduce el disco en la ranura y pulsa PLAY.

Una preciosa jovencita morena con un corte de pelo a lo Farrah Fawcett saluda a cámara. Lleva un maxiabrigo azul marino que no le abrocha a la altura de la barriga, y arrastra a dos niños rubios en trineo. Salto del sofá y me arrodillo delante de la televisión, la mano cubriéndome la boca.

—Mamá —digo, con voz pastosa. Me giro—. ¡Es mi madre! Y está embarazada… de mí.

Carrie me pasa una caja de pañuelos y me enjugo los ojos.

—¡Qué guapa era! —susurro. Pero, de cerca, su preciosa cara transmite tristeza—. ¿De dónde has sacado esta cinta?

—La filmé cuando todos vivíamos en la avenida Bosworth.

—¿Bosworth? Querrás decir en Arthur Street.

—No… Éramos amigos desde mucho antes. Fuimos los primeros clientes de tu madre.

Se me eriza el vello de la nuca. Me vuelvo hacia él.

—¿Cuándo conociste a mi madre exactamente?

—Nos mudamos el fin de semana de Pascua de Resurrección… Sería la primavera del… —Mira a su mujer.

—Setenta y ocho —dice Mary.

Me llevo una mano al cuello, paralizada por una mezcla de urgencia y miedo.

—Johnny Manns —digo—. ¿Lo recordáis?

—¿A Johnny? ¡Sí, claro que sí! Tocaba la guitarra en el Justine.

—Tenía mucho talento —asegura Mary—. Y era guapísimo, encima. Todas las mujeres de la manzana estaban un poco enamoradas de él.

Aquí, en esta mismísima habitación, hay dos personas que conocen a mi padre.

15

—Habladme de él —digo, casi jadeando—. Por favor. Contádmelo todo.

—Puedo hacer algo mejor —asegura David, rebuscando en su filmoteca de DVD. Extrae una funda de plástico del armario y la examina mientras camina hacia la televisión—. Lo filmé en la época en que yo servía en el bar Justine. Estábamos todos convencidos de que este tío llegaría lejos.

Le da al PLAY, y mi corazón late con fuerza. Un montón de rostros jóvenes se apretujan en un bar pequeño tenuemente iluminado. Me acerco sin dudarlo a la pantalla, mirando al tiempo que la cámara enfoca a un hombre sentado en un taburete. Tiene la cabeza morena enmarañada y una barba poblada y bigote. La cámara acerca el zum, y los ojos castaños del hombre se encuentran con los míos. Conozco esos ojos. Son los mismos ojos que veo cada vez que me miro al espejo. Un gemido me sube desde el pecho y me cubro la boca con la mano.

«La siguiente canción es del álbum doble de los Beatles conocido como *The White Album* —anuncia Johnny—. Aunque en los créditos se menciona a Lennon y a McCartney, en realidad lo escribió Paul cuando estuvo en Escocia en la primavera de 1968. Las tensiones raciales en Estados Unidos entre los negros y los blancos le movieron a reaccionar. —Rasguea una cuerda—. En Inglaterra, la palabra *pájaro* es el término coloquial para chica.»

Toca las notas del *riff* de introducción. Cuando abre la boca, se oye la voz de un ángel. Se me escapa un sollozo ahogado. Canta acerca de un mirlo de alas rotas, que anhela volar, que anhela ser libre. El pájaro, la chica, ha estado toda la vida esperando a que llegue ese único instante.

Pienso en mi madre, cargando con dos niños pequeños y un marido al que no amaba. Ella también debió de anhelar unas alas.

Pienso en mí misma, esperando toda la vida a que llegara este instante. El instante en que poder mirar a los ojos bondadosos de un hombre, y saber que es mi padre.

Las lágrimas resbalan por mis mejillas. La canción acaba. A continuación sigue otra escena en el Justine, esta vez una cantante. No pregunto, simplemente pulso la tecla de rebobinado y lo veo otra vez, y otra. Escucho la voz de mi padre, sus palabras. Alargo el brazo y acaricio su bello rostro, sus delicadas manos.

Tras verlo cuatro veces, me quedo sentada en silencio. En algún momento mientras veía la tele, Mary se ha sentado a mi lado en el suelo. David está a mi otro lado. Me deja el DVD sobre el regazo.

—Esto te pertenece, ¿verdad?

Resigo el disco con el dedo y asiento con la cabeza.

—Era mi padre.

—¡Venga, niños! Jugaremos al Uno —dice Stella—. El primero en llegar a la mesa de la cocina reparte.

En cuanto Carrie y su tropa no pueden oír, Mary me coge las manos entre las suyas.

—¿Desde cuándo lo sabes?

—Acabo de averiguarlo. Mi madre me dejó su diario. —Mis ojos saltan de su cara a la de David—. ¿Lo sabíais?

—No. Naturalmente que no —dice él—. Tu madre tenía demasiada clase como para airear sus indiscreciones amorosas. Pero todo el mundo sabía que él estaba locamente enamorado de ella.

Se me escapa un grito, un grito de alivio y congoja. Mary me da unas palmaditas en la espalda hasta que puedo volver a respirar.

—¿Era un buen hombre?

—El mejor —dice ella.

David asiente.

—Johnny era una persona estupenda.

Contengo el aliento.

—¿Dónde está ahora?

—Lo último que supimos es que vivía en el oeste —dice Mary—. Pero de eso hace quince años.

—¿Dónde? —pregunto, de pronto mareada—. ¿En Los Ángeles?

—Estuvo una temporada en San Francisco. Pero le perdimos la pista. Es posible que se haya vuelto a mudar.

—Esto me será útil. He contratado un detective que lleva meses intentando dar con él. No os creeríais la cantidad de Johnnies Manns que hay en este país.

David reacciona de golpe.

—Cariño, no se llama Johnny Manns. Su apellido es Manson. Usaba Manns como nombre artístico debido al autor de aquella masacre. El apellido Manson acarreaba un estigma horrible en la década de 1970.

Asimilo las palabras troceadas e intermitentemente.

—¿Johnny Manson? ¡Oh, Dios! ¡Oh, Dios! ¡Gracias! —Abrazo a David, luego a Mary—. Con razón no lo encontraba.

—Tu madre seguramente nunca supo su verdadero nombre. Yo lo sabía únicamente porque aquel verano fui el camarero y pagué las nóminas.

—Si no hubiera vuelto a veros, me habría pasado la vida buscando.

Un escalofrío me sube por la columna. El objetivo número nueve me ha llevado a Carrie, y Carrie me ha llevado a mi padre. ¿Sabía mi madre que pasaría esto? Una amistad de toda la vida *y* una pista sobre mi padre. Dos en uno.

Mientras Carrie y yo caminamos hacia mi coche con las sobras de Mary, marco el número de Brad en el teléfono.

—¿Te importa? —le pregunto a Carrie—. Tardaré sólo un segundo.

—¡Qué va a importarme! —exclama, llevando una bolsa de papel llena de frascos de mermelada de mora casera.

—Pongo el altavoz para que puedas oirlo. Es un encanto.

Carrie enarca las cejas.

—¡No me digas!

Doy un manotazo en el aire y entonces oigo la voz de Brad.

—Mi padre es John Manson, no Manns —digo—. Y vive en algún sitio en el oeste. Tienes que decírselo a Pohlonski. Acabo de ver un vídeo suyo. Es guapísimo.

—¿Dónde estás, B. B.? Pensaba que estabas en Wisconsin.

—Lo estoy. Estoy con Carrie ahora. El altavoz está activado. Di hola.

—¡Hola, Carrie!

Ella se echa a reír.

—¿Qué hay, Brad?

—Bien, escucha. Los padres de Carrie vivían en la avenida Bosworth. ¡Conocían a Johnny Manns! —Le ofrezco una versión reducida de los acontecimientos matutinos—. ¿Te lo puedes creer? Jamás me habría enterado si no llego a volver a contactar con Carrie. —Miro hacia ella—. Es un regalo, en muchos sentidos.

—Esto es un gran avance. Dejaré un mensaje a Pohlonski en cuanto colguemos.

—¿Cuánto crees que tardará en localizarlo?

—No sabría decirte..., pero mentalicémonos de que no será de la noche a la mañana. Incluso ahora, con esta información nueva, podría llevarnos meses.

Me muerdo el labio.

—Dile que se dé prisa, ¿vale?

—Lo haré. ¡Oye! ¿Quieres ver una peli cuando llegues a casa? ¿O cenar? O, mejor aún, vente a casa. Tendré la cena lista.

Qué amable. Sé lo interminables que pueden parecer los domingos cuando estás solo.

—La tercera opción suena de fábula. ¡Ah..., y he recibido un mensaje del refugio de animales! Han aceptado mi solicitud. ¿Quieres ayudarme a elegir un perrito la semana que viene?

—Será un placer. Conduce con cuidado, B. B.

Al colgar Carrie me mira de reojo.

—¿Estáis saliendo?

—No —contesto mientras coloco un paquete de galletas en el asiento del pasajero—. Sólo somos muy buenos amigos. Es muy agradable.

—Cuidado, Bretel. Me da que este chico te desea.

Sacudo la cabeza y le quito la bolsa de papel.

—Brad tiene novia.

Me sonríe.

—Conserva su amistad. Se te ve feliz cuando hablas con él.

—Lo haré —digo—. Y lo soy.

El acogedor dúplex de Brad en North Oakley es un grato respiro tras el largo trayecto. Eva Cassidy suena en el equipo de sonido y me siento en un taburete de bar mientras lo observo cortando unas virutas de queso para la ensalada césar. Mantiene la mirada baja, y cuando se ríe de mis historias sobre Carrie y su prole, noto que es forzado. Al final salto del taburete y le quito el rallador de las garras.

—A ver, Midar, ¿qué pasa? Te preocupa algo; lo noto.

Se frota la nuca y resopla.

—Jenna ha decidido que deberíamos darnos un tiempo.

Me avergüenza reconocer que una parte de mí exclama *¡Hurra!* Ahora los dos estamos solteros y quién sabe qué puede pasar más adelante. Pero al mirarlo, veo el dolor en su rostro. Es evidente que está enamorado, y no de mí.

—¡Cuánto lo siento! —Lo estrecho en mis brazos y él se agarra a mí—. Oye —digo en voz baja—, podrías hacer algo radical, algo que demuestre que vas en serio y te comprometes.

Él echa el cuerpo hacia atrás.

—¿Como pedirle que se case conmigo?

—¡Sí! Si la quieres, Midar, hazlo realidad, como me dijiste a mí que hiciera. ¡No importa la diferencia de edad entre vosotros! ¡Pídele que se case contigo!

Él me da la espalda y apoya las manos en la encimera.

—Ya lo he hecho. Me ha dicho que no.

—¡Dios mío! Lo siento mu…

Levanta una mano para que no siga.

—Basta de lloriqueos. —Se seca las manos en un trapo de cocina y lo tira en la encimera—. Aquí tenemos algo que celebrar. —Cruza la cocina a zancadas, hasta el salón contiguo, y coge un sobre rosa de la mesa de centro—. He pasado por el despacho esta tarde —dice, agitando el sobre frente a mí—. He pensado que querrías esto.

«Objetivo 9: ser amiga de Carrie Newsome para siempre.» Corro hacia él y me quedo mirando el sobre escrito a mano, me muero de ganas de oír las palabras de mi madre. Pero no puedo celebrar nada estando Brad tan deprimido.

—Hoy no —digo—. Reservémoslo para una ocasión en que estés más animado.

—De eso nada. Lo abrimos ahora.

Rompe el lacre y me desplomo en el sofá, aferrándome a su brazo mientras lee.

—«Querida Brett:

»Gracias, querida, por concederme el deseo (también tuyo) de recuperar tu amistad con Carrie. Nunca olvidaré lo desconsolada que te quedaste cuando los Newsome se mudaron a Madison. Observé con impotencia cómo se te acumulaba el polvo en el corazón. Quizás entendieras entonces que es difícil encontrar amistades de verdad. Después de que viniera a verte, las dos os fuisteis distanciando, aunque nunca me contaste por qué.

»Por desgracia, no creo que hayas vuelto a tener otra amiga tan auténtica como Carrie. No fue hasta que enfermé que comprendí que tienes un grupo muy superficial de verdaderos confidentes. Aparte de Shelley y de mí, no he detectado más amigos de verdad.»

—No ha mencionado a Megan —comento— Ni a Andrew. ¿Crees que sabía, incluso entonces, que no eran amigos verdaderos?

Brad asiente.

—Me temo que sí.

Vuelve a la carta.

—«Tengo la esperanza de que Carrie llene este vacío. Disfruta y cultiva esta amistad, hija mía. Y, por favor, no te olvides de darles recuerdos a sus padres de mi parte. David y Mary fueron mis primeros clientes cuando todos vivíamos en la avenida Bosworth. También eran fans de tu padre.»

Me tapo la boca con la mano.

—Se refiere a Johnny, no a Charles. Aquí me está dando una pista, por si se me había escapado. —Me giro hacia Brad—. ¿Por qué no me lo dijo a las claras? ¿Por qué me hace pasar por esta búsqueda del tesoro?

—Confieso que resulta extraño.

—Siempre fue muy directa; o al menos a mí me lo parecía. ¿Por qué todo estos matices e indirectas? Está volviéndome loca. —Cojo aire y aflojo el puño—. El lado positivo es que ahora por fin lo encontraré.

—No echemos las campanas al vuelo. Nos queda aún un largo camino por delante. Podrían ser meses… o más tiempo.

—Lo encontraremos, Brad. —Cojo la carta de mi madre y la agito ante él—. Puede que esté jugando conmigo, pero nunca me causaría una decepción tan grande.

—Esperemos que tengas razón. —Me da una palmada en la rodilla—. ¡Venga! La cena está lista.

16

Estoy justamente apagando las luces de mi despacho el viernes por la tarde cuando llama Megan. Desde que la sorprendí en el *loft* de Andrew, he ignorado sus llamadas y mensajes. Estoy a punto de volver a tirar el teléfono en el bolso, pero en el último momento me digo: *¡Qué caray!*

—Hola, chica —dice con su voz de animadora ya no tan joven. Cuesta imaginar que en su momento esa voz hasta me pareciera graciosa—. Shel me ha dicho que hoy te dan un perro.

Introduzco la llave en la cerradura y la giro hasta que hace clic.

—Ésa es la idea.

—Perfecto. Tengo un cliente que va a comprarse piso en Lake Shore Drive, pero no se permiten mascotas en el edificio. No le hace ninguna gracia, pero tiene que deshacerse de *Champ*. Y *Champ* es... como un perro de la tele. Es un galgo de pura raza. Muy elegante. Es igual, el caso es que me ha dicho que puedes quedártelo. ¿Te lo puedes creer? ¡Te da su magnífico perro de la tele!

Abro una puerta doble.

—Gracias, pero no me interesa.

—¿Qué? ¿Por qué? Este perro vale un dineral.

Bajo la escalera dando saltos y salgo tranquilamente por la puerta. Un sol radiante me acaricia la cara, junto con un soplo de viento de diciembre.

—No quiero un perro de la tele, Megan. Es cierto que son muy bonitos, pero demasiado caros de mantener con tanto cepillado, entrenamiento y competiciones. Es agotador cubrir sus necesidades. —Mi perorata gana velocidad, pero no logro aminorarla—. Al cabo de un tiempo empiezan a incordiarte con sus dietas insufribles y sus jabones especiales y sus champús carísimos. ¡Una lata! Y, para colmo, ¡no respetan en absoluto tus necesidades! ¡Todo gira en torno a ellos! Son egoístas y…

—¡Por Dios, Brett, calma! Sólo estamos hablando de un maldito perro.

—Estamos hablando de un perro, es verdad. —Me apoyo en la puerta del coche y exhalo un hondo suspiro—. ¿Cómo has podido, Meg?

Ella coge aire, y la visualizo tragándose el humo de un cigarrillo manchado de pintalabios.

—¿Qué? ¿Te refieres a Andrew? Información de última hora: ya no estáis juntos. Y, cuando lo estabais, juro por Dios que jamás le miré siquiera el paquete.

—¿Sí? ¡Caramba…, menuda amiga!

—No puedo creerme que te hayas llevado todos sus muebles. ¡Estaba furioso! Y luego no le has devuelto las llamadas. Amenazó con pedir que te arrestasen por allanamiento de morada.

—Oí los mensajes. Únicamente me he llevado lo que era mío, Megan. Él lo sabe.

—Por suerte para ti, lo calmé. Le dije que podía comprarse muebles nuevos. Es un maldito abogado, joder. —Hace una pausa—. Tiene dinero, ¿verdad, Brett? No sé, anoche, cuando el camarero nos dejó la cuenta, Andrew se quedó ahí sentado, como esperando que pagara yo. —Se ríe nerviosa—. Naturalmente, él cree que estoy forrada porque soy una exitosa agente inmobiliaria de Chicago.

¡Ja, ja, ja! Al final Megan tendrá su merecido. Y Andrew también. Son superficiales y egocéntricos y materialistas y…

Me contengo. ¿Qué derecho tengo a juzgar? Durante casi toda mi vida adulta también he sido una chica materialista, con mi ropa de diseño y mi BMW, mis bolsos y mis joyas caras. ¿Y no fui igual de superficial y egoísta abandonando a Carrie cuando más me necesitaba? Sin embargo, ella me perdonó. Quizá sea hora de que yo perdone.

—Meggie, guapa, sube el listón. Eres una mujer hermosa con un potencial inmenso. Búscate a alguien que te adore, alguien que te trate…

Ella se ríe.

—¡Venga, Brett! Déjate de hipocresías, por favor. Entiendo que estés celosa, pero supéralo. ¡Él… no… te… quiere!

Me quedo atónita. ¿Perdonar? ¡Ah, no! Hoy no.

—Tienes razón. Los dos estáis realmente hechos el uno para el otro. —Me subo al coche—. Y, Megan, deja de preocuparte por tus brazos cortos. Son el menor de tus problemas.

Tras eso, me voy en busca de mi chucho adorable y leal.

Brad está esperando en el bordillo cuando me detengo junto al Aon Center en mi coche nuevo/de segunda mano.

—¿Qué pasa? ¿El BMW está en el taller? —Me da un fugaz beso en la mejilla y se abrocha el cinturón de seguridad.

—No. Lo he cambiado por este coche.

—Es broma. ¿Por esto?

—Y un poco de dinero en efectivo, que buena falta me hacía. Es que me parecía mal ir en un coche como ése cuando la mayoría de las familias con las que trabajo ni siquiera tienen uno.

Él silba.

—Estás muy entregada a este trabajo.

—Sí, aunque confieso que me hace bastante ilusión tener las dos próximas semanas de vacaciones. Oficialmente tengo vacaciones de Navidad.

Él gruñe.

—Yo quiero tu trabajo.

Me río.

—La verdad es que he tenido suerte. Los niños son increíbles. Pero me preocupa Sanquita. No tiene muy buena cara estos días. Está de cuatro meses y el embarazo apenas se le nota. La visita cualquier médico que esté de guardia en el Departamento de Salud del Condado de Cook, pero no son especialistas en enfermedades renales. He pedido cita con la doctora Chan en el Centro Médico de la Universidad de Chicago. Se supone que es una de las mejores nefrólogas del país.

—¿Y qué novedades hay del chico psicópata?

—¿Peter? —Exhalo un suspiro—. Lo he visto esta mañana. Es más listo que el hambre, pero no logro calarlo.

—¿Sigues hablando con su psiquiatra?

Sonrío.

—Sí. Eso ha sido de gran ayuda. Garrett es un encanto de hombre. Es muy sensato y está muy cualificado, pero al mismo tiempo es sumamente accesible. Hablamos de Peter, pero luego acabamos charlando de nuestras familias y nuestros sueños. Hasta le he hablado de los deseos de mi madre.

—Te gusta este tipo.

Si no lo conociera bien, diría que Brad está celoso. Pero eso es de locos.

—Adoro al doctor Taylor. Está viudo. Su mujer murió de cáncer de páncreas hace tres años.

Disimulo un bostezo con la mano.

—¿Cansada? —pregunta Brad.

—Agotada. No sé qué me pasa últimamente. —*A no ser que, tal vez, ¡esté embarazada!* Me vuelvo hacia él—. ¿Has tenido noticias de Jenna?

Él mira fijamente por la ventana.

—Nada.

Le aprieto el brazo. ¡Qué mujer más tonta!

Olores a virutas de madera y seborrea animal nos asaltan al cruzar las puertas del Centro de Rescate Animal de Chicago. Una mujer de pelo canoso que viste tejanos Wrangler y una camisa de franela, camina hacia nosotros con aire despreocupado, balanceando los brazos a cada zancada.

—Bienvenidos al CRAC —dice—. Soy Gillian, una de las voluntarias. ¿Qué os trae por aquí?

—Me han dado el visto bueno para adoptar una mascota —le digo en voz alta para que me oiga con los ladridos de fondo—. Estoy aquí para buscar a mi perro.

Gillian apunta con un dedo regordete hacia una sección vallada del edificio.

—Los perros registrados los tenemos en esta área. Son perros con pedigrí y papeles. Normalmente salen enseguida. Justo anoche llegó un maravilloso perro de agua portugués. Lógicamente, no durará más de un minuto. Desde que los Obama eligieron a *Bo*, ha habido una demanda enorme de esta raza.

—Busco más bien un perro mestizo —comento.

Ella arquea una ceja.

—¡No me digas! —Gira y hace un gesto con el brazo—. Los mestizos son fantásticos. El único problema de un mestizo es que no conoces su historia familiar. No tienes ni idea del temperamento del animal ni de sus probabilidades de contraer enfermedades a partir de la ascendencia genética.

Más o menos como yo.

—Me la jugaré.

Tardamos menos de diez minutos en encontrarlo. Desde el interior de una jaula metálica, un can de pelo suave me mira fijamente con unos ojos como granos de café que son simpáticos y suplicantes a un tiempo.

—¡Hola, muchachote! —Tiro a Brad de la manga del abrigo—. Te presento a mi nuevo perro.

Gillian abre la jaula.

—Hola, *Rudy*.

Rudy corretea por el suelo de cemento, agitando la cola como una serpiente de cascabel mientras nos olisquea. Levanta la vista hacia Brad, luego hacia mí, como examinando a sus posibles padres.

Lo cojo y se retuerce en mis brazos. Me lame las mejillas y yo río de alegría.

—Le gustas —dice Brad, rascándole las orejas al perro—. Es adorable.

—¿A que sí? —coincide Gillian—. *Rudy* tiene un año y medio, ha alcanzado su pleno desarrollo. Yo creo que es medio bichón frisé, medio cocker, con una pizca de caniche para completar la mezcla.

Sea como sea, el resultado final es una delicia. Acaricio su suave pelo con la cara.

—¿Por qué querría alguien dar un perro como éste?

—Te sorprendería. Normalmente es por un traslado o la llegada de un bebé, o un choque de temperamentos. Si no recuerdo mal, el dueño de *Rudy* está a punto de casarse con alguien que no quiere animales en casa.

Parece que *Rudy* y yo nos compenetramos: dos chuchos sin hogar que acaban de perder a las personas que querían; o creían querer.

Mientras extiendo un cheque a cambio de mi nuevo cachorro y todos sus accesorios, Brad estudia un folleto sobre el centro de rescate.

—Escucha esto —dice—. CRAC está comprometido con la erradicación del sufrimiento animal y es partidario de los colectivos por la defensa de la vida que ayudan a animales de compañía callejeros, maltratados y abandonados de áreas urbanas como Chicago.

—Guay —digo, garabateando la fecha en el cheque.

Brad da un golpecito sobre una foto del folleto.

—Gillian, ¿en serio tienes caballos para apadrinar?

Yo levanto el bolígrafo, con la palabra a medio escribir, y miro a Brad con el ceño fruncido.

—Naturalmente que sí —asegura Gillian—. ¿Qué buscas?

Él se encoge de hombros.

—Estoy muy pez en el tema. Dame una idea de lo que hay por ahí.

—¿Sería para vosotros o para vuestros hijos? —pregunta ella, pasando las páginas de una carpeta de tres aros.

—Da igual, Gillian —digo—. No vamos a quedarnos un caballo.

—Para nosotros nada más —le dice Brad—. Bueno, por el momento.

Durante un dulce y fugaz segundo visualizo a un niño, mi hijo, montando a caballo. Pero para eso faltan años.

—De esto tenemos que hablar —le digo a Brad—. Es absolutamente imposible que yo pueda hacerme cargo de un caballo.

—¡Aquí está! —Gillian coloca la carpeta frente a nosotros y con su uña desconchada da un golpecito sobre una fotografía—. Os presento a *Lady Lulu*. Una yegua purasangre castrada, quince años. Al principio fue yegua de carreras, pero ahora tiene ciertos problemas de artritis y qué sé yo qué, así que el dueño no la quiere mantener. —No aparta los ojos de Brad, obviamente percibiendo que es el único que muestra cierto interés—. *Lulu* sería perfecta para dar paseos o montar por caminos llanos. Y es un auténtico cielo, una ricura. Venid a verla.

Arranco el cheque del talonario y se lo doy a la mujer.

—Gracias, Gillian. Nos lo pensaremos.

—Su establo está en Marengo, en Paddock Farms. Deberíais echarle un vistazo, en serio. Es especial.

Nos dirigimos al norte por State Street, *Rudy* en el asiento trasero bien protegido en su jaula. Mira por la ventana como un niño curioso, fascinado con los bocinazos del tráfico, la muchedumbre que entra y sale disparada de las tiendas, la iluminación navideña que centellea desde las ramas de los árboles. Me vuelvo para mirarlo y alargo un brazo hasta su jaula.

—¿Estás bien, mi vida? —pregunto—. Mami está aquí.

Brad se gira.

—Aguanta un poco, *Rudy*. Pronto estaremos en casa, muchacho.

Hablamos como unos padres orgullosos que llevan a su recién nacido a casa al salir del hospital. Dentro de los oscuros límites del coche, sonrío.

—En cuanto al caballo… —dice Brad, devolviéndome de sopetón a la realidad.

—Sí, en cuanto al caballo, creo que ése es el objetivo del que debería ser eximida.

—¿Qué? —pregunta él—. ¿No quieres un caballo?

—Soy una chica de ciudad, Midar. Adoro Chicago. Y lo que me mata es que mi madre lo sabía. ¿Por qué mantuvo un objetivo tan absurdo de mi lista?

—Muy bonito. ¿Vas a dejar que sacrifiquen a *Lady Lulu* y hagan con ella cola animal?

—Basta. Hablo en serio. Lo cierto es que he hecho mis pesquisas para saber lo que supondría mantener un caballo. Toda la alimentación, los complementos y el cepillado costarían una fortuna. La verdad es que asciende a una cantidad mensual superior a las hipotecas de la mayoría de la gente. ¿Te das cuenta de lo que la Residencia Joshua podría hacer con ese dinero?

—Tienes razón. Es un desperdicio económico. Pero no te costará un ojo de la cara, B. B. Acabas de venderte el coche. Ahora tienes el dinero.

—¡No, no lo tengo! Ese dinero es para Pohlonski. Mi cuenta de ahorros está desapareciendo en un visto y no visto.

—Pero eso es pasajero. En cuanto recibas tu herencia...

—¡*Si* la recibo! ¿Quién sabe cuándo será eso? Es imposible que consiga todos estos objetivos en menos de un año.

—Está bien. Centrémonos en uno solamente. Te *sería* posible tener un caballo, ¿verdad?

—Pero no tengo tiempo. El lugar más cercano donde tener uno en pupilaje está a una hora de distancia.

Brad mira fijamente por la luna delantera.

—Creo que en esto tenemos que confiar en tu madre. Hasta ahora no nos ha decepcionado.

—Este objetivo no se trata sólo de mí. Se trata de un animal; un animal del que no tengo tiempo para ocuparme. No pienso hacer eso. Una cosa es un perro, pero un caballo es..., no sé, un animal completamente diferente.

Él asiente.

—Está bien, pues. Pongamos este objetivo a pastar de momento. Date tiempo para tomar las *riendas* de tus miedos. No quiero estar siempre *relinchando*.

Lo miro y pongo los ojos en blanco, pero resulta agradable oírle reír de nuevo.

—Déjate de caballadas —le digo, incapaz de resistirme a su estúpido juego.

—¡Muy buena! —Alza la mano para chocarla con la mía—. Tienes un buen sentido equino.

—Y tú eres un culo-caballo —digo, procurando mantener la cara seria.

—¡Venga ya! ¡Qué altanería equina! —exclama él, zanjando el asunto.

Meneo la cabeza.

—¡Ay..., no sabes perder!

Brad cruza el umbral de casa de mi madre con *Rudy* en brazos como si fuera su flamante esposa. Con la mano que tiene libre, entra en el recibidor una bolsa de provisiones para el perro mientras yo enciendo lámparas y enchufo mi árbol de Navidad. Con olor a pino, la habitación resplandece con el brillo etéreo de las luces de colores.

—Esta casa es una maravilla —comenta él, dejando a *Rudy* en el suelo. Sin perder tiempo, el chucho corre feliz hasta el árbol y olisquea los paquetes de envoltorio rojo brillante que hay debajo.

—Ven aquí, *Rudy*. Vamos a comer un poco.

Brad llena el cuenco de agua y yo echo pienso en el de comida. Nos movemos por la cocina como Fred y Ginger, cada uno en sus tareas coreografiadas. Él se seca las manos en un trapo de rizo y yo me lavo las mías en el fregadero. Cierro el agua y me pasa el trapo.

—¿Te apetece una copa de vino? —pregunto.

—Me encantaría.

Cojo una botella de Pinot Noir y me fijo en que los ojos de Brad recorren la cocina como los de un posible comprador.

—¿Nunca has pensado en comprarla?

—¿Esta casa? A mí me encanta, pero es de mi madre.

—Razón de más para conservarla. Para mí esta casa se parece a ti, si es que eso tiene algún sentido.

Giro el sacacorchos.

—¿En serio?

—En serio. Es elegante y sofisticada, pero también tiene un lado cálido y dulce.

La miel corre por mis venas.

—Gracias.

—Deberías pensar en ello.

Saco una copa de vino del armario.

—¿Podría pagarla siquiera? Tendría que comprársela a mis hermanos, ¿sabes?

—¡Tú dirás si podrías pagarla! Cuando recibas la herencia definitiva.

—Pero olvidas que tengo que enamorarme y tener hijos. Puede que el amor de mi vida no quisiera vivir en casa de mi madre.

—Le encantará este sitio. Y hay un parque justo bajando la calle, perfecto para vuestros hijos.

Lo dice con tanta seguridad que casi le creo. Le doy su vino.

—¿Te dijo mi madre en algún momento por qué quería que mis hermanos y yo mantuviésemos la casa durante el primer año?

—Pues no. Pero me imagino que ella sabía que necesitarías un lugar donde vivir.

—Eso me imagino yo también.

—Y probablemente supuso que la casa es tan bonita que jamás querrías irte. —Gira su copa de vino—. Razón por la que incluyó esa cláusula de los treinta días. No quería que estuvieras demasiado cómoda.

—Espera… ¿cómo?

—Esa cláusula del testamento. Nadie puede estar en la casa más de treinta días consecutivos, ¿recuerdas?

—No —contesto con franqueza—. ¿Quieres decir que no puedo quedarme aquí? ¿Que tengo que buscarme otro sitio para vivir?

—Sí. Está todo en el testamento. Tienes una copia, ¿verdad?

Me agarro la cabeza.

—Acabo de comprarme un perro. ¿Te das cuenta de lo difícil que será encontrar un sitio donde acepten animales? ¡Y mis muebles! Los he dado todos a la Residencia Joshua. No tengo dinero…

—¡Eh… eh! —Deja la copa y me coge de las muñecas con fuerza—. Todo irá bien. Mira, la semana pasada dormiste una noche en la Residencia Joshua, así que técnicamente el reloj acaba de ponerse en marcha. Tienes tiempo de sobra para encontrar algo.

Libero las muñecas.

—Rebobina un segundo. ¿Estás diciéndome que como no han sido consecutivos, técnicamente sólo llevo aquí seis días?

—Eso es.

—Así que… mientras pase una o dos noches fuera al mes, como cuando me quedo en la Residencia Joshua, ¿nunca sobrepasaré el máximo?

—Mmm…, no creo…

Se me dibuja una sonrisa triunfal en la cara.

—Eso significa que puedo quedarme aquí indefinidamente. ¡Problema solucionado!

Antes de que él pueda objetar nada, alzo mi copa de agua.

—¡Salud!

—¡Salud! —exclama, entrechocando su copa con la mía—. ¿No tomas *vino* hoy?

—Llevo unos días sin beber.

Casi tiene la copa en los labios cuando la baja.

—Antes has dicho que últimamente estás agotada, ¿verdad?

—¡Ajá!

—¿Y no estás tomando alcohol?

—Eso es lo que he dicho, Einstein.

—Tú estás embarazada.

Me echo a reír.

—¡Creo que sí! Me he comprado un test de embarazo, pero me da demasiado miedo hacérmelo. Esperaré hasta después de vacaciones.

—Temes que dé positivo.

—¡No! Temo que dé negativo. Me quedaría hecha polvo. —Levanto la vista hacia él—. No es exactamente como me imaginé que sería, soltera y demás… Dejaré que Andrew decida si quiere formar parte de la vida de su hijo. No le pediré manutención; al fin y al cabo, éste es mi sueño. Yo criaré a mi bebé...

—¡Eh, eh...! Para el carro, B. B. Hablas como si ya supieras seguro que estás embarazada. Ten cuidado de no..., ya sabes, poner el carro delante del caballo.

—Ya vale de jueguecitos de palabras sobre caballos.

—En serio, Brett. Te conozco. Te estás emocionando. Hasta que lo sepas seguro, pon el freno.

—Demasiado tarde —digo—. Estoy más que emocionada. Por primera vez desde el diagnóstico de mi madre, siento alegría.

Nos llevamos las copas al salón, donde *Rudy* está tendido frente al fuego. Brad se saca un sobre del bolsillo trasero antes de tomar asiento en el sofá. Objetivo número seis.

—¿Quieres que oigamos lo que tu madre tiene que decir sobre *Rudy*?

—Por favor. —Me siento con las piernas recogidas en un sillón de cuero clásico contiguo.

Él se da unas palmaditas en el bolsillo de la camisa.

—¡Maldita sea! No llevo encima las gafas de lectura.

Salto del sillón y recupero unas gafas de lectura de mi madre de su escritorio.

—Ten —digo, pasándole un par de gafas fucsias y violetas.

Él frunce el ceño al ver la llamativa montura, pero se las pone igualmente.

Cuando lo veo con las chillonas gafas de mujer, me da un ataque de risa.

—¡Dios! —exclamo, señalándolo—. ¡Estás genial!

Él me agarra y me tira sobre el sofá, inmovilizándome.

—Te hace gracia, ¿eh? —Me frota los nudillos en la coronilla.

—¡Para! —exclamo presa de un ataque de risa.

Al final nos calmamos, pero en la lucha he acabado yaciendo a su lado en el sofá, y su brazo izquierdo sigue rodeándome la nuca. Una mujer más sensata saldría pitando; después de todo, su novia y él sólo se han dado un tiempo. Pero ¿yo? Me quedo exactamente donde estoy.

—Está bien —dice—. Compórtate. —Con la mano derecha agita la carta y logra abrirla.

Acurrucada junto a él, asiento con la cabeza.

—Está bien, abuelita. Lee.

Acompaña un gruñido con un movimiento del labio, pero empieza la carta.

—«¡Felicidades por tu nuevo perro, cariño! Estoy feliz por ti. De pequeña te encantaban los animales, pero en algún momento de tu vida adulta seguramente escondiste esa pasión. No sé muy bien por qué, aunque mis sospechas tengo.»

—Andrew era un maniático del orden. Ella lo sabía.

—«¿Recuerdas el collie callejero que se nos pegó cuando vivíamos en Rogers Park? Lo llamaste *Leroy* y nos suplicaste que te dejáramos quedártelo. Seguramente no sabes esto, pero yo te apoyé. Le supliqué a Charles que te dejara quedarte con *Leroy*, pero él era muy quisquilloso. No podía soportar animales en casa. Huelen demasiado mal, dijo.»

Le arrebato a Brad la carta de las manos y releo las últimas dos frases.

—Tal vez yo elegí a alguien parecido a Charles con la esperanza de conseguir que me quisiera.

Brad me da un apretón en el hombro.

—Pues ahora ya lo has entendido. Nunca tendrás que complacer a Charles Bohlinger, ni a ningún otro hombre, para demostrar que eres adorable.

Dejo que sus palabras penetren en mí.

—Sí. El secreto de mi madre me ha liberado. ¡Ojalá me lo hubiese dicho antes!

—»Cuida bien de tu mestizo; es un mestizo, ¿verdad? ¿Dejarás que tu mascota duerma arriba? Si es así, permíteme que te sugiera que retires el edredón. Cuesta un dineral llevarlo a la tintorería.

»Crea recuerdos con tu cachorro, mi amor.

»Mamá.»

Le quito la carta a Brad y la releo a toda prisa.

—Sabe que estoy viviendo en su casa. ¿Cómo iba saberlo?

—No lo sé. Quizás uniera los puntos.

—¿Los puntos?

—Andrew no quería un perro, por lo que, como tienes uno, no estás viviendo con Andrew. Si no estás viviendo con Andrew, el sitio lógico donde puedes estar es justamente éste.

Me vuelvo a Brad.

—¿Lo ves? Ella quiere que esté aquí. Esa cláusula de los treinta días tiene que haber sido un error.

Mi voz suena convencida, pero por dentro me pregunto si me estaré engañando.

Brad y yo estamos repanchingados en el sofá con nuestros pies descalzos, pero sin quitarnos los calcetines, descansando sobre la mesa de centro que tenemos delante, mientras los créditos de *Navidades Blancas* se deslizan por la pantalla. Él apura el resto de vino y consulta su reloj.

—¡Dios! Me voy pitando. —Se levanta y se despereza—. Le he dicho a mi madre que mañana madrugaría. Faltan sólo dos días para Navidad y está esperándome para que le ayude a decorar el árbol.

En una casa de ladrillo de estilo colonial de Champaign, él y sus padres celebrarán las Navidades a trancas y barrancas fingiendo no advertir que falta un miembro de la familia, exactamente como haré yo.

—Antes de irte, tienes que abrir tu regalo de Navidad.

—¡Ah! No tenías por qué comprarme nada. —Me hace un gesto de reproche con la mano—. Pero ya que lo has comprado, ¡ataquemos! ¡Venga! ¡Rapidito!

Busco la caja rectangular debajo del árbol. Cuando la abre, se limita a mirarla fijamente. Al fin extrae el barco de madera.

—Es precioso.

—Como estás al timón de mi bote salvavidas..., me pareció apropiado.

—Todo un detalle. —Me da un beso en la frente—. Pero eres tú la capitana de tu barco —me dice con ternura—. Yo no soy más que un miembro de la tripulación. —Se levanta del sofá—. Espera.

Se va hasta el armario de los abrigos, luego vuelve tranquilamente hasta el sofá con una diminuta caja de plata en la mano.

—Para ti.

En el interior de la caja, encima de una tela de terciopelo rojo, se halla un colgante de oro; un paracaídas en miniatura.

—Para que siempre tengas un aterrizaje suave.

Acaricio el colgante con el dedo.

—Es perfecto. Gracias, Brad. Y gracias por estar ahí estos últimos tres meses. Lo digo en serio. No habría podido hacer nada de esto sin ti.

Me revuelve el pelo, pero su mirada es penetrante.

—¡Claro que habrías podido! Pero celebro que me dejaras acompañarte durante el trayecto.

Sin avisarme, se inclina y me besa. Es más lento, más intencionado que nuestros habituales besos, y se me corta el aliento. Me levanto con dificultad. Ha bebido demasiado, y los dos, desconsolados y vulnerables, podríamos ser peligrosos esta noche. Caminamos hasta el recibidor y saco su abrigo del armario.

—Feliz Navidad —digo, procurando parecer natural—. Prométeme que me llamarás en cuanto tengas noticias de mi padre.

—Lo prometo. —Pero en lugar de coger su abrigo, me mira fijamente. Con la misma suavidad de siempre, alarga la mano y me acaricia la mejilla con los nudillos. Su mirada es tan tierna que, sin pensarlo, le doy un beso en la mejilla.

—Quiero que seas feliz.

—Y yo te deseo a ti lo mismo —me susurra, y da otro paso hacia mí. Noto unas mariposas invadiéndome la barriga, pero procuro ignorarlas. Está enamorado de Jenna. Me alisa el pelo y sus ojos recorren mi rostro, como si me estuviera viendo por primera vez—. Ven aquí —dice, su voz ronca.

El corazón me martillea el pecho. *No estropees vuestra amistad. Está solo. Está dolido. Echa de menos a Jenna.*

Acallando toda lógica, me adentro en su abrazo.

Él me rodea con fuerza y le oigo respirar, como si estuviese inspirando cada partícula de mí. Presiona su cuerpo contra el mío, y percibo su calor, su dureza, su fuerza. Cierro los ojos y me acurruco contra su pecho. Huele a pino, y puedo sentir su corazón latiendo. Me arrimo más a él, incapaz de ignorar la pasión que ha prendido en mí. Sus dedos entretejen mi pelo y noto sus labios en mi oreja, mi cuello. ¡Dios! Hacía tanto tiempo que no me besaban así. Lentamente, levanto el rostro hacia el suyo. Sus ojos, nublados de pasión, se cierran y baja los labios hacia los míos. Su boca está tibia y húmeda y deliciosa.

Con toda la fuerza de que dispongo, lo empujo suavemente.

—No, Brad —susurro, medio esperando que no me oiga. Deseo a este hombre, pero esto está mal ahora. Él y Jenna están dándose un tiempo. Tiene que zanjar esa relación antes de meterse en otra.

Finalmente, me suelta el pelo. Dando un paso atrás, se frota la cara con una mano. Cuando levanta la vista, afean sus mejillas unas manchas rojas, no tengo claro si debidas al ardor de la pasión o al bochorno.

—No podemos —digo—. Es demasiado pronto.

Sus ojos parecen heridos y me dedica una sonrisa amarga. Con una mano, acerca mi cabeza a sus labios y me besa en la frente.

—¿Por qué tienes que ser tan sumamente prudente? —pregunta, su voz con una aspereza que conmueve.

Yo sonrío, pero tengo el corazón encogido.

—Buenas noches, Brad.

En calcetines en lo alto de la escalera de entrada de cemento, me quedo mirando hasta que su silueta gira en la esquina. Por difícil que haya sido, sé que he tomado la decisión correcta. Brad no está preparado para una nueva relación.

Entro en la casa y cierro la puerta. En lugar de la melancolía que me inundaba cuando estaba sola en casa de Andrew, esta noche siento un rayo de esperanza. Aunque puede que Brad no esté preparado para volver a amar, la pasión que ha atizado en mí esta noche me indica que quizá yo sí lo esté. Me giro para ver a *Rudy*, dormido en la alfombra. Ahora tengo un perro. El año que viene por estas fechas tendré un bebé. Bajo los ojos hacia mi vientre plano y me imagino a mí misma dentro de un par de meses luciendo ropa premamá. La idea me llena de una felicidad tal que por poco me explota el corazón.

La mañana de Navidad llega y me despierto con el hocico de *Rudy* hundido contra mis costillas. Le rasco la cabeza.

—*Rudy*, feliz Navidad, chico.

Al instante paso revista mentalmente de todo lo que tengo que hacer para prepararme para la cena familiar. Siento una pelota dura en el estómago.

—Pongámonos en marcha, *Rudy*. Tenemos una fiesta que celebrar. —Tuerzo el gesto debido a otra oleada de retortijones y me levanto. El dolor amaina, y me pongo la bata. Pero cuando miro las sábanas arrugadas, la veo.

Una mancha de color rojo.

17

Durante unos instantes mi mente se niega a aceptar la verdad. Me limito a mirar la mancha fijamente. Luego se me contraen las costillas y no puedo respirar. Caigo de rodillas y hundo la cabeza en las manos. A mi lado, *Rudy* ladra y procura meter el hocico entre mis brazos cruzados. Pero ahora mismo no tengo nada que darle. Estoy hueca.

Tras diez minutos de desconsolada parálisis, me levanto de un salto y arranco las sábanas de la cama. Las lágrimas corren por mis mejillas y suelto gemidos agudos y terribles. Se me acumulan perlas de sudor en el nacimiento del pelo. Amontono las sábanas y las meto en el cesto de la ropa sucia. Con el cesto contra la cadera, descorro la cortina de la habitación. Me recibe una mañana de Navidad perfecta como un cuadro de Norman Rockwell. Pero no sé apreciar la belleza del día. Mi alma está tan hueca y estéril como mi útero.

Vivo el día de Navidad como si estuviese anestesiada. Emma y Trevor están fascinados con mi nuevo cachorro, y los tres hacen las delicias de mis hermanos. Pero yo observo con expresión ausente, inmune a la alegría o las carcajadas, o incluso a la buena comida. Catherine se sirve un bocado de cada plato de la mesa, mientras que los demás comen con voracidad. Yo jugueteo apática con la comida.

La pérdida de mi hijo fantasma resucita el recuerdo de la muerte de mi madre, y vuelvo a llorarla. Por tercera vez en el día de hoy, me he encerrado en el cuarto de baño de arriba. Estoy encorvada sobre el lavabo echándome agua fría en la cara, diciéndome a mí misma que estaré bien.

Quería ese bebé. Estaba convencida de que estaba embarazada. Y mi madre... Ella debería estar aquí, maldita sea. Ella, que siempre disfrutaba como una loca con las fiestas, merecía unas Navidades más.

El año pasado las celebramos como de costumbre, desconocedores del destino que nos esperaba en el nuevo año. De haber sabido que sería su última Navidad, le habría regalado algo especial, algo que le hubiese llegado al corazón; en cambio, le compré una parrilla para hacer *panini* de Williams-Sonoma. Aun así, se le iluminó la cara de alegría, como si fuese justamente el regalo que había estado esperando. Aquella mañana me estrechó entre sus brazos y me susurró: «Me haces muy feliz, hija mía».

Cada lágrima no derramada de mi pecho de pronto leva anclas. Caigo al suelo del baño, sollozando. Hoy necesito desesperadamente el amor de mi madre. Le hablaría del nieto que pretendía darle. Ella me tranquilizaría y me aseguraría que habrá otro cielo.

—Brett —me llama Joad. Golpea en la puerta—. ¡Eh, Brett! ¿Estás ahí?

Levanto la cabeza y cojo aire.

—Ummm-mmm...

—Te llaman por teléfono.

Me levanto de la fría baldosa y me sueno, preguntándome quién me llamará. Anoche me pasé veinte minutos charlando con Carrie. Seguramente será Brad, que llama otra vez para ver cómo estoy y disculparse de nuevo por su comportamiento «lascivo». Abro la puerta del cuarto de baño y camino penosamente por el pasillo. Trevor sale a mi encuentro a mitad de la escalera y me pasa el teléfono.

—¿Diga? —saludo, dando unas palmaditas a mi sobrino en la coronilla antes de que vuelva a bajar por la escalera dando saltos.

—¿Brett? —pregunta una voz desconocida.

—Sí.

El silencio llena el aire, y me pregunto si se habrá cortado la llamada.

—¿Diga? —vuelvo a preguntar.

Por fin habla, su voz afectada por la emoción.

—Soy John Manson.

18

Corro escalera arriba y entro en la habitación de mi madre. Cierro la puerta a mis espaldas y me desplomo en el suelo, la espalda contra la puerta.

—Hola, John —digo cuando al fin me encuentro la voz—. Feliz Navidad.

Se ríe entre dientes, un sonido débil y dulce.

—Feliz Navidad.

—Pensarás que todo esto es muy raro —comento—. Yo misma apenas empiezo a acostumbrarme a ello; descubrí el diario hace dos meses.

—Sí, y es muy frío, además. Me hubiese gustado que Elizabeth contactara conmigo, pero entiendo por qué no lo hizo.

¿Lo entiendes?, me dan ganas de preguntar. Porque me encantaría saber. Pero esta conversación puede esperar a otra ocasión; una ocasión en la que estemos sentados frente a frente, cogidos de la mano o acurrucados en un sofá, su brazo echado sobre mi hombro.

—¿Dónde vives?

—En Seattle. Tengo aquí una tiendecita de música; Manson Music. Incluso doy un concierto de guitarra dos veces al mes.

No puedo dejar de sonreír al visualizar a este hombre maravilloso de dotes musicales que tengo por padre.

—Cuéntame más cosas. Quiero saberlo todo de ti.

Se ríe entre dientes.

—Lo haré, lo prometo. Pero ahora mismo tengo un poco de prisa…

—Perdona —digo—. Es Navidad. No te entretengo más. Pero me encantaría verte. ¿Hay alguna posibilidad de que pudieras venir a Chicago? Estoy de vacaciones hasta después de Año Nuevo.

Él suspira.

—Me encantaría verte, pero las fechas no pueden ser peores. Tengo una hija de doce años. Su madre se mudó a Aspen hace algún tiempo y tengo yo la custodia.

—¿Tengo una hermana? —Curiosamente, en todas mis fantasías padre-hija esto no se me ha pasado por la cabeza en ningún momento—. Eso es genial. ¿Cómo se llama?

—Zoë. Y es genial. Pero hoy tiene tos. Me temo que ha pillado un resfriado. Viajar en este momento es absolutamente imposible.

—¡Qué pena! —Se me ocurre una idea, y la suelto en el acto—. ¿Por qué no voy yo a Seattle? Así Zoë no tendrá que viajar y…

—Agradezco el ofrecimiento, pero no es un buen momento. —Su voz es seria ahora—. Tengo que aislar a Zoë de la gente, sólo por precaución.

Me doy cuenta enseguida de lo que pasa. Mi padre está poniendo excusas. No quiere verme. No quiere que su hija joven e impresionable conozca su vergonzoso secreto. ¿Por qué no lo habré visto venir?

—Está bien. En otra ocasión, pues. Ahora mejor vuelve con Zoë.

—Sí, será lo mejor. Pero, Brett, estoy feliz de haber hablado contigo. Me encantará verte en persona, sólo que ahora no. Lo entiendes, ¿verdad?

—¡Claro! —digo—. Dale recuerdos a Zoë de mi parte. Dile que espero que se mejore.

Dejo el teléfono junto a mí. Por fin he encontrado a mi padre. Y encima tengo una hermanastra. Entonces, ¿por qué me siento más rechazada que nunca?

Todos los ojos están puestos en mí cuando entro en el salón con paso largo.

—Era mi padre —anuncio, procurando sonar alegre—. John Manson.

Shelley despierta de su siesta.

—¿Qué te ha parecido?

—Muy amable. Parece realmente estupendo. Cariñoso, yo diría.

—¿Dónde vive? —pregunta Joad.

Me dejo caer delante del fuego y me abrazo las rodillas.

—En Seattle. Y sigue con la música. ¿A que es genial?

—¿Habéis quedado en veros? —pregunta Shelley.

Busco la carita dulce de *Rudy* y le rasco la barbilla.

—Aún no, pero pronto lo haremos.

—Invítale a venir a Chicago —sugiere Jay—. A todos nos encantaría conocerlo.

—Lo haré, en cuanto su hija se recupere. Ahora mismo no se encuentra muy bien. ¿Podéis creerlo? ¡Tengo una hermana!

Joad levanta su *bloody mary* y arquea una ceja.

—Así que ha formado una verdadera familia.

Se me corta la respiración.

—¿Qué has querido decir con lo de *verdadera* familia?

—Nada. Sólo me refería...

—Lo que Joad quiere decir —interviene Catherine— es que tiene una familia con la que vive, una familia a la que conoce.

Jay aparece discretamente a mi lado, en el suelo, y me pone una mano en el hombro.

—Tú también eres su verdadera familia. Pero tienes que estar preparada, hermanita. No será lo mismo crear un vínculo ahora entre Johnny y tú, después de treinta y cuatro años. Nunca te ha acunado ni se ha metido en tu cama cuando tenías pesadillas...

Ni se ha preocupado por mí cuando pillaba un catarro.

Joad asiente.

—Una mujer de mi despacho tuvo un hijo al que dio en adopción. Cuando él la localizó diecinueve años después, fue tremendamente problemático. En aquel momento ella tenía dos niños pequeños, y de repente ese extraño quería entrar en sus vidas. No sentía ningún apego hacia él. —Sacude la cabeza, como si intentase borrar la angustiosa imagen. Entonces repara en mí—. Aunque a ti no te pasará eso.

Una espesa niebla cubre mi pecho. El padre que he estado buscando no quiere verme. Tiene otra hija, una hija *verdadera* a la que adora. Y yo soy la plaga que teme que pueda perjudicar su relación de dos. ¿Se imaginó esto mi madre? ¿Fue por esto que nunca me habló de él?

A las nueve en punto estoy en la puerta principal con los zapatos en la mano, exhausta y abatida, sacando a mis hermanos a rastras de la casa. Joad y Catherine son los últimos en irse, pero en el recibidor Joad parece dudoso. Busca a tientas las llaves del coche antes de dárselas a Catherine.

—Ve poniendo el coche en marcha, cariño. Voy enseguida.

Nada más irse ella, él se vuelve hacia mí.

—Hace días que quería preguntarte cuánto tiempo más pretendes vivir aquí, en casa de mamá.

Su tono me acelera el pulso.

—No... No estoy segura. En este momento no tengo otro sitio donde ir.

Él se frota el mentón.

—Mamá estipuló un máximo de treinta días. Llevas aquí desde Acción de Gracias, ¿verdad?

Me lo quedo mirando, sin dar crédito. En este momento cualquier gen bueno del ADN de mi madre está escondido, y no veo más que a Charles Bohlinger.

—Sí, pero ella dijo treinta días *consecutivos*. Yo duermo todos los lunes en la Residencia Joshua.

Su boca no sonríe, pero sus ojos sí, con un aire burlón que hace que me sienta estúpida.

—¿Y qué? ¿Crees que el reloj empieza a contar de nuevo cada semana?

Eso es exactamente lo que creo. Pero la sonrisa despectiva de su cara me transmite desaprobación.

—¿Qué quieres que haga, Joad? Vivo con un salario de profesora. No tengo herencia. He regalado todos mis muebles.

Él levanta las manos.

—Está bien, de acuerdo. Olvídalo. Es sólo que creía que tú más que nadie querrías cumplir las normas de mamá. Quédate el tiempo que quieras. A mí me da igual. —Me da un besito en la mejilla—. Gracias por este magnífico día. Te quiero.

Doy un portazo tras él, pero la maciza puerta de palisandro pesa tanto que ni siquiera se cierra. Me dirijo resueltamente hacia el salón, luego me giro y lanzo los zapatos contra la puerta.

—¡Que te den, Joad!

Rudy salta de su alfombra y sale disparado hacia mí. Me dejo caer frente a él.

—Y tú —le digo, acariciándole el pelo suave con la cara—. Gracias a ti tenemos que buscar un apartamento donde admitan chuchos zarrapastrosos como tú. ¿Qué vamos a hacer?

Estoy emocionalmente destrozada y lo único que quiero es hundirme bajo las suntuosas sábanas de mi madre y abandonarme al sueño. En lugar de eso, a las tres de la mañana estoy despierta en la cama, mi mente saltando de un pensamiento a otro: de mi padre, a mi útero sin feto, al jarro de agua fría de mis hermanos. El amor instantáneo que he sentido hacia mi hermanastra se ha esfumado, dejando a su paso una inquietante oleada de celos y odio contra mí misma.

Me giro de lado y mi mente se centra en Joad. Oigo sus palabras (su acusación) una y otra vez en mi mente hasta que por fin aparto las sábanas y bajo la escalera arrastrando los pies. Encuentro el portátil sobre la encimera de la cocina.

En menos de diez minutos queda meridianamente claro que mi escaso salario y mi amigo peludo constituirán obstáculos significativos a la hora de encontrar mi nuevo nido. Tras tragarme páginas de alquileres sensacionales que se comerían íntegramente mi sueldo mensual, inspiro hondo y modifico mi búsqueda. Puedo vivir sin ese segundo dormitorio. Pero los precios de los apartamentos de una habitación siguen siendo demasiado altos. Sólo hay una solución: tengo que irme al sur. Los atractivos barrios del nordeste en los que he pasado toda mi vida son, sencillamente, demasiado caros. ¿Qué más da que todos los que forman parte de mi mundo vivan al norte del Loop?

Pulso ENTER y me doy cuenta de que tenía razón. Al sur del Loop los alquileres son mucho, muchísimo más baratos..., pero *siguen* sin ser lo bastante baratos para alguien con un salario de primer año de profesor. Sin recurrir a mi fondo de pensiones ni realquilar con un montón de desconocidos, mi única opción es vivir al sur de la autopista Eisenhower; una zona en la que nunca, jamás me imaginé que viviría.

¡No puedo hacerlo! No puedo vivir en un barrio que me es ajeno; un barrio plagado de crímenes y corrupción. De nuevo, estoy desconcertada. ¿En qué estaba pensando mi madre?

19

El sol corona el horizonte cuando, con los ojos enrojecidos y desaliñada, recojo a Sanquita en la Residencia Joshua para su visita con la doctora Chan. Hace una mañana glacial; la clase de mañana que recuerdas más por el sonido que por la vista: nieve crujiendo bajo las botas, placas de hielo resquebrajándose en el lago Michigan, el incesante zumbido de las calderas. Sanquita se sienta en el asiento del pasajero, vestida con un chándal de velvetón y una chaqueta corta con capucha de pelo sintético, y se frota las manos desnudas delante de la rejilla de la calefacción.

—Según la revista *U.S. News & World Report* —le comento—, el Centro Médico de la Universidad de Chicago tiene uno de los mejores programas de nefrología de la nación.

Ella baja la visera para protegerse del sol y se reclina metiendo las manos debajo de las piernas.

—Sigo sin entender por qué hace esto. ¿No tiene cosas mejores que hacer?

—Me preocupo por ti. —Pone los ojos en blanco, pero yo sigo hablando—. Sé que no quieres oírlo, y sé que aún no confías en mí, pero es la pura verdad. Y cuando te preocupas por alguien, quieres ayudarle.

—La cosa es que en realidad no necesito su ayuda. En cuanto nazca el bebé, mejoraré.

—Lo sé —digo, deseando creerme mis palabras. Pero no lo hago. Sanquita parece pálida bajo la penetrante luz matutina, y a juzgar por su barriga, no está ganando suficiente peso.

—¿Has elegido algún nombre? —pregunto, esperando mejorarle el humor.

—Pues sí —dice, rascándose las piernas con las dos manos—. Mi bebé se llamará como mi hermano pequeño.

—Tu hermano debe de ser un chico especial.

—Lo era. También era listo.

—¿Era? —pregunto en voz baja.

—Murió.

—¡Oh, cariño! Lo siento. —Sé que ahora no es momento de hurgar. Cuando las cosas derivan a lo personal, Sanquita se cierra en banda. Viajamos en silencio durante un minuto más cuando, para mi sorpresa, continúa.

—Yo estaba en sexto. Deonte y Austin eran los únicos hermanos que había en casa. El resto estábamos en la escuela. Les entró hambre. Deonte se subió a la encimera para intentar llegar a una caja de cereales.

Se me eriza el vello de los brazos y quiero decirle que pare. Esta vez no quiero oír qué pasa a continuación.

Sanquita mira por la ventanilla del pasajero.

—No sabía que el fogón estaba encendido. Se le prendió el pijama. Austin intentó ayudarle, pero no pudo hacer nada. —Menea la cabeza, sus ojos clavados en el horizonte—. Seguramente estoy enfadada con mi madre desde entonces. Los del condado dijeron que no fue culpa suya, pero yo sé por qué no se despertó cuando mis hermanos se pusieron a chillar. Cuando volví a casa de la escuela, lo tiré todo al váter. De ninguna manera pasaríamos a familias de acogida. A veces me pregunto por qué hice eso.

Se me retuercen las tripas. ¿Marihuana? ¿Cocaína? ¿Anfetaminas? No pregunto. Alargo el brazo y le pongo una mano suavemente sobre el brazo.

—Lo siento muchísimo, tesoro. Deonte seguirá vivo a través de tu bebé. Es todo un detalle.

Me mira.

—No, no. Deonte no. Le pondré Austin. Austin nunca fue el mismo después de aquel día. Mi madre le hizo creer que la culpa fue suya. Se volvió muy silencioso. Tuvo todo tipo de problemas. Dejó la escuela a los catorce años. Hace unos dos años se pegó un tiro con la pistola de mi tío. Después de ver morir a Deonte, vivir fue demasiado duro para él.

Aparte de las enfermeras y la alegre recepcionista que está sentada tras un panel de cristal, somos las primeras en llegar a la consulta de la doctora Chan. Sentada a mi lado en la estéril zona de recepción, Sanquita rellena el papeleo.

—Sanquita Bell —llama una enfermera desde una puerta abierta.

Sanquita se pone de pie.

—¿Viene?

Levanto los ojos de mi revista.

—Tranquila, puedo quedarme aquí. —Ella se muerde un labio pero no se mueve—. O puedo entrar, si tú quieres que entre. Depende de ti.

—Estaría bien.

Me cuesta creerlo. Me quiere con ella. Dejo la revista a un lado. Poniéndole una mano protectora sobre el hombro, seguimos a la enfermera a la sala de reconocimiento.

Vistiendo una delgadísima bata de hospital verde, Sanquita se sienta en la camilla de exploración con una sábana que le cubre las piernecitas desnudas. Con el pelo recogido con una goma y la cara sin maquillaje alguno, parece una niña esperando a ver a su pediatra. Oímos que llaman suavemente a la puerta y la doctora Chan entra en la sala. Se presenta a Sanquita y se gira hacia mí:

—¿Usted es...?

—Soy Brett Bohlinger, la profesora de Sanquita... y su amiga. Su madre vive en Detroit.

Ella asiente, como si la ambigua respuesta le bastara. Tras un concienzudo examen, múltiples extracciones de sangre y un agotador despliegue de preguntas, la doctora se quita los guantes de látex y le dice a Sanquita que se vista.

—Nos vemos al otro lado del pasillo, en mi despacho.

Nos sentamos de cara a la mesa de la doctora, y ella va al grano sin perder tiempo.

—Tienes una enfermedad muy seria, Sanquita. Y el embarazo añade una importante complicación. El estado de debilidad de tus riñones se ve, además, comprometido por la presión del embarazo. Cuando los riñones no funcionan adecuadamente, los niveles de potasio suben, como me temo que te ha ocurrido a ti. Cuando esto pasa, corres el riesgo de sufrir un paro cardiaco. —Revuelve unos papeles de su mesa, y no sé si está incómoda o impaciente—. Quiero volver a verte cuando reciba los resultados del laboratorio, pero cada segundo que pasa cuenta. Te sugiero que abortes lo antes posible.

—¿Qué? ¡No! —Sanquita se vuelve hacia mí como si yo la hubiese traicionado—. ¡No!

Aprieto una mano sobre su brazo y me dirijo a la doctora.

—Ya está al final del segundo trimestre, doctora Chan.

—Los abortos en avanzado estado de gestación se realizan cuando está en peligro la vida de la madre. En este caso, lo está.

Sanquita se pone de pie, claramente dispuesta a dar por finalizada esta conversación. Pero yo permanezco sentada.

—¿Cuál es su pronóstico si no aborta?

Me mira a mí directamente.

—Tiene un cincuenta por ciento de posibilidades. Las del bebé rondan el treinta por ciento.

No dice *de sobrevivir*. No hace falta.

Sanquita está sentada con la mirada fija en el parabrisas de mi coche. Su rostro parece de granito.

—No pienso volver allí. No lo haré. Esa señora quiere que mate a mi bebé. Eso no va a pasar.

—Tesoro, no se trata de lo que ella quiera, sino de lo que cree que es mejor para ti. Tu vida está en peligro. ¿Lo entiendes?

—¿Lo entiende *usted*? —Me mira furiosa—. Usted no tiene hijos. ¡No tiene derecho a decirme lo que tengo que hacer!

Se me parte el corazón. La mancha roja de sangre me vuelve con toda su intensidad. Procuro respirar con regularidad.

—Tienes razón. Lo siento.

Ella mira por la ventanilla y recorremos varios kilómetros en silencio. Casi hemos llegado a la avenida Carroll cuando al fin habla, en voz tan baja que apenas le oigo.

—Usted quería tener hijos, ¿verdad?

Lo dice como si fuera demasiado tarde, como si hubiera perdido mi oportunidad. Y es que, en su mundo, treinta y cuatro años suena a viejo.

—Sí, quería…, quiero, tener hijos.

Finalmente se gira hacia mí.

—Habría sido una buena madre.

Es a partes iguales lo más dulce y cruel que podría haber dicho. Alargo el brazo y le aprieto la mano. Ella no la retira.

—Tú también lo serás, algún día, cuando hayas solucionado tu problema de riñón. Pero de momento… no quiero perderte.

—Señorita Brett, ¿es que no lo entiende? Mi vida no significa nada si no tengo a mi bebé. Preferiría morir a matar a este bebé.

Sanquita ha descubierto eso de *Moriría por tu amor*. Y fiel a un amor obsesivo, éste podría simplemente acabar con su vida.

Son sólo las diez de la mañana cuando dejo a Sanquita en la Residencia Joshua. Tenía pensado pasar la mañana con ella, yendo a desayunar, haciendo algunas compras para el bebé, pero los ánimos distan tanto de ser festivos que ni siquiera lo propongo.

Al salir del sendero marcha atrás, veo de refilón, esparcidas por el asiento trasero, las páginas que imprimí durante mi búsqueda nocturna de apartamento. Estaciono junto al bordillo y las hojeo en busca de esa bonita casa de ladrillo que vi en Pilsen. Tal vez me pase por ahí, sólo para echar un vistazo. Así podré decirles a Joad y a Brad que he estado mirando.

Revuelvo las páginas. Veo los seis apartamentos de Little Italy, los cuatro del University Village, pero no encuentro esa bonita casa de Pilsen. Sé que la imprimí. ¿Dónde se ha metido? Sobre mi regazo, el resto de páginas parecen implorar mi atención como niños desatendidos. ¡Qué caray!... Vamos allá.

Procuro animarme pensando que estaré más cerca del trabajo y de la Residencia Joshua. Pero no me animo. Estos barrios del South Side parecen lúgubres y deprimentes..., incluso rayanos en lo peligroso. Me animo al entrar en el barrio italoamericano de Little Italy, con su animada zona de tiendas y algunos de los mejores restaurantes de la ciudad. Esto podría salir bien. Busco la primera dirección cruzando los dedos. Pero en lugar de una de las casas coquetas que había visto en el Village, veo un edificio de bloques de cemento con su ventana delantera tapiada como un ojo parcheado. ¡Dios! Este vertedero no se parece en nada a la foto que salía en Craigslist, el buscador. Mi rabia aumenta cuando avanzo hasta Loomis Street, donde el cartel de se alquila no se distingue en un jardín plagado de toda clase de cosas, desde neumáticos de coches viejos hasta una tabla de planchar oxidada. ¿Es esto lo que mi madre tenía en mente? No sé si estoy dolida, ofendida o furiosa. Decido que las tres cosas.

Son las cinco de la tarde de Nochevieja, y estoy sentada junto a la ventana de la casa de mamá sujetando una bolsa de M&M. Fuera, el sol está perdiendo su batalla contra la luna al tiempo que la ciudad se prepara para su jaleo anual. Con *Rudy* aovillado a mis pies, pongo a Carrie al corriente de los últimos acontecimientos por teléfono. Le hablo de la visita de Sanquita a la doctora y del interrogatorio de Joad acerca de mi situación vital.

—Y Johnny volvió a llamar anoche. Como de costumbre, sólo quería hablar de Zoë. Su resfriado ha empeorado. Está preocupado. Me entran ganas de decirle: «Entendido. No te preocupes. No me presentaré en tu puerta».

—No saques conclusiones precipitadas. En cuanto Zoë se encuentre bien, podrá centrarse en ti. Confía en mí. Sé lo que es tener un hijo enfermo. Se convierte en tu mundo.

Me pongo a refunfuñar, diciendo que no es más que un catarro, por el amor de Dios, pero me contengo. Sanquita tenía razón. No lo entiendo. No tengo hijos.

—Bueno, ¿qué tal están tus peques? —pregunto.

—Genial. Tayloe tuvo una función de baile el jueves por la noche. Te enviaré el vídeo. Es la alta del fondo que pierde el compás constantemente, como me pasaba a mí siempre.

Soltamos una risita.

—¿Qué haces esta noche? —pregunta.

—Nada. Jay y Shelley están en alguna fiesta pija. Me he ofrecido para cuidar de los niños, pero Shelley ha contratado una canguro. Así que he alquilado todas las películas antiguas de Meg Ryan que he encontrado. —Paseo hasta la pila de DVD que hay encima de la mesa de centro—. *Algo para recordar*, *Tienes un e-mail*... ¿Te apetece venir? —bromeo.

—Si tienes *Cuando Harry encontró a Sally*, voy.

—Es la primera que he elegido.

Nos echamos a reír.

—Caray, Bretel, te echo de menos. Nos vamos a una fiesta con algunos compañeros de trabajo de Stella. Francamente, cambiaría mi noche por la tuya. A veces la verdad es que te envidio.

—No lo hagas —replico—. No hay nada que envidiar de mi vida. —Se me agarrota la garganta—. Es deprimente estar sola, Car. Voy por la calle y veo a las parejas jóvenes, generalmente empujando un cochecito de bebé, y me siento muy mayor. ¿Y si nunca conozco a alguien? ¿Y si no tengo hijos jamás? ¿Pasarán los niños del vecino corriendo por delante de mi casa, temiendo a la vieja loca que vive sola? —Cojo un pañuelo de papel y me enjugo la nariz—. ¡Dios! ¿Me moriré aquí sola, en la casa de mi madre?

—No. No puedes vivir ahí, ¿recuerdas? Es más probable que mueras sola en alguna casa ruinosa de alquiler.

—¡Vaya, muy bonito!

Ella ríe.

—Todo irá bien, Bretel. Tienes treinta y cuatro años, no noventa y cuatro. Y conocerás a alguien. —Hace una pausa—. Es más, creo que ya lo has hecho.

—¿En serio? —Me meto el pañuelo en el bolsillo—. ¿Y quién es?

—El abogado de tu madre.

Se me cae el alma a los pies.

—¿Brad? Imposible.

—¿Has pensado en ello alguna vez? Y no me mientas.

Suspiro y cojo otro puñado de M&M.

—De acuerdo. Tal vez sí. —Le hablo de la última vez que lo vi y de su frustrado intento de seducirme—. Jenna y él han hecho un paréntesis. Él se sentía solo y estaba un poco borracho. Enrollarnos lo habría echado todo a perder.

—Su relación hace meses que es intermitente. Tú misma me lo dijiste. Mira, he estado pensando. ¿Verdad que te preguntabas por qué tu madre había contratado a Brad, en lugar de recurrir a ese viejo achacoso con el que trabajó durante años?

—¿Sí…?

—Creo que te puso a Brad a tiro.

Me incorporo.

—¿Crees que ella quería que Brad y yo nos liáramos?

—Pues sí.

Como una explosión de sol abriendo un cielo tormentoso, de pronto se hace la luz. No puedo creer que no me diera cuenta de esto antes. Mi madre eligió a Brad Midar para gestionar su patrimonio, en lugar de al señor Goldblatt, consciente de que se enamoraría de mí. Orquestó una relación completamente nueva para mí con un hombre al que ella conocía y respetaba; después de todo, ¡el diario rojo no fue su último regalo!

Me quedo mirando el teléfono y ensayo mentalmente lo que voy a decir por cuadragesimoséptima vez. Me tiemblan las manos, pero a la vez me siento curiosamente tranquila. No estoy sola. Mi madre está conmigo en esto, lo noto. Acaricio el pequeño colgante de oro, mi paracaídas para garantizar aterrizajes suaves. Inspiro hondo y marco el número. Descuelga al tercer pitido.

—Soy yo —digo.

—¡Hola! ¿Qué hay? —Él parece grogui, y me lo imagino desperezándose y peleándose con el reloj para ver la hora. Estoy tentada de bromear diciendo que somos un par de desgraciados, solos en Nochevieja, pero ahora no es momento para bromas. Trago saliva.

—¿Te apetece un poco de compañía esta noche?

Es imposible malinterpretar mi mensaje. Al principio él no dice nada, y se me cae el alma a los pies. Estoy a punto de reírme y decirle que sólo bromeaba cuando oigo su voz, suave y cálida como una copita de jerez en una noche gélida.

—Me encantaría.

Delicados copos caen del cielo cual harina espolvoreada. Tuerzo a la derecha por Oakley y recorro a velocidad constante la silenciosa calle, tenuemente iluminada por farolas. Milagrosamente, encuentro una plaza de aparcamiento justo a una manzana de su dúplex. Un buen presagio, decido. Salgo del coche y, conforme me acerco a su casa, aprieto el paso. Está todo controlado. Juntos, lograremos hasta el último objetivo, incluido el temido caballo. Hasta mi falso embarazo parece menos devastador ahora. Brad será un padre fantástico, mucho mejor de lo que Andrew sería jamás. Estoy aturdida ahora, emocionada por empezar mi nuevo año, mi nueva vida.

Me detengo al llegar a su porche. ¿Y si mi pálpito es erróneo, y el de Carrie también? El pulso me martillea las sienes. ¿Me estaré equivocando? Antes de que pueda replantearme las cosas, la puerta se abre y nuestras miradas se encuentran. Lleva tejanos y una camisa de algodón, por fuera. Está tan guapo que me dan ganas de rodearle con los brazos. Pero no tengo tiempo. Él se me adelanta.

Cierra la puerta de una patada a nuestras espaldas y me aplasta contra la pared. Se me acelera la respiración y me da vueltas la cabeza. Me deshago del abrigo como puedo y entrelazo los brazos por detrás de su nuca. Sosteniendo mi cara en sus manos, me besa el cuello, los labios, su lengua se funde con la mía.

Sabe ligeramente a *bourbon* y deseo bebérmelo de un trago. Deslizo los dedos por su pelo. Es grueso y suave; exactamente como imaginé que sería al tacto. Sus manos descienden por mi cuerpo. Me levanta el jersey y sus dedos hallan mi piel desnuda. La piel del cuerpo entero se me pone de gallina.

Me saca el jersey por la cabeza y me desliza las manos por debajo del sujetador, rodeándome los pechos.

—¡Dios...! —me susurra al cuello—. ¡Qué guapa eres!

Ahora estoy ardiente. Alargo el brazo e intento torpemente desabrocharle la hebilla del cinturón. Doy con la cinta de cuero y tiro de ella para soltarla. Acto seguido le desabotono los tejanos.

Y en la otra habitación oigo que su teléfono suena.

Su cuerpo se pone rígido y sus dedos se detienen en mis pezones.

Vuelve a sonar.

Con cada ápice de instinto que poseo, sé que es Jenna. Y sé que Brad también lo sabe.

—Ni caso —susurra, amasándome los pechos. Pero sus dedos están torpes ahora, como si hubiesen perdido el ritmo; o el interés.

Hundo la cabeza contra su pecho y escucho el teléfono, que vuelve a sonar. Al final, deja caer las manos a los lados del cuerpo.

Una sensación de angustia me sacude. ¡Qué idiota soy! ¿En qué estaba pensando? Me suelto y cruzo los brazos delante de mi pecho desnudo.

—Ve —digo—. Coge el teléfono.

Pero los pitidos han cesado ahora. El único sonido es el apagado gemido de la caldera y la agitada respiración de Brad. Está frente a mí, los pantalones desabrochados y la camisa arrugada, y se masajea la nuca. Alarga el brazo hacia mí, y la honda expresión de sus ojos es inconfundible. Es una mirada tierna que dice que no quiere hacerme daño. Una expresión que me da a entender que su corazón pertenece a otra persona.

Procuro esbozar una sonrisa, pero las comisuras se curvan hacia abajo por voluntad propia.

—Llámale —susurro, y me agacho para coger el jersey.

Oigo que me llama mientras bajo volando los escalones del porche. Piso la acera y echo a correr; me aterra que mi mundo se abra bajo mis pies si paro siquiera el más breve de los instantes.

20

Gracias a Dios, las vacaciones de Navidad terminan y mi trabajo de profesora continúa. ¿Quién iba a pensar que mi vida podría ser tan lamentable que preferiría trabajar a hacer vacaciones? Me cuelgo la cartera de cuero sobre un hombro y mi bolso de viaje sobre el otro.

—Diviértete en casa de tía Shelley, *Rudy*. Te veo mañana.

Estoy en camino antes de que el reloj dé las seis, pero, antes de que amanezca, el tráfico ya está alborotado. Repaso mentalmente el día que tengo por delante. ¿Quién me mandaría comprometerme a cumplir con mi turno de los lunes por la noche en la Residencia Joshua en mi primer día de vuelta al trabajo? Aunque, a decir verdad, probablemente sea mejor que esté en la casa de acogida y no en casa llorando por el bebé que no era tal, el nuevo amor que no era tal, y el padre que quizá no sea.

Enciendo las luces del techo y mi despacho despierta de su hibernación. En el alféizar de la ventana, diviso mis geranios. Las flores están marchitas y las hojas están quebradizas y amarillentas, pero han logrado sobrevivir al paréntesis de quince días; como he hecho yo. Enciendo el ordenador. Aún no son las siete, lo que significa que dispongo de dos horas magníficas para organizarme antes de que empiece mi ajetreada jornada. Los exámenes finales del primer semestre comienzan mañana, y Sanquita habrá hecho cinco antes de que acabe la semana.

La parpadeante luz roja de mi teléfono me indica que tengo mensajes. Cojo el bloc de notas y escucho. Los dos primeros son casos nuevos. El tercer mensaje es del doctor Taylor, lo dejó el 23 de diciembre. Me siento al oír su voz y mordisqueo la goma del lápiz.

«Hola, soy Garrett. Quería darte mi número de móvil, sólo por si da la casualidad de que consultas tus mensajes en vacaciones. Es el tres, uno, dos-cinco, cinco, cinco, cinco-cuatro, nueve, dos, ocho. Llámame a cualquier hora. Estaré por aquí. Las vacaciones pueden ser difíciles, sobre todo tus primeras Navidades sin tu madre. —Hace un alto—. Sea como sea, sólo quería que supieras cómo localizarme. Y si escuchas este mensaje en Año Nuevo, me alegra que hayas sobrevivido a las vacaciones. Felicidades y feliz Año Nuevo. Hablamos pronto.»

Tiro el lápiz y me quedo mirando el teléfono. El doctor Taylor se preocupa realmente por mí. No soy sólo la profesora de su paciente. Lo escucho por segunda vez, únicamente para oír su voz, y me sorprendo a mí misma sonriendo por primera vez en días. Marco su número, con la esperanza de que también sea madrugador.

Lo es.

—Feliz Año Nuevo, Garrett. Soy Brett. Acabo de escuchar tu mensaje.

—¡Hola! Bueno, es que... no estaba seguro de si...

Parece avergonzado, y sonrío.

—Gracias. Te lo agradezco mucho. ¿Qué tal tus vacaciones?

Me cuenta que ha pasado la Navidad con sus hermanas y sus respectivas familias.

—Cenamos en casa de mi sobrina en Pensilvania.

—¿En casa de tu sobrina? —Me deja unos segundos desconcertada. Claro que, lógicamente, a diferencia de Emma, que es un bebé, su sobrina es adulta, quizás incluso sea de mi edad—. ¡Qué bien!

—Melissa es la hija de mi hermana mayor. Cuesta imaginar que ya tiene dos hijos en secundaria. —Se detiene unos instantes—. ¿Qué tal tus vacaciones?

—Por suerte para ti no he recibido tu mensaje hasta hoy. De haber tenido tu número, me lo habría guardado en marcación rápida.

—¡Pues sí que ha ido mal!

—Sí, muy mal.

—Mi primer paciente no llega hasta las nueve. ¿Quieres hablar de ello?

Le ahorro los detalles del periodo, que me vino el día de Navidad, y del humillante episodio con Brad, pero le hago un bosquejo de mis vacaciones: el luto por mi madre, mi inútil búsqueda de apartamento y la visita de Sanquita a la doctora. Ni que decir tiene que se le da de maravilla escuchar; al fin y al cabo, es psiquiatra. Pero este médico especializado en enfermedades mentales me hace sentir que soy normal, no como un bicho raro o una psicópata que roza la disfunción, como me siento en ocasiones. Incluso me hace reír..., hasta que pregunta si he tenido noticias de mi padre.

—De hecho, llamó el día de Navidad. Tiene otra hija —le suelto—. Alguien a quien conoce y adora. No está ni mucho menos tan deseoso de conocerme como yo de conocerlo a él. —Nada más pronunciar las palabras, me arrepiento. No debería estar celosa de mi hermana. No se encuentra bien. Debería ser más comprensiva.

—¿No habéis quedado en veros?

—No. —Me pellizco el puente de la nariz—. Zoë está resfriada. No quiere hacerla viajar, y no quiere exponerla a cualquier microbio que pueda llevar yo.

—Y eso a ti te parece un rechazo. —Su voz es suave y amable.

—Sí —susurro—. Pensé que cogería el primer avión a Chicago. Tal vez no quiera disgustar a Zoë introduciéndome en el redil. ¿Quién sabe? Me siento muy egoísta, pero es que he esperado mucho tiempo. Sólo quiero conocerlo, y a Zoë también. Es mi hermana.

—Lógico.

—Me siento como... como si fuera un regalo que le he dado a mi padre, pero es un regalo que, al fin y al cabo, él no necesita para nada. Le he dado una copia, y a él se le cae la baba con el original. —Cierro los ojos con fuerza—. La verdad es que tengo celos de Zoë. Sé que no debería sentirme así, pero es lo que siento.

—No hay *debería* que valga cuando se trata de nuestros sentimientos. Son lo que son. —Su voz es una toallita fría sobre mi frente febril—. Debes de tener la sensación de que tu padre está protegiendo a tu hermana, pero no a ti.

Me quedo sin habla y me abanico la cara.

—Eh... mmm. —Echo un vistazo al reloj—. ¡Caramba! Son las ocho y media. Tengo que colgar.

—Brett, tus sentimientos son normales. Como cualquier persona equilibrada, ansías una relación en la que te sientas apoyada, protegida, cuidada. Y tenías grandes expectativas de que tu padre cubriera esas necesidades. Y quizá lo haga. Pero esas necesidades pueden satisfacerse también de otras maneras.

—¿Es ahora cuando recetas Xanax o Valium o algo así?

Él se ríe entre dientes.

—No. No necesitas medicación. Lo único que necesitas es más amor en tu vida: sea de tu padre, o de un amante, o de otra fuente, quizás incluso de ti misma. Lo que te falta es una necesidad humana básica. Lo creas o no, estás entre las personas afortunadas; reconoces que lo necesitas. Hay un montón de personas infelices por ahí que han reprimido sus necesidades. Buscar el amor genera vulnerabilidad. Sólo la gente equilibrada puede permitirse ser vulnerable.

—No me siento muy equilibrada en este momento, pero, como el experto eres tú, confiaré en tus palabras. —Echo un vistazo a mi agenda y compruebo que a las nueve y cuarto tengo una cita con Amina—. Tengo que irme, en serio, y tú también. Pero gracias por la sesión. ¿Me llegará una factura millonaria cuando acabe el tratamiento?

Él se ríe.

—Tal vez. O tal vez me limitaré a pedirte que me invites un día a comer.

Me coge desprevenida. ¿Está el doctor Taylor flirteando conmigo? ¡Vaya, vaya…! Nunca he salido con un hombre más mayor. Pero tengo que reconocer que, entre mis amigas, no destaco precisamente por mis hazañas amorosas con los hombres. ¿Podría Garrett ser mi Michael Douglas y yo su Catherine Zeta-Jones? ¿O ser mi Spencer Tracy y yo su Katharine Hepburn? Mi mente busca deprisa algo inteligente que decir, algo sencillo pero significativo que dé a entender que la puerta está abierta; aunque sea sólo una rendija.

Pero he tardado demasiado.

—Vete a trabajar —dice, en un tono más formal que de costumbre—. Por favor, llámame después de tu próxima clase con Peter, ¿quieres?

—Sí, sí. ¡Claro!

Quiero retomar el tema de la comida, pero él ya está despidiéndose y lo siguiente que sé es que hemos desconectado.

En sentido literal y figurado.

Durante todo el día, una fina neblina rocía la ciudad como agua bendita, y ahora las temperaturas están bajando, provocando un tráfico caótico. Como de costumbre, he programado la clase con Peter para el final, consciente de que tiene la virtud de arruinarme incluso mi mejor día.

La clase de hoy no difiere de las anteriores. Como de costumbre, elude el contacto visual y masculla las respuestas. Aun así no puedo evitar compadecerme de él: un niño inteligente encerrado todo el santo día en esta casa llena de humo. Cuando acabamos la clase, extraigo una pila de libros de la cartera.

—El otro día estuve en la librería, Peter. Pensé que quizá te apetecería leer algo, ya sabes, para mantener la mente ocupada. —Levanto la vista hacia él, esperando detectar un brillo de ilusión o emoción en su cara. Pero se limita a mirar fijamente hacia la mesa que tiene delante.

Saco mi favorito del montón.

—Sé que te gusta la historia. Este libro habla de los niños del fenómeno Cuenco de Polvo. —Cojo otro—. Y éste lo cuenta todo sobre la expedición de Lewis y Clark.

Estoy a punto de elegir otro cuando aparta los libros de mi alcance.

Sonrío.

—Eso es. Cógelos. Son tuyos.

Levanta el montón entero y lo abraza contra el pecho con aire protector.

Se me alegra el corazón. Es la primera vez que nuestra clase ha acabado de forma positiva.

Aún chispea cuando bajo despacio los escalones del porche. Me agarro a la barandilla de hierro, notando la capa de aguanieve sobre los peldaños de cemento. Mis pies han llegado al sendero cuando oigo la puerta abrirse a mis espaldas.

Me giro. Peter está en el porche bajo la lluvia, abrazando sus libros nuevos. Me mira fijamente, y me pregunto si querrá darme las gracias. Espero un momento, pero no dice nada. Seguramente le dé vergüenza. Me despido con la mano y me vuelvo hacia el coche.

—Que disfrutes de tus libros, Peter.

Un fuerte *cataplum* me sobresalta, y me giro. El niño me mira con una sonrisa malévola en la cara. Los libros nuevos están desparramados por el porche, absorbiendo los charcos acuosos.

Abro con llave la puerta de mi despacho, tiro mi bolso húmedo al suelo y corro hasta el teléfono. Suena cuatro veces hasta que él descuelga.

—Garrett, soy Brett. ¿Tienes un minuto?

Todavía me tiembla la voz mientras le describo la cruel reacción de Peter.

Le oigo suspirar.

—Siento mucho que haya pasado esto. Mañana haré varias llamadas. Su mal comportamiento en casa ha ido a más. Ha llegado el momento de que le busquemos otro alojamiento a Peter.

—¿Otro alojamiento?

—Estar encerrado en casa no es la solución para este niño. El condado de Cook tiene un programa excelente para adolescentes con enfermedades mentales: Nuevos Senderos. La proporción es de dos alumnos por profesor, y los chicos reciben terapia intensiva dos veces al día. Peter es todavía pequeño, pero espero que hagan una excepción.

Estoy aliviada y al mismo tiempo decepcionada. Puede que Peter pronto deje de ser uno de mis casos. Pero siento como si estuviera abandonando una misión, como si estuviera dejando una obra de teatro justo antes del final. Y ¿quién sabe? Tal vez el final habría sido una redención.

—Quizás esos libros simplemente le parecieron absurdos o insultantes —digo—. Quizá le molestó que le hubiese comprado regalos, como si me compadeciese de él.

—Esto no tiene nada que ver contigo, Brett. No es un caso típico. Me temo que, por mucho que lo intentes, no podrás con él. Quiere hacerte daño. De momento se trata sólo de dolor emocional, pero me preocupa que pueda agravarse.

Recuerdo la sonrisa de Peter, fría y despiadada. Me recorre un escalofrío.

—Te he asustado, ¿verdad?

—Estoy bien. —Miro hacia la calle lóbrega de abajo. Tenía previsto quedarme toda la tarde aquí, hasta mi turno de las nueve en la Residencia Joshua. Pero mi acogedor despacho de pronto se me antoja solitario e inquietante—. ¿Te acuerdas de esa comida que comentabas esta mañana?

Garrett titubea.

—Sí.

Inspiro hondo y cierro los ojos con fuerza.

—¿Querrías quedar para tomar un café ahora? ¿O una copa, tal vez?

Contengo la respiración mientras espero su respuesta. Cuando habla, me parece oír una sonrisa en su voz.

—Me encantaría quedar para tomar una copa.

El tráfico es espantoso, cosa que ya me imaginaba. En lugar de los sitios de moda que Andrew y yo solíamos frecuentar, elijo el Petterino's, un bar-restaurante de estilo años cuarenta cercano al Loop, donde creo que Garrett estará a gusto. Pero son las seis menos veinte y estoy aún en el South Side, a kilómetros del distrito de los teatros. Es imposible que llegue a las seis. ¿Por qué habré borrado su mensaje esta mañana antes de anotarme su número de móvil?

Cuando suena el teléfono, doy por sentado que es él para decirme que también está atrapado en pleno atasco. Pero eso no puede ser. Tampoco tiene mi número de móvil.

—Soy Jean Anderson de la Residencia Joshua. La esperamos a las nueve, pero necesito que venga pronto.

La indignación se apodera de mí. ¿Qué le pasa a esta mujer? ¿Se cree que puede darme órdenes?

—Lo siento, tengo planes. Probablemente pueda estar allí sobre las ocho, pero no se lo prometo.

—Es Sanquita. Está sangrando.

Tiro el teléfono en el asiento del copiloto y cambio rápidamente de sentido. Dos coches me pitan, pero les ignoro. Sólo soy capaz de pensar en esa chica de ojos avellana y el bebé por el que está dispuesta a morir.

—No dejes morir al bebé —rezo en voz alta, una y otra vez hasta que llego al centro.

Jean salta de su Chevrolet blanco cuando me detengo junto al bordillo. Corre a mi encuentro mientras yo vuelo por el camino de entrada.

—Me la llevo al Cook County Memorial —comenta—. He dejado una nota con todas las instrucciones para esta noche.

Llego hasta el coche y abro la puerta de atrás. Sanquita está tendida en el asiento trasero, masajeándose la barriga. Su cara hinchada brilla de sudor, pero sonríe al verme. Le aprieto la mano.

—Aguanta, tesoro.

—¿Volverá mañana? Tengo que hacer esos exámenes.

A pesar de lo que está sufriendo, sigue decidida a acabar los estudios. Me trago el nudo de la garganta.

—Cuando estés preparada. No te preocupes. Tus profesores lo entenderán.

Sus ojos me miran suplicantes.

—Rece por mi bebé, señorita Brett.

Asiento y cierro la puerta del coche. Mientras se aleja, rezo otra oración.

Encuentro la nota de Jean en el despacho, junto con los detalles de un conflicto que está caldeándose entre dos de las alojadas. Espera que yo pueda mediar, si el tiempo lo permite. Pero antes que nada, tengo que llamar al Petterino's y avisar a Garrett. Estoy revolviendo la mesa en busca de un listín telefónico cuando oigo gritos procedentes de la sala de la tele. Salto de la silla, abro la puerta del despacho y me encuentro en un campo de batalla.

—¡Mis cosas no son cosa tuya! —chilla Julonia con la cara encendida. Está a centímetros de la cara de Tanya, pero ésta no se arredra.

—Te lo he dicho, yo no he abierto tu cajón. Búscate la vida.

—Calma, señoritas —digo, pero me tiembla la voz—. Parad ahora mismo.

Al igual que mis alumnos de la escuela primaria Douglas Keyes, no prestan atención. Otras mujeres acuden corriendo para asistir al espectáculo.

—¡Me la he *buscau*! —exclama Julonia, con los brazos en jarras—. ¡No tengo que robar el dinero de nadie! Tengo trabajo, no como tú, que lo único que haces es pasarte *tol* día sentada sobre tu culo gordo.

El público exclama un unánime «Oooh». En la televisión la jueza de *De buena ley* le echa a alguien una seria reprimenda. Procuro sintonizar con su autoridad.

—¡Señoritas, basta!

Tanya empieza a alejarse, luego retrocede un paso. Con la agilidad de una acróbata, se gira y le atiza un puñetazo en la mandíbula a Julonia, quien, momentáneamente aturdida, se palpa la boca. Cuando baja la mano, ve sangre en sus dedos.

—¡Cabrona! —Agarra un puñado de pelo de Tanya y estira. Un cacho de las extensiones cae a la alfombra.

Tanya grita barbaridades y se abalanza sobre ella. Por suerte para mí, Mercedes la sujeta por detrás. Yo agarro a Julonia del brazo y, con una fuerza que me asombra, la arrastro hasta el despacho. Cierro la puerta de una patada y con manos temblorosas echo el pestillo al entrar. Julonia dice palabrotas y le sobresalen las venas de la frente, pero al menos se contiene. Oigo a Tanya al otro lado de la puerta, pegando gritos todavía, pero su voz está perdiendo ardor. Me siento en la mesa y señalo la cama.

—Siéntate —digo, e inspiro entrecortadamente.

Julonia se sienta en el borde de la cama mientras se muerde el labio inferior y aprieta los puños.

—Ella me ha robado mi dinero, señorita Brett. Sé que lo ha hecho.

—¿De cuánto estamos hablando?

—Siete dólares.

—¿Siete dólares? —A juzgar por la ira, yo había dado por hecho que se trataba de cientos. Recibo un nuevo baño de humildad. Para el que no tiene nada, siete dólares es su fortuna—. ¿Qué te hace pensar que lo ha cogido Tanya?

—Es la única que sabe dónde lo guardo.

La miro atónita.

—Los billetes. El dinero.

—¡Ah...! Bueno, a lo mejor te lo has gastado y no te acuerdas. A mí me pasa constantemente. Abro el billetero y me parece que me falta dinero, pero cuando realmente me paro a pensarlo, caigo en la cuenta de que me lo he gastado.

Ella ladea la cabeza y me mira con el ceño fruncido.

—¡Ya...! Eso a mí no me pasa. —Levanta el rostro hacia el techo y parpadea deprisa—. Iba a comprarle a Myanna una mochila nueva. La suya está hecha un asco. Tienen una en el Walmart por catorce dólares. Ya tenía la mitad antes que esa puta vaga me lo robara.

Se me parte el corazón de pena. Me dan ganas de abrir mi billetero y darle todo lo que tengo, pero eso va contra las normas.

—Te diré lo que haremos. Te buscaré una pequeña caja fuerte. La traeré mañana. Así nadie podrá robarte.

Me sonríe.

—Eso estaría bien. Pero eso no me devolverá mi dinero. ¿Se hace una idea de lo mucho que he tardado en ahorrar siete billetes?

No, no me la hago. Por motivos que no alcanzo a explicar ni justificar de ningún modo, me tocó una buena mano, una mano que incluía amor y dinero y educación. Me invaden la culpa y la gratitud, la humildad y la congoja.

—Esta mochila que has visto, ¿de qué color es?

—Ella quiere la morada.

—¿Y es de Walmart, del departamento infantil?

—Sí, eso.

—Julonia, creo que tengo la misma mochila. La compré para mi sobrina, pero ya tenía una. Está nueva. ¿La quieres?

Me observa atentamente, como decidiendo si digo la verdad.

—¿La morada?

—¡Ajá!

Se le ilumina la cara.

—Eso sería estupendo. Myanna está llevando los libros en una bolsa de plástico. Necesita una mochila.

—De acuerdo, pues, la traeré mañana.

—¿La caja fuerte también?

—Sí, la caja fuerte también.

Me siento delante de la mesa y me doy un masaje en las sienes. Por fin hallo la fuerza para rescatar un informe de incidencias y procedo a rellenarlo. «Fecha: 5 de enero. Hora:...» Miro el reloj y luego escribo: «Siete y cuarto». Entonces suelto el lápiz. *¡No!* Abro con urgencia el cajón de la mesa y saco el listín telefónico, recorriéndolo con los ojos lo más rápido que puedo. Al fin encuentro el número del Petterino's.

—Hola —le digo al *maître*—. Se supone que debía encontrarme con un amigo esta noche. Espero que aún esté allí. El doctor Garrett Taylor. Es un hombre... —Caigo en la cuenta de que me es imposible identificar a Garrett—. Va solo.

—¿No será usted la señorita Bohlinger?

Me río, el alivio fluye a raudales por mi cuerpo.

—Sí, sí. Soy yo. ¿Podría hablar con él, por favor?

—Lo siento, señorita Bohlinger. El doctor Taylor se ha ido hace cinco minutos.

21

Llamo al hospital casi cada hora. A las tres de la madrugada la señorita Jean me asegura que Sanquita se pondrá bien. A la mañana siguiente, estoy llenando el lavaplatos con los boles del desayuno cuando oigo su coche aparcando en el sendero. Salgo disparada de la cocina. Antes de que el contacto esté apagado, abro la puerta del coche. Sanquita está desplomada en el asiento trasero, la cabeza apoyada en la ventana.

—Hola, tesoro. ¿Qué tal te encuentras esta mañana?

Unos círculos oscuros ensombrecen sus ojos vidriosos.

—Me han dado una medicina para parar las contracciones.

Con sus brazos echados sobre nuestros cuellos, Jean y yo subimos a Sanquita por los escalones del porche y la metemos en la casa. Al llegar a la escalera, la cojo yo en brazos. Pesa menos que *Rudy*. La llevo a su cuarto y la tumbo en su cama.

—Tengo que hacer los exámenes —farfulla.

—Nos ocuparemos de eso más tarde. Ahora duerme un poco. —Le doy un beso en la frente y apago la lámpara—. Luego volveré para ver cómo estás.

Cuando llegamos al pie de la escalera, Jean se quita el pañuelo de la cabeza, dejando suelto un casquete de rizos morenos.

—Llevo toda la noche intentando localizar a su madre, pero su teléfono está fuera de servicio —me dice—. Esa pobre niña está completamente sola.

—Yo puedo quedarme con ella.

Se quita las botas y se pone unas prácticas bailarinas negras.

—¿No tiene más alumnos?

—Sí, pero puedo cambiarles el horario.

Ella rechaza mi ofrecimiento con un gesto de la mano.

—Bobadas. Hoy estaré aquí. Pásese luego si puede.

Se gira en dirección a su despacho, pero se detiene, de espaldas a mí.

—Anoche Sanquita estuvo hablándome de usted. Me dijo que la llevó a una especialista.

Sacudo la cabeza.

—Le pido disculpas. No sabía que la doctora Chan le aconseja…

—Y me dijo que ha estado dándole clase todos los días, no sólo las dos sesiones obligatorias.

Me pongo alerta. ¿Qué está insinuando?

—No me cuesta nada saltarme la hora de comer. Mire, si es un problema…

—Me dijo que nadie se ha preocupado nunca tanto por ella. —Se va arrastrando los pies—. Esa cría la considera a usted muy especial. Me ha parecido que debería saberlo.

Se me hace un nudo en la garganta.

—A mí ella también me parece muy especial —susurro, pero la señorita Jean ya está a mitad de pasillo.

Camino de casa de Amina, llamo a la consulta del doctor Taylor. Como antes, salta el contestador automático. Cuelgo sin dejar otro mensaje. ¡Maldita sea!

Realizo mis gestiones diarias como una autómata, Sanquita y el bebé asaltan mis pensamientos. Cuando acaba la jornada, vuelvo rápidamente a la Residencia Joshua presa de la angustia. Corro escaleras arriba esperando ver a una paciente debilitada, pero, por el contrario, Sanquita está recostada sobre su almohada en la habitación llena de luz, bebiendo un zumo a sorbos. Tanya y Mercedes merodean junto a la cabecera de su cama, contándole historias de sus propios partos. Sanquita abre los ojos como platos cuando me ve en la puerta.

—Hola, señorita Brett. Pase.

—Hola, chicas. —Me inclino para abrazar a la chica. En lugar de la reacción tensa e incómoda que normalmente recibo, me devuelve el abrazo—. Tienes mucho mejor aspecto, cielo.

—Y me encuentro mejor. Sólo tengo que evitar levantarme, eso es lo que me han dicho los médicos. Si el bebé puede aguantar hasta finales de abril, hacia la semana treinta y seis, todo irá bien.

—Maravilloso —digo, intentando creérmelo.

—¿Tiene mis exámenes?

Me río.

—No te preocupes por los exámenes. He hablado con tus profesores. Estamos de acuerdo en que por el momento deberías centrarte en tu salud.

—No pienso rendirme ahora. Estoy a punto de graduarme. Usted me dijo que me ayudaría.

—Está bien, de acuerdo —le digo, sonriendo—. Si estás segura de que puedes hacerlo, empezaremos mañana con los exámenes.

Ella sonríe de oreja a oreja.

—Puedo hacerlo, ya lo verá.

La estrecho entre mis brazos.

—Eres de lo que no hay, ¿lo sabes?

No me contesta nada. Ni espero que lo haga. Que me deje abrazarla es suficiente.

Antes de irme de la casa, llamo a la puerta del dormitorio de Julonia.

—¿Julonia? —pregunto, empujando la puerta entreabierta. Entro en la habitación impoluta y camino hasta las dos camas individuales. Encima del edredón verde coloco una pequeña y sólida caja fuerte. Encima del cubrecama blanco inmaculado dejo la nueva mochila morada de Mannya.

He quedado con Brad para cenar en el Bistrot Zinc, un acogedor restaurante francés de State Street. Desde nuestro fiasco de Nochevieja sólo hemos hablado por teléfono, pero aparte de comunicarme que Jenna y él están «arreglando las cosas», hemos centrado las conversaciones en mi lista de objetivos vitales. Esta noche nos veremos cara a cara, por lo que estoy como un flan. ¡Oh, Dios! Todavía me fundo cuando pienso en esa chica solitaria e imprudente que cruzó en coche la ciudad con tan elevadas esperanzas.

Camino del restaurante, vuelvo a llamar a la consulta de Garrett. *Venga. Coge el teléfono, Garrett.*

—Garrett Taylor —dice.

—Garrett, soy Brett. No cuelgues.

Él se ríe entre dientes.

—Descuida. A ti no te colgaría. He recibido tu mensaje esta mañana, y veo que hoy has llamado unas siete veces más.

Genial. Acaba de añadir obsesivo-compulsiva a mi lista de diagnósticos.

—Sí, lo siento. Es que quería explicarte lo que pasó.

—Lo has hecho. Y lo entiendo perfectamente. ¿Qué tal está esa jovencita..., Sanquita?

Exhalo un suspiro de alivio.

—Mucho mejor, gracias. Acabo de estar con ella. ¿Te han dicho algo de la plaza para Peter?

—Sí. Esta tarde he hablado con el director de educación especial. La edad requerida por Nuevos Senderos sigue siendo un problema. Me temo que llevará un tiempo.

—No pasa nada. Necesito pasar un poco más de tiempo con él.

Detengo el coche junto a un bordillo y charlamos durante cinco minutos más. Finalmente me pregunta:

—¡Eh! Estás en el coche, ¿verdad?

—Sí.

—¿Y has acabado de trabajar por hoy?

—Así es.

—¿Qué te parece si nos tomamos ahora esa copa?

Sonrío, y entonces caigo en la cuenta: estoy colada por Garrett Taylor. Y creo que él también está colado por mí.

—Lo siento —contesto, oyendo la estúpida sonrisa de mi voz—. Esta noche he quedado con un amigo para cenar.

—¡Ah..., vale! No pasa nada. Hablamos después de tu próxima clase.

Me coge desprevenida la brusquedad con que pone fin a nuestra conversación. Supongo que, después de todo, no estaba colado por mí. Se me encoge el pecho. ¿Encontraré a alguien algún día?

Repaso nuestra conversación... *He quedado con un amigo.* ¡Oh, no! Garrett cree que tengo una cita. Y esa sonrisa en mi voz seguramente le habrá sonado a burla. ¡Tengo que aclarárselo!

Cojo el teléfono, demasiado nerviosa e impaciente como para esperar a nuestra próxima conversación telefónica. Tal vez podamos vernos mañana por la noche. ¿Qué me pondré? Mientras marco su número me veo en el espejo retrovisor. Tengo ojos de loca y una expresión de profunda desesperación.

Suelto el teléfono y me masajeo la frente. ¡Señor! ¿Tan bajo he caído como para acosar a un sesentón? Esta maldita lista me está volviendo loca. Estoy fijándome en todos los tíos que conozco, como un director de teatro en busca del actor perfecto que interprete el papel del marido y padre en su obra. Esto no es lo que mi madre quiere.

Cierro el teléfono con un chasquido y lo tiro dentro del bolso.

Brad está en la barra tomando un martini, está especialmente guapo con su camisa azul cielo y una chaqueta de cachemir negra. Pero, como siempre, tiene el pelo un poco despeinado, y hoy una mancha de color mostaza le salpica la corbata. Me toca la fibra sensible. ¡Dios! Lo he echado de menos. Se levanta al verme y extiende los brazos. Sin dudarlo, voy a su encuentro.

Nuestro abrazo es especialmente intenso, como si ambos estuviésemos intentando hacer de nuevo un hueco a nuestro amor y amistad.

—Lo siento mucho —me susurra al oído.

—Yo también.

Me quito el abrigo y debajo de la barra encuentro el gancho para colgar el bolso. Una vez instalados, reina un incómodo silencio entre los dos, un paréntesis inquietante que nunca había estado allí.

—¿Te apetece una copa? —pregunta.

—Sólo agua, de momento. Tomaré una copa de vino para cenar.

Brad asiente y toma un sorbo de su martini. En el televisor que hay sobre la barra está puesta la CNN, pero sin volumen. Me lo quedo mirando igualmente. ¿Lo he echado todo a perder? ¿Estará nuestra amistad eternamente empañada por ese bochornoso magreo?

—¿Qué tal está Jenna? —pregunto, rompiendo el silencio.

Extrae el palillo con aceitunas del martini y lo mira con fijeza.

—Bien. Parece que hemos reconducido el asunto.

Un hierro para marcar el ganado me chamusca el corazón.

—Estupendo.

Su mirada es tierna como la de un koala.

—En otro momento, creo que tú y yo juntos podríamos haber tenido algo sensacional.

Me obligo a sonreír.

—Pero, como dicen, la sincronía lo es todo.

El silencio vuelve. Detecto que Brad también nota el cambio entre los dos. Juega con su palillo, metiendo las aceitunas en el martini y volviendo a sacarlas a la superficie. Meter. Sacar. Meter. Sacar. No puedo dejar que pase esto. ¡No dejaré que pase! Valoro demasiado nuestra amistad para dejar que se diluya por un error de veinte minutos.

—Verás, Midar. Quiero que sepas que esa noche estaba un poco desesperada.

Me mira.

—Desesperada, ¿eh?

Le doy con el puño en el brazo.

—Al fin y al cabo, era Nochevieja. Dame un respiro.

Unas líneas de expresión le arrugan los ojos.

—Ya veo. Así que sólo fue sexo.

—Exacto.

Él sonríe.

—Muy bonito, B. B. Debería habérmelo imaginado.

Mi sonrisa desaparece y paso el dedo por el borde de mi vaso de agua.

—¿La verdad, Brad? Pensé que tal vez formaba parte del plan de mi madre. Ya sabes, una especie de arreglo post mórtem, como está haciendo con el resto de mi vida.

Gira sobre su taburete y me mira a la cara.

—Tu madre sabía que yo no estaba disponible, Brett. Conoció a Jenna la misma noche que a mí. No te habría hecho eso, ni a mí tampoco.

Me siento como si me hubieran dado una puñalada trapera en la barriga.

—Entonces, ¿por qué, Brad? ¿Por qué mi madre te contrató? ¿Por qué insistió en que abrieras cada carta? ¿Por qué se aseguró de que estuviéramos en continuo contacto, si sabía que no estabas disponible?

Él se encoge de hombros.

—No tengo la menor idea. A menos que, tal vez, en realidad yo le gustara y ella pensara que podría gustarte a ti también. —Se frota el mentón, pensativo—. No, eso es demasiado rocambolesco.

—¡Bah! —bromeo— En serio. Estaba convencida de que mi madre estaba orquestando nuestro romance; de lo contrario, yo nunca me habría atrevido a… —noto que me ruborizo y pongo los ojos en blanco—. a hacer lo que hice.

—¿Seducirme?

Lo miro con desdén.

—¿Qué? Que yo recuerde, tú intentaste seducirme una semana antes.

Él se ríe entre dientes.

—No nos pongamos quisquillosos. Además, estábamos de vacaciones. Dame un respiro.

Y de golpe volvemos a ser el Brad y la B. B. de siempre.

—Jenna vendrá dentro de dos semanas. Me encantaría que os conocierais, si te parece bien.

Yo sonrío, y la verdad es que me sale del corazón.

—Me encantaría.

Mira por encima de mi hombro e inclina la cabeza.

—Parece que nuestra mesa está lista.

Nos sentamos junto a la ventana, y le suelto un rollo sobre Peter, Sanquita y el resto de mis alumnos.

—Le están dando terbutalina para detener las contracciones, pero aun así estoy preocupada.

Brad me observa con una sonrisa.

—¿Qué?

—Nada. Todo. —Menea la cabeza—. Eres tan distinta a esa mujer que estuvo en mi despacho en septiembre pasado. Te gusta mucho este trabajo, ¿verdad?

—Sí. Me encanta. ¿Puedes creerlo?

—Después de tanto quejarte y tanto refunfuñar, Elizabeth tenía razón.

Lo miro entornando los ojos y él se echa a reír.

—La verdad duele, ¿eh?

—Es posible. Pero ¿y si no hubiera encontrado este trabajo a domicilio? ¿Y si hubiese tenido que dar clases en un aula? Me habría vuelto loca. En serio. Mi madre ha tenido suerte.

Brad saca un sobre rosa del bolsillo. Objetivo número veinte.

—Llevas casi tres meses dando clase. Te has ganado tu sobre. —Rompe el lacre—. «¡Felicidades, hija mía! ¡Cómo me gustaría que me contaras todo sobre tu nuevo empleo! Me pregunto dónde das clase. Intuyo que no es un trabajo convencional, puesto que nunca has sido muy partidaria de la disciplina.»

Me quedo boquiabierta.

—«No te ofendas, cariño. María crió a los niños Von Trapp como salvajes y por eso la adorábamos.»

Sonrío al visualizarnos a mi madre y a mí acurrucadas en el sofá, compartiendo un cuenco de palomitas mientras vemos nuestra película favorita: *Sonrisas y lágrimas*.

—«Al igual que María, tú eres una idealista, lo cual es maravilloso. Crees que si eres buena, los demás a su vez lo serán; por el contrario, los niños suelen desafiar a aquellos que parecen sensibles, especialmente delante de otros compañeros.»

Pienso en los niños del Meadowdale, y de la escuela primaria Douglas Keyes, y en Peter.

—Sí que lo hacen, sí.

—«Te imagino enseñando a grupos reducidos de niños, o quizá dando clases particulares. ¿Es eso lo que haces? ¡Cómo me gustaría saberlo! Da igual, sé que eres genial. Sé que tus alumnos están beneficiándose de tu paciencia y aliento. Y, cariño, estoy muy orgullosa de ti. Eras una buena ejecutiva de cuentas, pero eres una profesora magnífica.

»Me aposté tu vida a que sí.»

Me quedo mirando la última frase, mis ojos anegados en lágrimas. Sí, lo hizo. Mi madre se arriesgó peligrosamente intentando enderezar una vida que creía rota. Quiso asegurar mi felicidad, simple y llanamente. Sólo espero que no pierda la apuesta.

A la semana siguiente estoy en el coche camino del trabajo cuando suena el teléfono. El identificador de llamadas me dice que es Johnny. ¿Y ahora, qué? ¿Su princesa aún tiene mocos? Mientras me desvío hacia el bordillo, caigo en la cuenta de que en la Costa Oeste ni siquiera es de día. Me estremezco con un leve hormigueo de temor.

—Hola, Brett. —Su voz suena áspera, como si estuviese agotado—. Sólo quería informarte de que Zoë está en el hospital.

Se me corta el aliento. *¡No! Zoë está resfriada. ¡Uno no va al hospital por un catarro!* Agarro con fuerza el teléfono.

—¿Por qué? ¿Qué pasa?

—Tiene neumonía, exactamente lo que me temía. La pobre arrastra problemas respiratorios desde que nació.

Bajo la cabeza avergonzada. Mi hermana está enferma; gravemente enferma. Y yo venga a pensar en mí misma. Me tapo la boca.

—¡Oh, John! ¡Cuánto lo siento! ¿Se pondrá bien?

—Es una luchadora. Lo superará. Siempre lo hace.

—¿Qué puedo hacer? ¿En qué puedo ayudar?

—Ahora no se puede hacer nada más que esperar. Pero tenla en tus pensamientos, ¿quieres?

—Siempre —digo—. Por favor, dale un abrazo de mi parte. Dile que sea fuerte y que rezo por ella.

—Y, Brett, si no te importa, sigue enviando esas postales. Se ha empeñado en llevárselas consigo. Tiene todas las postales que le has mandado en su mesilla del hospital.

Cierro los ojos. Había empezado a dudar de si John le daba siquiera esas postales a Zoë. Lágrimas de vergüenza y pena resbalan por mi cara. Mi hermana está seriamente enferma y, hasta ahora, yo no había confiado ni en ella ni en mi padre.

22

Aunque técnicamente es el mes más corto, febrero, con sus días grises y borrascosos, parece interminable. Además de postales, globos y flores, llamo todos los días para ver cómo está Zoë. Le dieron el alta el viernes pasado, pero ingresó de nuevo el lunes siguiente. La pobre niña no acaba de recuperar fuerzas y a tres mil doscientos kilómetros de distancia me siento impotente.

Llevo trece días consecutivos en casa de mi madre, ya que según mis normas el reloj vuelve a empezar cada vez que estoy en la Residencia Joshua. Pero, aun así, se me revuelve el estómago siempre que pienso en las palabras de Joad: *Creía que tú más que nadie querrías cumplir las normas de mamá.* ¿Es posible que tenga razón? ¿Me querría mamá fuera de su casa? Parece tan cruel, teniendo en cuenta todo lo que he perdido; y ella nunca fue cruel, jamás.

Con las palabras de Joad resonando en mis oídos, me voy en coche a Pilsen el sábado por la mañana. Daré una vuelta rápida por el pequeño barrio, y cuando regrese a casa, enviaré un correo electrónico a Joad y a Brad. Les hablaré de mi infructuosa búsqueda. Todos nos sentiremos mejor.

El barrio bulle de actividad esta mañana. Me han contado que Pilsen tiene los restaurantes más auténticos de la ciudad, y mientras recorro las calles comerciales, resulta fácil apreciar la influencia hispana. Una panadería mexicana en una esquina, una tienda de comestibles en la otra. Y en todas partes veo preciosas obras de arte mexicanas. El lugar tiene un ambiente agradable y étnico, como si estuviese repleto de gente en busca de una vida mejor..., gente como yo.

Giro a la derecha por West Place 17 y avanzo lentamente por la calle llena de baches. Como en casi todo Pilsen, las casas de esta calle son en su mayoría de madera, casas de antes de la Segunda Guerra Mundial en diversas fases de deterioro. Paso por delante de un solar vacío repleto de latas de refrescos y botellas de licor y decido que he visto suficiente.

Exhalo un suspiro. Bien. Ahora puedo decir con franqueza que he vuelto a intentarlo. Pero antes de que pueda cantar victoria y largarme de aquí, aparece ante mí un cartel de se alquila. Me acerco y descubro una bonita casa de ladrillo rojo..., ¡la misma casa que vi en Internet hace seis semanas! No puedo creer que aún esté en alquiler. Eso sólo puede significar una cosa: que por dentro está destrozada. Aunque por fuera parece preciosa.

Aminoro la marcha y me detengo. Cornisas decorativas pintadas de amarillo mantequilla coronan cada una de las cinco ventanas, y una valla de hierro forjado rodea el perímetro de la casa. Una docena de peldaños de cemento conducen a dos puertas principales, donde unos jarrones con flores de Pascua de plástico enmarcan cada puerta. Sonrío. ¿En serio? ¿Flores de plástico? Pero está claro. Quienquiera que sea el dueño de esta casa está muy orgulloso de ella.

Tamborileo el volante con los dedos. Sin duda, parece acogedora, pero ¿de verdad quiero cambiar la magnífica casa de mi madre por este sitio? Estoy muy cómoda en Astor Street, muy tranquila y a gusto. Eso es lo que mi madre querría, ¿no?

Justo cuando me aparto del bordillo una mujer joven sale por la puerta del lado izquierdo y la cierra con llave al salir. Paro el coche y la observo. Sus tacones rojos medirán diez centímetros. Me estremezco mientras salta por los escalones, rezando para que no se tuerza un tobillo y caiga rodando. Su grueso cuerpo está embutido en unos ceñidos tejanos negros y luce una chaqueta dorada brillante que parece insuficiente para un día tan fresquito.

Consigue bajar los peldaños sin incidentes y apenas da unos pasos cuando me ve sentada en el coche mirándola fijamente. Antes de que pueda desviar la vista, me sonríe y me saluda con la mano, un gesto tan espontáneo y confiado que, sin pensarlo, sigo su ejemplo y bajo la ventanilla del copiloto.

De cerca veo «BJHS MARCHING BAND»* estampado en el lado izquierdo de su chaqueta.

—Hola —saludo—. Perdona que te moleste, pero ¿aún está en alquiler esta casa?

Saca una bola de chicle de la boca y la tira sobre un montículo de nieve, luego apoya los brazos en la ventanilla abierta. Unos gruesos aros dorados penden de los lóbulos de sus orejas, junto con al menos seis pendientes más de diversos tamaños y formas.

—Sí, está en alquiler, pero ¿por qué dices *aún*?

—La vi en Craiglist hace varias semanas.

Ella niega con la cabeza.

—Esta casa no. Acabamos de colgar el letrero hace dos horas. Y, créeme, mi madre no tiene ni idea de cómo usar Craiglist.

Estoy convencida de que se equivoca, pero igualmente se me erizan los pelos de los brazos.

—¿Tu madre es la propietaria?

—¡Sí, es una propietaria genial! —Me sonríe—. Bueno, al menos eso es lo que yo le digo que será. La semana pasada acabamos de reformar la planta superior, así que en realidad es la primera vez que ponemos la casa en alquiler.

Sonrío, contagiada por su energía.

—Es una casa muy bonita. No tendréis ningún problema en alquilarla.

—¿Estás buscando casa?

—Bueno, más o menos. Pero tengo un perro —me apresuro a añadir.

Junta las manos con tanta fuerza que temo que se le salte una de sus uñas postizas de color naranja.

—Nos encantan los perros; siempre y cuando no sean agresivos. Tenemos un yorkie. Es sencillamente adorable. Me cabe en el bolso, como el chihuahua de Paris Hilton. Pasa. Mi madre está en casa en

* Banda de música del Instituto de Educación Secundaria Benito Juárez. *(N. de la T.)*

este momento, así la conoces. ¡El apartamento es impresionante! Espera y verás.

Habla a tal velocidad que tardo unos segundos en procesar lo que dice. Echo un vistazo al reloj. Ni siquiera es mediodía. ¿Qué más tengo que hacer?

—Vale, de acuerdo. ¡Claro! Si estás segura de que a tu madre no le importará.

—¿Importarle? Estará encantada de la vida. Nada más una cosa..., no habla mucho inglés.

Blanca y Selina Ruiz parecen más hermanas que madre e hija. Estrecho la mano suave y morena de Blanca y ella me conduce al piso de arriba por una escalera de nogal. En el rellano abre una puerta con llave, y luego se aparta a un lado y me hace un amplio gesto con la mano.

El diminuto apartamento me recuerda una casa de muñecas en miniatura, pero en este día gris y frío parece más acogedor que estrecho. Vacío, tiene una habitación principal de un tamaño decente con una vieja chimenea de mármol en una pared y una impoluta cocinita al fondo. Al lado de la pequeña cocina hay un dormitorio del tamaño del vestidor de mi madre. Frente al dormitorio, un cuarto de baño de baldosas rosas y negras cuenta con un lavabo de pie y bañera con patas. El apartamento entero cabría en el salón de mi madre y, al igual que en el cuarto de madre, los suelos son de parqué mientras que las paredes están coronadas con molduras. Blanca observa, asintiendo y sonriendo, al tiempo que Selina me muestra cada detalle.

—Este armario del baño lo elegí yo. Es de Ikea. Hacen cosas realmente estupendas.

Abro el armario y escudriño el interior, como si su calidad pudiera hacerme cambiar de opinión. Aunque es igual cómo sea el armario. Ya he tomado una decisión.

—¿Te gustan estas luces? Le dije a mi madre que nada de latón.

—Me encantan —contesto, avivando mi entusiasmo.

Blanca junta las manos, como si lo entendiera, y le dice algo en español a su hija. Selina se vuelve hacia mí.

—Le caes bien. Quiere saber si te gustaría vivir aquí.

Yo me río.

—Sí que me gustaría. *¡Sí! ¡Sí!*

Mientras firmo el contrato de alquiler, Selina me cuenta que es la primera de su familia que ha nacido en Estados Unidos. Su madre se crió en una aldea rural de las afueras de Ciudad de México, y vino a Estados Unidos con sus padres y tres hermanos menores cuando tenía diecisiete años.

—Iba a matricularse en el instituto cuando descubrió que estaba embarazada de mí. Vivíamos con mis tías y mi tío y mis abuelos en una casa diminuta justo a la vuelta de la esquina. *Mis abuelos* siguen viviendo ahí.

—¿Cuándo os trasladasteis aquí? —pregunto.

—Hace un año más o menos. Mi madre es cocinera de El Tapatio, en esta misma manzana, un poco más abajo. Siempre me dijo que algún día tendríamos nuestra propia casa. Cuando embargaron ésta hace un año, no podía creerse que había ahorrado suficiente dinero para la entrada inicial. Tardamos siete meses en arreglar el apartamento, pero lo hicimos, ¿verdad, mamá?

Echa un brazo por encima del hombro de su madre y Blanca está radiante de orgullo, como si en su fuero interno entendiese la conversación entera.

Su historia es tan similar a la de mi madre que empiezo a contársela. Pero entonces me lo pienso mejor. En realidad, es una historia radicalmente distinta, y una vez más me abruma lo afortunada que llego a ser.

Me paso lo que queda de fin de semana recogiendo mi ropa y llevando cajas a Pilsen. El lunes por la tarde la misma empresa de mudanzas que vació el *loft* de Andrew en noviembre pasado carga cuatro cosas de Astor Street y las deja en mi nueva vivienda. He estado tentada de llevarme la cama de hierro de mi madre, pero es demasiado grande para mi diminuto apartamento. Además, su sitio está en Astor. De esta forma, cuando vaya de visita estará esperándome, como siempre hacía mamá.

Suben mi antigua cama doble por la escalera, junto con mi tocador de cerezo. Les indico que coloquen nuestro viejo sofá de dos plazas de Arthur Street frente a la chimenea, enmarcado por un par de mesitas auxiliares distintas. Una mesa de centro rayada procedente del desván de mi madre queda perfecta delante del sofá, y la lámpara de terracota de los años setenta que encontré en una tienda de segunda mano ahora parece casi actual.

De una caja de cartón extraigo cuatro boles y platos que he cogido prestados del armario de mi madre. Los meto en mi nuevo armario de cocina, junto con unos cuantos utensilios más y un par de ollas y sartenes. Me voy al cuarto de baño y coloco mis cosméticos y tres juegos de toallas en el bonito armario de Ikea.

Cuando los de la mudanza se van y está vacía hasta la última caja, enciendo media docena de velas y abro una botella de vino. La sala resplandece de ámbar por las velas y la lámpara de terracota. Con *Rudy* a mis pies, me aovillo en el sofá con mi libro. De mi portátil sale música que flota por la sala. En cuestión de minutos estoy casi dormida en mi acogedor apartamentito de Pilsen.

Marzo está justo a la vuelta de la esquina y el pánico se adueña de mí. Estoy casi a medio camino de mi fecha límite de septiembre, y sólo he conseguido cinco de mis diez objetivos. Tengo la esperanza de poder establecer una relación con mi padre, pero esos otros cuatro objetivos parecen imposibles. En los próximos seis meses y medio tengo que enamorarme, tener un hijo, comprarme un caballo y adquirir una bonita casa. Al margen del ridículo objetivo del caballo, los otros escapan a mi control.

Como necesito distraerme, me voy en coche a Evanston. Si bien la temperatura del sábado sigue bajo cero, el sol brillante evoca la primavera. Con la ventanilla del coche bajada, inspiro el aire fresco y de pronto echo de menos a mi madre. Se perderá su estación favorita este año. La estación de la esperanza y el amor, decía siempre.

Shelley me recibe en la puerta vestida con una blusa blanca recién planchada y *leggings*. Observo que se ha puesto brillo de labios; los rizos le caen suavemente hasta la barbilla.

—¡Qué guapa estás! —le digo, cogiendo a mi sobrina dormida de sus brazos.

—Gracias. Pero ¿quieres ver algo adorable de verdad? —pregunta, conduciéndome a su cocina bañada por el sol—. Cuando Trevor se despierte de la siesta, le pediré que te cante *Cinco lobitos*, la canción que hemos aprendido. Es graciosísimo. —Se ríe entre dientes—. Naturalmente, dice *bobitos*.

Me sorprende oír a Shelley quitándole importancia al tema que antes era delicado. Animada, doy un paso más allá.

—Pero ¿la canta en mandarín?

Ella sonríe abiertamente.

—Ya no habrá más mandarín ni grupitos de mamis. —Llena una tetera—. Ayer llamé a mi antiguo jefe. En mayo volveré a trabajar.

—¡Oh, Shelley, eso es genial! ¿Cuál ha sido el detonante final?

Saca dos tazas del armario.

—Supongo que fue ese fin de semana en Nueva Orleans que propusiste. Jay y yo volvimos a ser pareja de verdad, no sólo mamá y papá. Al hacer las maletas para volver a casa, me puse a llorar. —Levanta la vista hacia mí—. No le confesaría esto a nadie, salvo a Jay y a ti. Adoro a mis hijos, pero pensar en volver a esos días interminables leyendo *Dora la Exploradora* y *El gato garabato* me superaba. Le confesé que no era feliz en este nuevo papel. Tu hermano se limitó a decir: «Vuelve a trabajar». Sin juicios, sin hacerme sentir culpable. La semana pasada se reunió con su jefe de departamento. Le han dado una excedencia. Acabará el semestre y luego dejará de trabajar un año. Veremos cómo va la cosa a partir de ahí.

—¿Así que Jay hará de papá y amo de casa?

Ella se encoge de hombros.

—Va a intentarlo. ¿Y sabes qué? Creo que lo hará genial. Sabe Dios que tiene más paciencia que yo.

Estamos sentadas frente a la mesa de la cocina, bebiendo un té a sorbos y riéndonos como en los viejos tiempos, cuando entra Jay tan campante, con unos pantalones de *footing* y una sudadera de la Universidad Loyola. Su cara está colorada de correr y sonríe al verme.

—¡Eh! ¿Cómo está mi hermana favorita? —Deposita su iPod en la encimera y se va hasta el fregadero—. Cariño, ¿le has preguntado a Brett lo del sábado que viene?

—Estaba a punto de hacerlo. —Se gira hacia mí—. Tenemos que hacerte una proposición. Hay un chico nuevo en el departamento de Jay, el doctor Herbert Moyer. Es un profesor célebre procedente de la Universidad de Pensilvania.

Jay se bebe de golpe un vaso de agua y se seca los labios con la mano.

—El experto mundial en la conquista bizantina de Bulgaria.

Le lanzo a Shelley una mirada de esas de «de qué va esto»... Ella sonríe y se encoge de hombros.

—Todavía no tiene muchos amigos en Chicago.

—¡Horror! —exclamo.

Jay no parece notar mi sarcasmo.

—Se nos ocurrió que estaría bien presentaros. Ya sabes, que vengáis los dos a cenar tal vez.

Me hace tanta gracia una cita a ciegas con un erudito de los estudios bizantinos como a Shelley el grupito de mamás.

—Gracias, pero me parece que no.

Ella me mira de refilón.

—¿Qué? ¿Estás saliendo con alguien?

Aliso el pelo de Emma y pienso en mi vida amorosa desde que rompí con Andrew. Una miserable falsa alarma con Brad... y ya está. Ni una sola cita. ¡No se puede dar más pena! Me yergo en la silla, procurando hacer acopio de una pizca de amor propio. Me viene a la memoria el doctor Taylor, justo a tiempo.

—Hay un hombre con el que he estado hablando por teléfono. Es el médico de mi alumno. Hemos intentado vernos un par de veces, pero de momento no lo hemos logrado.

Shelley frunce el ceño.

—¿Ese viudo del que estabas hablándome? No lo dirás en serio.

Levanto el mentón.

—Pues resulta que es realmente simpático.

Jay me alborota el pelo.

—El actor Regis Philbin también lo es. —Sonríe y se sienta en la silla de al lado—. Conoce a Herbert. Daño no te hará. Además, el tiempo es oro, ¿no?

—No me lo recuerdes. —Doy un resoplido—. Estos últimos cinco objetivos están acabando conmigo. Enamorarme y tener un hijo son dos de los momentos más importantes de la vida de una persona. Uno no decide que lo hace y *¡zas!*, ya está. Se trata de asuntos del corazón. No pueden marcarse con un visto bueno, como los huevos o el queso de la lista de la compra.

—Exacto —dice Shelley—. Por eso es importante volver al mercado. Es un juego de probabilidades. Cuantos más hombres conozcas, más probabilidades tendrás de encontrar a uno al que realmente quieras.

—¡Vaya! Eso sí que es romántico. —Beso a Emma en la cabeza—. Bueno, ¿quién es este tío, Herbert? Y, a todo esto, ¿quién le pone a su hijo Herbert?

—Los ricos por lo visto —contesta Jay—. Su padre tiene registradas más de treinta patentes. Tienen casas en ambas costas, además de una isla privada en el Caribe. Herbert es hijo único.

—No se fijará en alguien como yo. Soy profesora. Vivo en Pilsen, ¡por amor de Dios!

Shelley desdramatiza con un gesto de la mano.

—Eso es sólo temporal. Jay le ha contado todo sobre el retraso de la herencia.

Me quedo boquiabierta.

—¿Qué? —me vuelvo a Jay—. ¿Por qué has hecho eso?

—Quieres que sepa que estás a su altura, ¿no?

Una incómoda sensación se apodera de mí. ¿Es así como solía ser? ¿Juzgaba a la gente por dónde vivía o la cantidad de dinero que ganaba? Por mucho que odie reconocerlo, creo que sí. ¿No era *a qué te dedicas* una de las primeras preguntas que hacía cuando conocía a alguien? ¿Era pura coincidencia que todos los amigos con los que salíamos Andrew y yo fuesen ricos y atractivos y estuviesen en forma? Me estremezco. No me extraña que mi madre me obligara a cambiar de ruta, alejándome de esa autopista superficial y sin límite de velocidad por la que iba como un bólido. La carretera en la que estoy ahora puede que sea más lenta, y que el paisaje no sea ni mucho menos tan idílico, pero por primera vez en años estoy disfrutando del trayecto.

—Si no va a estar cómodo saliendo con la mujer que soy ahora, no quiero conocerlo.

Shelley niega con la cabeza.

—Ahora eres sentenciosa. Relájate. Es sólo una noche. He pensado que el sábado que viene…

Por suerte para mí el móvil impide que sigan las conspiraciones. Miro quién es.

—Lo cojo. Es Johnny.

Jay me quita a Emma y Shelley se acerca al fregadero para rellenar la tetera.

—Hola, John —digo por teléfono—. ¿Cómo está Zoë?

—¿Qué hay, Brett? Tengo magníficas noticias. Creo que este baile de entradas y salidas del hospital por fin se acaba. Zoë viene a casa, esta vez definitivamente.

—¡Fantástico! —exclamo. Me giro hacia Shelley con el pulgar levantado hacia arriba—. ¡Qué alivio para ti!

—Pues sí. Y nos encantaría que vinieras a vernos, si puedes.

Me quedo callada un segundo.

—¿En serio?

—Sería más fácil si esta vez vienes tú, si te parece bien. Te mandaré el dinero del billete.

—No, no, por eso no hay problema.

—Insisto. ¿Qué me dices? ¿Hay alguna posibilidad de que puedas escaparte?

Me muerdo el labio para evitar que mi sonrisa se apodere de toda mi cara.

—Podría cogerme un par de días para asuntos personales. ¿Qué tal en marzo, una vez que Zoë haya tenido tiempo de hacer vida normal?

—Parece un buen plan. Nos morimos de ganas de verte. Oye, será mejor que vuelva con Zoë. Su médico vendrá en cualquier momento con los papeles del alta. Mira los vuelos y dime qué has decidido.

Cuelgo el teléfono. Me da vueltas la cabeza, como si fuese a desmayarme.

—¿Estás bien? —pregunta Jay.

Asiento.

—¡Por fin voy a conocer a mi padre! ¡Y también a mi hermana!

Shelley corre hacia mí.

—¡Oh, Brett! Eso es maravilloso.

—No está nada mal —dice Jay—. Ahora tienes que conocer a Herbert y ya tienes a la Santísima Trinidad.

23

El sábado siguiente, realizo el viaje de cuarenta minutos de bus más tren hasta la parte alta de la ciudad para dar con una buena botella de vino para la cena de esta noche con Jay, Shelley... y Herbert. Se me encoge el estómago cada vez que pienso en esta maldita cita. Ya no tengo edad para primeras citas. E incluso cuando quedaba con chicos, las citas a ciegas eran insufribles. Están en el primer travesaño de la escalera de citas. Las citas a ciegas no son más que una lección de humildad, una ocasión en que realmente percibes lo que los demás creen que mereces.

El arduo viaje hacia la parte alta de la ciudad es un éxito, y a la una en punto salgo de Fox & Obel con una botella de Malbec argentino de 2007. Sujetando con fuerza mi visible bolsa de papel marrón, vuelvo con paso cansino hasta la estación de tren.

La estación es un hervidero a mediodía. Me dejo llevar por la multitud hasta que llegamos a un cuello de botella frente al torniquete. Es entonces cuando lo veo. ¡El hombre Burberry! El tipo que me tiró el café encima. No lo veía desde la mañana de Acción de Gracias, corriendo junto al lago Michigan con su labrador negro. Ha pasado por el torniquete y ya está bajando por la escalera hacia la estación.

El tiempo transcurre a cámara lenta mientras me escurro entre el gentío y paso por el torniquete de metal. Me abro paso hacia las escaleras, zigzagueando entre un grupo de turistas mientras alargo el cuello para vislumbrar a Burberry. El corazón me martillea las sienes. ¿Adónde ha ido? Me uno a la manada que baja en masa por la escalera mecánica. Me aparto hacia la izquierda y adelanto aprisa a los pasajeros ociosos sin perder de vista entretanto a Burberry. Estoy a mitad de la escalera mecánica cuando oigo el traqueteo de un tren. Veo que la muchedumbre del lado izquierdo del andén cobra vida.

La gente coge sus bolsas, corta sus llamadas telefónicas y es atraída hacia el tren que se acerca.

¡Ahí está! En el andén, esperando a subirse al tren que va en dirección norte. Está con el móvil pegado a la oreja, sonriendo. El corazón me da un pequeño brinco. Quizá pueda coger este tren. ¿Qué más da que vaya en la dirección contraria! ¡Por fin puedo conocer a este hombre!

—Perdona —le digo a la chica que tengo delante. Está escuchando su iPod y no me oye. Le doy unos golpecitos en el hombro y suelta una palabrota cuando la empujo para pasar. Abriéndome paso entre la multitud, estoy casi al pie de la escalera mecánica cuando las puertas del tren se abren. Los pasajeros salen, y pierdo a Burberry unos segundos. Una ola de pánico me recorre el cuerpo. Pero entonces lo encuentro. Es más alto que la mayoría, y su pelo ondulado es de un castaño muy oscuro. Se hace a un lado mientras sube una anciana. Bajo corriendo los peldaños finales. Los últimos pasajeros suben al tren. Mis pies llegan al cemento y se deslizan por el estrecho andén hacia el vagón de Burberry.

Oigo el doble timbre y la voz grabada que anuncia: «Se cierran las puertas». Corro más rápido, casi con todas mis fuerzas.

Justo cuando llego a la puerta, ésta se cierra de golpe. Doy un manotazo contra la ventana de plexiglás.

—¡Esperen! —exclamo en voz alta.

El tren sale disparado, y por la ventanilla juraría que veo a Burberry. Creo que está mirándome. ¡Sí, me está mirando! Levanta la mano y me saluda. Le devuelvo el saludo, preguntándome si nos estamos diciendo hola o adiós.

Los pensamientos sobre este hombre misterioso me siguen mientras voy en coche a casa de Shelley y Jay. ¿Y si llego y descubro que el imponente hombre del abrigo Burberry no es otro que Herbert Moyer? En un par de semanas conoceré a mi padre y a mi hermana, así que ¡cualquier cosa es posible! Me río de lo tonta que soy, pero cuando tomo el camino de acceso a casa de Jay y Shelley se me hace un nudo en el estómago. Hace tanto tiempo que no tengo una cita. ¿De qué hablaremos? ¿Y si él se lleva un chasco?

Subo por el camino, el corazón latiéndome con fuerza bajo la gabardina negra. ¿Por qué he accedido a esto? Aunque conozco la respuesta. He accedido a conocer a Herbert porque en los próximos seis meses necesito enamorarme y tener hijos. Doy un resoplido de frustración y llamo al timbre.

—¿Hay alguien en casa? —pregunto mientras abro la puerta.

—¡Entra! —Jay aparece en el recibidor y me repasa de arriba abajo—. ¡Caray! Si no fueras mi hermana diría que estás buenísima.

Llevo una camisa y unas mallas negras, con un jersey ceñido y mis imposibles zapatos de salón negros. Le beso en la mejilla y susurro:

—Todo este esfuerzo por un tío que se llama Herbert. Más vale que la cena esté buena.

Oigo pasos acercándose. Cuando me giro, aparece en el recibidor un dios de dioses.

—Doctor Moyer —dice Jay—. Te presento a mi hermana, Brett.

Él avanza hacia mí con la mano extendida. Es grande y suave y masculina, todo a la vez. Sus ojos azul claro se encuentran con los míos al darnos la mano. Todo pensamiento sobre el hombre Burberry desaparece.

—Hola, Brett. —Sonríe y sus cinceladas facciones se vuelven cálidas y simpáticas.

—Hola, Herbert, ¿qué tal? —Levanto la vista hacia él como una tonta. ¿Conque éste es el tipo de tío que mi hermano cree que merezco? No puedo sentirme más halagada.

Los modales del doctor Moyer son tan impecables como su *blazer* de Armani. Observo mientras gira su *brandy* después de cenar, el pie de su copa de cristal colocado entre el índice y el dedo corazón. Puro pan blanco y refinado. Ni una cascarilla.

A años luz de su conversación sobre la antigua Grecia, tomo mi *brandy* a sorbos mientras pienso en lo poco que pega su nombre con ese formidable exterior.

—Herbert —mascullo. Tres pares de ojos se vuelven hacia mí. Con la licencia que dan dos copas de vino y un brandy, pregunto sin rodeos—: ¿De dónde sacaron ese nombre? ¿Herbert?

El desconcierto de mi hermano por lo que acabo de preguntar es mayúsculo. Shelley simula leer la etiqueta de la botella de brandy. Pero Herbert se echa a reír.

—Viene de familia —explica—. Me lo pusieron por mi abuelo Moyer. De vez en cuando he intentado usar apodos, pero Herb hacía pensar en herbolario, y Bert, en fin, no era una opción. Verás, mi mejor amigo del colegio era un chico llamado Ernest Walker, y no éramos exactamente los más guays de la clase. De haber insistido en que me llamaran Bert, imaginaos las bromas que habríamos soportado los dos como Bert y Ernie, los Epi y Blas americanos.

Me río. ¿Qué sabes? Que es guapísimo *y* gracioso.

—Y usando vuestros nombres completos, ¿esos idiotas nunca vieron la conexión con *Barrio sésamo*? —pregunta Jay.

—Pues no. —Se apoya en la mesa y alza el dedo índice, como si estuviese de pie frente a un atril—. Aunque técnicamente eran imbéciles, no idiotas. Verás, un idiota es la persona boba cuya edad mental es inferior a los tres años, mientras que un imbécil es la persona boba cuya edad mental está entre los siete y los doce años.

Los tres nos quedamos mirándolo fijamente, sin saber qué decir. Finalmente, Jay se echa a reír y le da una palmada en la espalda.

—¡Sal un poco más, pedante asqueroso! —Menea la cabeza y coge la botella de *brandy*—. ¿Otra copa?

Es más de medianoche cuando nos despedimos de Jay y Shelley. Herbert me acompaña al coche. Estamos bajo un cielo estrellado y yo meto las manos en los bolsillos del abrigo.

—Ha sido divertido —digo.

—Sí. Me encantaría volver a verte. ¿La semana que viene tienes algún hueco libre?

Espero a que el corazón me brinque dentro del pecho, pero sigue latiendo con su ritmo regular y constante.

—El miércoles por la noche estoy libre.

—¿Me dejarías invitarte a cenar, pongamos, hacia las siete?

—Me parece genial.

Se inclina hacia delante y me besa en la mejilla, luego me abre la puerta del coche.

—Te llamo el lunes para confirmar. Conduce con cuidado.

Me alejo al volante, preguntándome qué opinaría mi madre de Herbert. ¿Sería la clase de hombre que ella elegiría para ser mi futuro marido y el padre de mis hijos? Creo que sí. ¿Ha tenido algo que ver en que yo lo conozca? Supongo que seguramente sí.

En un cruce miro a izquierda y a derecha y la veo en el asiento del pasajero. La botella de Malbec por la que me he desplazado a la parte alta de la ciudad. He olvidado cogerla. Un viaje inútil; de no ser porque he visto de refilón a mi hombre Burberry.

Las siguientes tres semanas se esfuman tan deprisa como las últimas capas de nieve. Tal como estaba previsto, Herbert y yo cenamos el miércoles por la noche, lo que desemboca en montones de llamadas de teléfono y seis citas más, cada cual un poco más interesante que la anterior. Tiene muchísimas cualidades que realmente me gustan, como cuando estoy contando una anécdota graciosa y las comisuras de los labios se le curvan en una sonrisa antes incluso de que llegue al final. O la forma en que se asegura de que la llamada que me hace sea su última del día, porque quiere que sea yo la última persona con la que habla antes de dormirse.

Pero otras cosas (cosas pequeñas, insignificantes, extravagantes) me sacan prácticamente de quicio. Como el modo en que se refiere a sí mismo como *doctor* Moyer con quienquiera que se encuentre, como si la camarera o el *maître* realmente necesitaran conocer su título. Y cuando dan por hecho que es doctor en medicina y no un hombre con un doctorado en historia, no les corrige.

Pero ¿no fui yo quien les dijo a Megan y a Shelley que la vida no es perfecta? ¿Que todos hacemos este viaje lo mejor que sabemos, y tenemos que hacer concesiones? Y no es nada justo considerar que Herbert es una concesión. Objetivamente, es un partidazo en todos los sentidos.

Ayer celebramos la fiesta más señalada y apoteósica de Chicago, el día de San Patricio. Pero en lugar de beber cerveza verde con un grupo de amigos junto al río, como Andrew y yo solíamos hacer, Herbert me sirvió una *fondue* irlandesa a la luz de las velas. Me pareció muy maduro y señorial. Eligió la película *Once* para verla después, un musical romántico que se desarrolla en Dublín. Me tumbé en el sofá entre sus brazos, maravillada por lo considerado que era. Después, desde su terraza contemplamos un lago Michigan iluminado por la luna. Soplaba la brisa y él me envolvió en su abrigo. Arrimadita a su pecho, me señaló las constelaciones.

—La mayoría de la gente habla del Gran Carro creyendo que es una constelación, pero en realidad es un asterismo. Las estrellas del carro forman parte de la Osa Mayor, una constelación más grande.

—¿Eh…? —dije, observando el cielo estrellado—. Y pensar que el próximo jueves estaré en ese mismo cielo camino de Seattle.

—Te echaré de menos —dijo él, acariciándome el pelo con la mejilla—. Estoy encariñándome bastante contigo, ¿sabes?

Me brotó una risita del pecho antes de poder contenerla.

—¡Venga, Herbert! ¿Encariñarse? ¿Quién usa palabras como *encariñarse*?

Él me miró fijamente, y pensé que me había pasado. Pero entonces su cara se llenó de ironía y me regaló su deslumbrante sonrisa blanca.

—Muy bien, listilla, no estoy precisamente en la onda, ¿no? Bienvenida al mundo de las citas con eruditos.

Sonrío.

—¿Citas con eruditos?

—Eso es. Por si no te has enterado, resulta que los eruditos somos el secreto mejor guardado del mundo de las citas. Somos inteligentes, triunfamos, no engañamos jamás. Como para hacerlo, con lo contentos que estamos de gustarle a alguien. —Volvió su vista hacia el lago—. Y tenemos lo que hay que tener para el matrimonio.

En cuatro años no conseguí que Andrew pronunciase esa palabra que empieza por eme. Y ahí estaba Herbert, insinuándola después de sólo seis citas.

Me arrimé más a él.

—Creo que me gustará salir con un erudito —dije. Y lo dije en serio.

Los resplandecientes rayos matutinos entran a raudales por la ventana de mi despacho, y tarareo mientras me preparo la cartera para el día que tengo por delante. Estoy buscando una caja de acuarelas para mi nuevo alumno de párvulos cuando suena el teléfono. Es Garrett.

—Me alegra pillarte antes de que te vayas del despacho. Peter tuvo otro arrebato violento anoche. Autumn no logró dominarlo. Por suerte, los vecinos oyeron jaleo y fueron a ayudar. No quiero ni pensar en lo que hubiera podido hacer ese chico.

—¡Oh, no! Pobre Autumn. —Me froto los brazos, imaginándome la horrible escena.

—Acabo de hablar con los de Nuevos Senderos. Han accedido a hacerle un sitio. Empezará a mediados de semana, pero a partir de hoy no habrá más visitas a domicilio.

Una súbita melancolía se apodera de mí. Contra todo pronóstico, yo seguía esperando un final feliz; un final en el que Peter mejoraba y era capaz de volver a su antigua escuela, con niños normales que no necesitan terapia dos veces al día.

—Pero si no me he despedido siquiera.

—Le diré adiós de tu parte, tranquila.

—Y recuérdale lo listo que es, dile que le deseo suerte.

—Por supuesto. —Hace una pausa y cuando vuelve a hablar su tono es suave—. Con estos casos aprendes que no puedes salvarlos a todos. Es una lección difícil, sobre todo para alguien como tú, joven e idealista. Yo era igual cuando abrí la consulta.

—Me siento como si estuviera abandonándolo —digo—. A lo mejor si hubiera tenido más tiempo…

—No —responde con firmeza—. Lo siento, Brett, no pienso consentir que dudes de ti misma. Has hecho cuanto estaba en tu mano y más por ayudar a Peter. Y a mí me has sido de gran ayuda. La verdad es que me ha encantado trabajar contigo.

—A mí también me ha gustado trabajar contigo. —Se me quiebra la voz. Me choca lo emocionada que estoy de saber que voy a perder el contacto con este hombre al que he llegado a querer y en quien he llegado a confiar. Carraspeo—. Quiero darte las gracias. Has estado ahí apoyándome, no sólo con Peter, sino en muchas más cosas.

—Ha sido un placer. De verdad. —Titubea unos instantes y cuando habla su tono es más despreocupado—. Eres consciente de que aún me debes una copa, ¿verdad?

La pregunta me coge desprevenida. Han pasado semanas desde que se mencionó esa copa por última vez. Ha llovido mucho desde aquellos días aciagos de enero pasado cuando estaba desesperada por encontrar a un hombre y enamorarme. Ahora estoy saliendo, posiblemente, con el mejor partido de Chicago. Aun así una parte de mí siente curiosidad por el doctor Taylor. Me masajeo las sienes.

—Mmm…, sí, claro.

—¿Todo bien? —pregunta Garrett—. Pareces dudosa.

Exhalo una bocanada de aire. Le he contado al hombre todo lo demás, conque, ya puestos, ¿por qué no ser sincera ahora?

—Me encantaría que quedáramos para tomar una copa. Es sólo que hace poco que he empezado a salir con alguien…

—Ningún problema —dice Garrett. Es tan elegante que ahora me siento estúpida. Seguramente sus intenciones no eran para nada románticas, y cree que soy una engreída por dar por sentado que sí—. Espero que te vaya bien, Brett.

—Sí, bueno, gracias.

—Vete ya, anda. Estaremos en contacto.

—Sí, sí —digo, consciente de que no lo estaremos.

Cuelgo tras la última conversación que mantendré con el doctor Taylor. Como el último capítulo de un libro, es agridulce. Ya no tendré más ayuda de Garrett, ni desde luego romance alguno con él. Y muy en el fondo comprendo que probablemente sea para bien. Ahora tengo a Herbert, y una nueva familia que estoy a punto de conocer. Tal vez el doctor Taylor era un personaje de la obra de mi madre. Entró en un momento crucial, justo cuando lo necesitaba, y ha salido enseguida del escenario, exactamente como marcaba el guión.

Encuentro la caja de acuarelas que buscaba y cojo el abrigo. Apago las luces y cierro la puerta, asegurándome de que echo la llave al salir.

24

Veo la ciudad de Seattle tomando forma por la ventanilla del 757. Hace una tarde nublada, pero en cuanto iniciamos el descenso, aparecen los brazos del lago Washington. Es precioso este rompecabezas de tierra rodeado de hilos de agua azul. Busco el paisaje urbano y por poco me pongo a llorar al divisar la Aguja Espacial. El avión desciende y afloran edificios de viviendas en miniatura. Me quedo mirando, hipnotizada, consciente de que en algún lugar allí abajo, en uno de esos pequeños edificios de hormigón y madera, viven un hombre y su hija, mi padre y mi hermanastra.

Junto con el resto de pasajeros, caminamos en procesión hasta la zona de recogida de equipajes, donde una multitud espera a sus viajeros. Escudriño los rostros. Algunas personas parecen impacientes, sosteniendo en alto letreros con nombres escritos a mano. Otras parecen emocionadas y dan saltos de puntillas tratando de localizar a los pasajeros. Uno a uno, cuantos me rodean parecen reclamar a sus amigos y familiares. Pero yo estoy sola, sudorosa y mareada.

Busco entre la muchedumbre a un hombre moreno con una niña de doce años. *¿Dónde estáis, Johnny y Zoë?* ¿Se habrán olvidado de que venía hoy? ¿Habrá vuelto a recaer Zoë? Saco el móvil del bolso. Estoy comprobando los mensajes cuando oigo mi nombre.

—¿Brett?

Me giro. Frente a mí hay un hombre alto y encanecido. Va bien afeitado y no es un pijo al uso. Sus ojos encuentran los míos, y cuando sonríe, veo al hombre del vídeo, el hombre que era hace treinta y cuatro años. Disimulo el temblor del mentón y asiento con la cabeza.

Como si él tampoco se fiara de su voz, abre los brazos. Doy un paso hacia él, cerrando los ojos e inspirando el aroma de su abrigo de piel. Dejo que mi cabeza se apoye en el cuero fresco y él me acuna a un lado y al otro. Por primera vez, sé lo que es que mi padre me abrace.

—¡Qué guapa eres! —exclama, apartándose al fin—. Eres clavada a tu madre.

—Pero la estatura la he heredado de ti, por lo que veo.

—Los ojos también. —Sostiene mi cara en sus manos y la mira atentamente—. ¡Dios! Cómo me alegro de que me encontraras.

La felicidad me inunda el alma.

—Y yo.

Se echa mi bolsa de mano al hombro y me rodea con el otro brazo.

—Vamos a recoger tu maleta, luego iremos a buscar a Zoë al colegio. Está como loca de emoción.

Hablamos sin parar durante el camino hasta el Franklin L. Nelson Center, el colegio privado de Zoë. Todas las preguntas que no había formulado en nuestras conversaciones telefónicas las hace ahora. No puedo parar de sonreír. Mi padre está realmente interesado en mí, y, lo que es más, hay entre nosotros una naturalidad y una confianza que no me había atrevido siquiera a imaginar. Pero cuando gira por la entrada bordeada de árboles del colegio, el monstruo horrible y celoso que llevo dentro vuelve a cobrar vida. Por emocionada que esté de conocer a Zoë, quiero más tiempo con Johnny. A solas. Cuando ella se suba al coche, volveré a ser la extraña otra vez, un rol del que ya estoy harta.

El Nelson Center es un edificio extenso de una sola planta, maravillosamente ajardinado y cuidado. Estudiar aquí costará una fortuna.

—Las clases no acaban hasta dentro de diez minutos, pero Zoë quería que sus compañeras de clase conocieran a su nueva hermana. No te importa, ¿verdad?

—No, claro que no.

Mantiene abierta una de las hojas de la puerta doble de acero y accedo a un enorme vestíbulo. En un banco de madera, una niña menuda vestida con un uniforme azul marino está sentada balanceando las piernas frente a ella. Se levanta de un salto al verme, pero entonces duda. Cuando John entra por la puerta, ella suelta un grito.

—¡Papi! —Su cara redonda es de alegría absoluta. Camina pesadamente hacia nosotros con toda su energía y me rodea las caderas con sus brazos regordetes. Yo la abrazo, pero sólo me llega a las costillas. John observa, sonriendo de oreja a oreja.

—Bueno, Zoë —le dice, dándole unas palmaditas en la coronilla—, será mejor que dejes respirar a tu hermana.

Por fin me suelta.

—Tú mi hermana —declara.

Me acuclillo junto a ella y contemplo su delicada cara de alabastro. ¿Cómo he podido tener celos de este ángel? Su pelo brillante es moreno, como el de su padre y el mío. Pero, a diferencia de nuestros ojos castaños, los suyos son verdes y están rodeados de más pliegues de piel.

—Sí, lo soy. Somos hermanas, tú y yo.

Me sonríe y las canicas brillantes verde mar se convierten en gajos de media luna. Su gruesa lengua rosa asoma por la boca. Amo en el acto a esta niña que es mi hermana..., esta niña que tiene síndrome de Down.

Dándole una mano a John y la otra a mí, nos lleva por el pasillo hacia su clase. Por el camino, mi padre me enseña algunas de las instalaciones especiales del colegio. Un pabellón está diseñado como una calle urbana. La calle de ladrillo está revestida de fachadas de tiendas a ambos lados, con semáforos y señales de pasos de peatones en cada cruce.

—En esta zona enseñan a los niños a cruzar la calle sin peligro, a interactuar con los dependientes de las tiendas, a calcular el dinero cuando compran algo, etcétera.

Cuando por fin llegamos a la clase de Zoë, nos encontramos con una actividad febril mientras la señorita Cindy, la profesora de ojos vivos de Zoë, y su ayudante, el señor Kopec, preparan a sus ocho alumnos con discapacidad psíquica para la salida. El señor Kopec le sube la cremallera a un niño que va con andador.

—Harvey, tienes que llevar el abrigo abrochado, ¿oyes? Hoy hace frío ahí fuera.

—¿A quién le falta una bufanda? —pregunta la señorita Cindy desde el cuartito de los abrigos, sosteniendo en alto una serpiente roja de lana.

—Mirad —anuncia Zoë con su voz áspera—. Ésta es mi hermana. —Dicho esto, su rostro estalla de alegría y se frota las palmas de las manos como si estuviese haciendo fuego. Dándome la mano, me conduce por el aula, señalando los dibujos de la pared, enseñándome la pecera, diciéndome los nombres de sus amigos. Nunca en toda mi vida me había sentido tan idolatrada.

Antes de irnos, John nos da un paseo en coche por las doce hectáreas del complejo Nelson. Zoë señala el patio.

—Su sitio favorito —dice John, alargando el brazo hacia atrás para apretar la pierna de la niña—. Y allí está el invernadero, donde los niños aprenden a cuidar de las plantas.

Pasamos las pistas de tenis de tierra batida y una pista de asfalto recién pavimentada. Al pasar junto a un granero rojo, veo un letrero de madera: «PROGRAMA DE EQUINOTERAPIA».

—¿Qué es eso?

—Eso era el centro equino. Los niños aprendían a montar a caballo. El objetivo inicial era mejorar su equilibrio y coordinación, pero te sorprendería cómo les ayudaba a aumentar su confianza en sí mismos.

—*¡Pluto!* —exclama Zoë desde el asiento trasero.

John mira sonriendo por el espejo retrovisor.

—Sí, adorabas a ese viejo caballo, *Pluto*. —Me mira—. Era un programa muy caro. Con los recortes presupuestarios, tuvieron que cerrarlo el otoño pasado.

En mi mente parpadea una bombilla.

Tal como aseguraron en SeattleTravel.com, la llovizna no ha remitido desde que he llegado. Pero a mí no me importa. Estoy encantada de pasar el viernes en la acogedora casa de ladrillo de John y Zoë.

Alfombras de alegres colores cubren los suelos de roble, y estanterías de madera se extienden por las paredes. En cada espacio y ranura libres descubro interesantes cuadros y obras de arte, todos de sitios que John visitó cuando era músico itinerante. Hoy a Zoë le han dejado hacer novillos, y los tres nos sentamos sobre una alfombra navajo a jugar a los Ochos Locos mientras unos músicos independientes anónimos me seducen desde el equipo de música.

Son las seis de la tarde, y John decide que es hora de preparar sus famosas berenjenas a la parmesana. Zoë y yo lo seguimos hasta la cocina y hacemos una ensalada.

—Muy bien, Zoë, ahora lo agitamos, así. —Agito la botellita del aliño para la ensalada y se lo paso—. Te toca.

—Yo hago aliño —dice, agitando el recipiente de cristal con ambas manos. Pero, de pronto, el tapón de plástico se suelta. El aliño ranchero explota, impregnando los armarios y formando un charco en la encimera.

—¡Cuánto lo siento! —exclamo—. No he comprobado el tapón. —Cojo un trapo de cocina, deseosa de limpiar el desastre. Pero a mis espaldas oigo carcajadas.

—Zoë, ¡ven a verte!

Me giro y veo a John llevando a Zoë hasta la puerta del horno, donde puede ver su reflejo. Tiene goterones de aliño blanco pegados al pelo y salpicándole la cara. A la niña le parece divertidísimo. Se saca un poquito de la mejilla y se lame los dedos.

—¡Mmm..., qué bueno!

John se ríe y finge comerse un mechón de su pelo. Ella chilla de placer. Observo esta escena padre-hija, tan diferente a cualquiera que haya en mi recuerdo, y procuro grabarla para siempre en la memoria.

Cuando al fin nos sentamos a comer, John alza la copa de vino.

—Por mis maravillosas hijas —dice—. Soy un hombre afortunado.

Zoë levanta su vaso de leche, y todos entrechocamos las copas.

Tras la amena conversación de la cena, holgazaneamos alrededor de la mesa de roble, escuchando historias de los primeros tiempos de

John tras marcharse de Chicago. Cuando ve que Zoë se frota los ojos, se aparta de la mesa.

—Vamos a ponerte el pijama, que te estás durmiendo, cariño. Es hora de acostarse.

—No. Me quedo con mi hermana.

—Zoë, ¿me dejas ayudarte a meterte en la cama esta noche? —le pregunto.

Sus ojos se abren desmesuradamente y se baja de la silla, cogiéndome de la mano. Casi hemos salido de la cocina cuando vuelve la cabeza y mira a su padre.

—Tú te quedas. Mi hermana me ayuda.

John se ríe entre dientes.

—De acuerdo, señorita Mandona.

Me conduce hasta su palacio de algodón de azules lavanda y rosas. Unas cortinas de encaje recogidas con alzapaños enmarcan las ventanas, y su camita es una selva de animales de peluche.

—Me encanta tu cuarto —digo mientras enciendo la lámpara de su mesilla de noche.

Ella se pone un pijama de Campanilla y le ayudo a cepillarse los dientes. Luego se mete en la cama y da unas palmaditas a su lado para que me siente.

—Tú a dormir ahora.

—¿Quieres que te lea un cuento?

—¡Libia! —exclama—. ¡Libia!

Me agacho delante de su rincón de libros y repaso los títulos en busca de un cuento sobre Libia, en vano. Finalmente, doy con un cuento sobre una cerda llamada Olivia.

—¿Éste? —pregunto con el libro en alto.

Ella sonríe de oreja a oreja.

—¡Libia! —Me acurruco a su lado y apoyo la cabeza en la almohada junto a la suya. Se gira hacia mí, huele a pasta de dientes de menta y champú de vainilla, y me besa en la mejilla.

—Lee —ordena, señalando el libro.

A medio cuento su respiración aminora y sus ojos se cierran. Con mucho cuidado, retiro el brazo de debajo de su nuca y apago la lámpara de la mesilla. La habitación resplandece de rosa por su lamparita de noche de la Sirenita.

—Te quiero, Zoë —susurro, inclinándome para darle un beso en la mejilla—. ¡Tú sí que me has dado una lección!

Cuando vuelvo a la cocina, la mesa está recogida y el lavavajillas zumba. Relleno mi copa de vino y me voy al salón, donde John está sentado con la guitarra encima como un bebé sobre su rodilla. Sonríe al verme.

—Siéntate. ¿Quieres algo? ¿Más vino? ¿Un café?

Levanto la copa.

—Ya me he servido. —Me siento en la silla que hay junto a la suya, y me fijo en las oscuras y brillantes incrustaciones de madera y marfil de su guitarra—. Es preciosa.

—Gracias. Me encanta esta vieja Gibson. —Puntea unas cuantas notas antes de deshacerse de la correa de cuero—. Es lo que me ha mantenido cuerdo en esos momentos de la vida en que las aguas crecían más rápido de lo que yo era capaz de achicar. —Con el mimo de un amante, coloca el instrumento en su soporte de metal—. ¿Tú tocas?

—Me temo que ese gen me ha pasado de largo.

Él se ríe entre dientes.

—¿Cómo eras de pequeña, Brett?

Nos recostamos en las sillas y durante las dos horas siguientes intercambiamos preguntas e historias, relatos y anécdotas, intentando completar las piezas que faltan en un puzle de treinta y cuatro años.

—Me recuerdas muchísimo a tu madre —dice.

—Pues eso sí que me halaga. La echo mucho de menos.

Su mirada es profunda y baja los ojos hacia sus manos.

—Sí, yo también.

—¿Alguna vez intentaste mantener el contacto con ella?

Su mandíbula se tensa, si bien muy levemente. Como si fuese su talismán, saca la guitarra de su soporte y la coloca sobre su rodilla. Mirando hacia abajo, toca las cuerdas, mandando a la deriva notas aleatorias y melancólicas. Al fin levanta la vista hacia mí.

—Charles Bohlinger era una buena pieza. —Exhala una bocanada de aire como si hubiera estado reteniéndolo durante tres décadas—. Yo quería casarme con tu madre. Dejarla fue lo más difícil que he hecho jamás. La amé como nunca he amado a otra mujer. Nunca.

Niego con la cabeza.

—Pero le partiste el corazón, John. En su diario ella deja claro que habría dejado a Charles y te habría seguido, pero tú no quisiste establecerte.

Se le tuerce el gesto.

—Eso no es del todo cierto. Verás, cuando tu padre descubrió…

—Charles —digo, interrumpiéndole—. Nunca fue un padre para mí.

John me mira y asiente con la cabeza.

—Cuando *Charles* descubrió que tu madre y yo nos habíamos enamorado, se puso furioso. Le obligó a tomar una decisión, o él o yo. Ella lo miró fijamente a los ojos y le dijo que me quería. —John sonríe, como si el recuerdo fuese aún dulce—. Entonces se fue airada de la cocina. Antes de que yo pudiera ir tras ella, Charles me agarró del brazo. Me juró que si Elizabeth se iba, nunca más volvería a ver a sus hijos.

—¿Qué? No podía hacer eso.

—Recuerda que eso fue en los años setenta. Las cosas eran distintas entonces. Juró que diría ante un juez que era una zorra, una madre inepta. En aquel entonces yo fumaba bastante hierba, y él amenazó con pintarme como el amante drogadicto. No fue difícil imaginar de qué lado se pondrían los tribunales. Yo no era más que un lastre para ella.

—¡Dios mío! Eso es horrible.

—Perder a Joad y a Jay la habría matado. Al final mentí para que ella no tuviese que elegir. Le dije que no quería una relación estable.

—Sacude la cabeza, como intentando ahuyentar una pesadilla—. Aquello por poco acabó conmigo. Pero conocía a tu madre. Si perdía a los niños, jamás se recuperaría.

»Estábamos en el porche delantero. Hacía un calor infernal aquella tarde. Todas las ventanas de la casa estaban abiertas. Yo estaba convencido de que Charles estaba escuchando. Pero no me importaba. Le dije a tu madre que la quería, que siempre la querría, pero que lo de vivir siempre en el mismo sitio no estaba hecho para mí. Juro por Dios que ella me caló. Cuando me dio un beso de despedida por última vez, me susurró: «Ya sabes dónde encontrarme».

Me compadezco de la mujer triste del maxiabrigo azul marino que arrastra a sus hijos montados en trineo.

—Ella pensó que volverías a buscarla.

John asiente, recuperando la compostura antes de continuar.

—¡Dios! Aún puedo ver esos ojos, verdes como las colinas irlandesas y de inquebrantable fe en mí.

Me trago el nudo de la garganta.

—Pero después se divorciaron. ¿No podrías haber ido a verla entonces?

—Le perdí la pista. Cuando me fui, me convencí a mí mismo de que había hecho lo correcto. Hice lo imposible para no torturarme haciendo conjeturas. Durante años esta vieja guitarra fue prácticamente lo único que me daba alguna alegría. Quince años después conocí a la madre de Zoë. Estuvimos ocho años juntos, aunque nunca nos casamos.

—¿Dónde está ahora?

—Melinda volvió a Aspen; es donde vive su familia. La maternidad no era lo suyo.

Quiero saber más, pero no pregunto. Me imagino que lo que no era lo suyo era una hija con síndrome de Down.

—Siento todas tus pérdidas —le digo.

Él sacude la cabeza.

—Si alguien no merece compasión, soy yo. La vida es estupenda, como dicen. —Alarga el brazo y me da un apretón en la mano—. Y no hace más que mejorar.

Le sonrío.

—Me pregunto por qué mi madre no contactó contigo cuando se divorció, o después de que muriera Charles.

—Yo supongo que al principio me esperaría, que esperaría una carta o una llamada, alguna clase de contacto. Pero conforme fue pasando el tiempo, y al ver que esa carta nunca llegaba, decidió que después de todo yo no la quería.

Me recorre un escalofrío. ¿Se murió mi madre pensando que el amor de su vida era un fraude? De pronto le suelto una pregunta que lleva semanas atormentándome.

—John, ¿por qué no has pedido una prueba de paternidad? O quizá quieras una, lo cual no me importa.

—No. No, no la quiero. No he dudado ni por un segundo de que eras hija mía.

—¿Por qué no? Todos los demás lo pusieron en duda. Podría ser tan hija de Charles como lo soy tuya.

Él hace una pausa y rasguea un acorde al azar.

—Charles se hizo la vasectomía después de nacer Jay. Tu madre me lo contó al poco de hacernos amigos.

Yo parpadeo, pasmada.

—¿Él sabía que yo no era hija suya? ¡Dios! No me extraña que no le cayera bien.

—Y, de querer más pruebas, le habría bastado con mirarte.

—Fui un embarazo no deseado. Eso no lo sabía.

—No, ahí te equivocas. Tu madre se quedó hecha polvo cuando descubrió que él se había sometido a la intervención. Ella me lo dijo. Quería otro hijo. De hecho, me dijo que siempre había deseado tener una hija.

—¿Ah, sí?

—Sí, con todas sus fuerzas. No te puedes imaginar la ilusión que me hizo que el señor Pohlonski me informara de que yo le había hecho tan inestimable regalo.

Me llevo la mano a la boca.

—Y ella nos devolvió el regalo dejándome ese diario.

Sus ojos sonríen y alarga la mano hacia mí.

—Tú sí que eres un regalo constante.

El sábado tengo la sensación de que estoy dejando a mi familia y no a los dos extraños que conocí al llegar. Me acuclillo junto a Zoë en el vestíbulo del aeropuerto y la abrazo contra mi pecho. Ella no me suelta, se agarra a mi jersey. Cuando se separa, me ofrece el pulgar.

—Mi hermana.

Choco mi pulgar contra el suyo, nuestro nuevo ritual.

—Te quiero, hermana mía. Esta noche te llamaré, ¿vale?

John me da un abrazo de oso gigante. Sus brazos son fuertes y protectores, tal como siempre me imaginé que sería el abrazo de un padre. Inspiro hondo y cierro los ojos. El olor de su chaqueta de cuero se mezcla con su colonia especiada, olores que para siempre serán de mi padre. Finalmente, me suelta.

—¿Cuándo podemos volver a verte?

—Venid a Chicago —digo—. Quiero que todos os conozcan a Zoë y a ti.

—Iremos. —Me da un beso y una palmadita en la espalda—. Ahora lárgate antes de que pierdas el vuelo.

—Espera. Tengo algo para ti. —Meto la mano en el bolso y extraigo el diario de cuero de mi madre—. Quiero que tengas esto.

Lo sostiene con ambas manos como si fuese el Santo Grial. Veo que se le tensa la mandíbula, y le beso en la mejilla.

—Si alguna vez has dudado de su amor por ti, dejarás de hacerlo en cuanto hayas leído este diario. Todos los sentimientos de mi madre están aquí, negro sobre blanco.

—¿Hay más diarios? ¿Siguió escribiendo cuando me fui?

—No. Registré la casa porque me hice la misma pregunta, pero no he encontrado más. Creo que su historia acabó contigo.

Cinco horas después, el avión aterriza en el aeropuerto O'Hare. Consulto el reloj. Las diez y treinta y cinco, doce minutos antes de lo previsto. Enciendo el móvil y descubro un mensaje de texto de Herbert. «Nos vemos en sala recogida equipajes.»

Nunca había salido con un chico tan detallista. Ahora no tendré que coger un taxi. No tendré que arrastrar yo sola estas maletas. Podré ver a Herbert. Pero ¡caray! No soy capaz de mostrar entusiasmo alguno. Debo de estar cansada. Sólo pienso en llegar a casa, a mi apartamentito de Pilsen, meterme en la cama y llamar a Zoë.

Tal como había prometido, me lo encuentro en la sala de recogida de equipajes, sentado en una tumbona de metal y cuero sintético, leyendo lo que parece ser un libro de texto. Se le ilumina la cara al verme. Se levanta de un salto y yo voy hacia los brazos del hombre más impresionante del aeropuerto.

—Bienvenida a casa —me susurra al oído—. Te he echado de menos.

Me aparto y levanto la vista hacia él. Es guapo. Guapísimo.

—Gracias. Yo también te he echado de menos.

Nos quedamos cogidos de la mano, viendo la cinta transportadora escupir maletas. Frente a nosotros, un bebé mira por encima del hombro de su madre, lleva una cinta de pelo rosa con una margarita verde fuerte enganchada. Con unos ojos azules grandes, mira fijamente a Herbert. Él inclina el tronco hacia delante y le sonríe.

—Hola, ricura —dice—. Eres una niña muy guapa.

Coqueta ya, la cría le dedica una sonrisa babosa con hoyuelos. Herbert se ríe a carcajadas y se vuelve hacia mí.

—¿Hay algo más trascendental que la sonrisa de un bebé?

Tardo un segundo en traducir *trascendental*. Creo que se refiere a extraordinario. Y, en este momento, él también me parece trascendental. Sin pensarlo, me inclino y le beso en la mejilla.

—Gracias.

Él ladea la cabeza.

—¿Por qué?

—Por venirme a buscar al aeropuerto. Y por saber apreciar la sonrisa de un bebé.

Se sonroja y dirige su atención a la cinta transportadora.

—Ha llegado a mis oídos algo sobre una lista de objetivos vitales que se supone que debes completar.

Gruño.

—Mi hermano es un bocazas.

Él se ríe entre dientes.

—Uno de tus objetivos era tener hijos, ¿verdad?

—¡Ajá! —contesto, procurando aparentar tranquilidad. Pero en mi pecho hay un tamborileo de esteroides—. ¿Y tú? ¿Quieres tener hijos algún día?

—Desde luego que sí. Me encantan los niños.

Mi maleta aparece en la cinta transportadora. Avanzo para ir a por ella, pero Herbert me sujeta del brazo.

—Yo la cojo.

Mientras va hacia la cinta, los ojos del bebé encuentran los míos. La niña me observa, como evaluándome, decidiendo si sería una mami decente. Recuerdo los plazos de tiempo (los impuestos tanto por mi madre como por la Madre Naturaleza) y espero a que me sacuda la consabida ola de pánico. Pero esta vez no me sacude.

Herbert coge mi maleta y vuelve a mi lado.

—¿Listos? —pregunta—. ¿Tienes todo lo que necesitas?

Echo un vistazo al bebé, como buscando confirmación. Una sonrisa ilumina su cara. Sujeto a Herbert por el codo.

—Sí, creo que sí.

Después de dejar salir a *Rudy* para su pipí de las cuatro de la madrugada, me desplomo de nuevo en la cama y aprovecho al máximo que es domingo durmiendo hasta las nueve. Mi excusa es que aún estoy con la hora del Pacífico. Cuando por fin me levanto, me llevo el café a mi soleado salón y hago el crucigrama del *Tribune*, sintiéndome sumamente decadente y feliz. *Rudy* yace aovillado en la alfombra junto a mí, viendo cómo voy completando el crucigrama, casilla a casilla. Finalmente, me levanto del sofá y me voy al armario, frente al que cambio el pijama por mi chándal. Engancho la correa de *Rudy* a su collar, y éste gira en círculos al ver que salimos. Cojo el iPod y las gafas de sol, empujo para abrir la puerta principal y correteo escaleras abajo.

Rudy y yo empezamos con un paseo sosegado. Levanto la cara hacia el sol, maravillándome ante el despejado cielo azul y la promesa de primavera en el aire. Ráfagas del viento de Chicago me lamen las mejillas, pero a diferencia de los odiosos y arrasadores vendavales de febrero, los vientos de finales de marzo son más suaves, más bonancibles, casi tiernos. *Rudy* me toma la delantera y tengo que tirar de la correa para evitar que me arrastre. Compruebo qué hora es al llegar a la calle Dieciocho, me pongo los auriculares y echo a correr.

La calle Dieciocho es un bullicioso corredor comercial con pastelerías mexicanas, restaurantes y tiendas de comestibles a cada lado. Mientras corro por la acera, me doy cuenta de que mi madre hizo bien en obligarme a salir de mi elemento. Ni en sueños pensé que podría llamar hogar a un piso tan modesto y humilde. Me imagino a mi madre en el cielo, sentada en su silla de directora megáfono en mano, anunciando las tomas de cada escena de mi vida. Ahora que Herbert es un personaje en mi obra, puedo hasta imaginarme enamorándome y teniendo hijos. Dos objetivos que yo dudaba poder lograr algún día; no digamos en cuestión de meses.

Hemos llegado a Harrison Park cuando *Rudy* al fin hace caca. Descansamos un minuto y luego volvemos a casa paseando. Por el camino mis pensamientos sobre Herbert Moyer persisten.

Es extraordinario. Anoche al salir del aeropuerto, era evidente que quería que pasara la noche con él. Y estuve tentada de hacerlo. Pero cuando le conté que tenía que ir a buscar a *Rudy*, que estaba reventada y quería dormir en mi propia cama, lo entendió perfectamente. Estoy convencida de que la palabra *caballero* se acuñó por Herbert Moyer. Es más, es el hombre más adorable con el que he salido jamás. Abre puertas, retira sillas... Juraría que si se lo pidiera, me llevaría el bolso. Nunca me he sentido tan idolatrada.

Entonces, ¿por qué no he pasado la noche con él?, me pregunto ahora. Perro o no perro, eso no habría podido alejarme de Andrew. Y no tiene nada que ver con la habilidad de Herbert como amante. Es maravilloso; más atento de lo que Andrew lo fue nunca. Herbert es exactamente la clase de hombre que esperaba encontrar y todo lo que mi madre habría deseado para mí.

Pero, aun así, una parte de mí se resiste a su amor. En ocasiones, me preocupa si soy capaz de tener una relación «normal», porque siendo totalmente honesta conmigo misma, a veces la atención y amabilidad de Herbert me resultan agobiantes. Me preocupa que lo que a mí me parece normal, con lo que he llegado a estar más a gusto, sean los tíos fríos y distantes como Charles Bohlinger y Andrew Benson. Pero no puedo estropear esta relación, no lo haré. Ahora soy más sabia, más consciente, y me niego a dejar que mi pasado destruya mi futuro. Los tipos como Herbert Moyer escasean tanto como los bolsos auténticos de Louis Vuitton, y tengo que dar gracias al cielo por haber encontrado un verdadero chollo.

Aparece mi casa a lo lejos. Suelto la correa de *Rudy* y corremos hasta la puerta principal. Desde donde está, en la mesa auxiliar, la luz de mi móvil parpadea. Herbert quiere que hoy le ayude a elegir taburetes de bar, y seguramente me ha llamado para quedar. Pulso para escuchar los mensajes de voz.

«Brett, soy Jean Anderson. Sanquita está de parto. Me la llevo al Cook County Memorial. Pregunta por usted.»

25

La sangre se me agolpa en la cabeza. Bajo la escalera a saltos y aporreo la puerta de Selina y Blanca, sin aliento, para pedirles si pueden quedarse con *Rudy*. Camino del hospital llamo a Herbert.

—Hola —saluda—. Ahora iba a llamarte. ¿Puedes estar lista en una hora?

—Sigue adelante con tu plan de tiendas sin mí. Estoy yendo al hospital. Sanquita se ha puesto de parto.

—¡Cuánto lo siento! ¿Hay algo que pueda hacer?

—Reza. Aún le quedan siete semanas para salir de cuentas. Estoy muy preocupada, por ella y por su bebé.

—Lógico. Si puedo ayudar en algo, me avisas.

La entrada del hospital surge delante y aminoro la marcha.

—Gracias. Te llamaré en cuanto pueda.

Apago el teléfono, asombrada ante la compasión de Herbert. Andrew jamás entendería mi necesidad de estar junto a Sanquita. Me haría sentir culpable por echar por tierra sus planes. Herbert es un príncipe, de eso no hay duda.

La señorita Jean se levanta de una silla de vinilo blanco y viene corriendo hasta mí cuando entro en la pequeña sala de espera. Me agarra del brazo y salimos juntas al pasillo.

—No va bien —me cuenta. Sus párpados cuelgan pesadamente sobre sus ojos—. Están haciendo una cesárea de emergencia. Su nivel de potasio es demasiado alto. Temen que tenga un paro cardiaco.

Justo lo que advirtió la doctora Chan.

—¿Cómo está el bebé?

—Más peligro no puede correr. —Menea la cabeza y se cubre la nariz con un pañuelo de papel—. Esto no debería estar pasando. Esa chica está llena de vida. Y ese bebé ha llegado hasta aquí, no puede morirse ahora.

—No van a morirse —digo, con más convicción de la que siento—. No pierda la esperanza ahora. Los dos estarán bien.

Ella me mira furiosa y con el ceño fruncido.

—Todos los de su clase creen que cada tormenta acaba con un arco iris. Para los negros no es así. Esta historia no tendrá un final feliz. Más vale que se entere ya.

Retrocedo un paso, apuñalada por otra cuchilla de miedo.

A los veinte minutos una doctora aparece en la sala de espera y se quita la mascarilla de papel de la cara. Es una joven morena con más pinta de animar un partido de fútbol de instituto que de traer bebés al mundo.

—¿Sanquita Bell? —pregunta, sus ojos recorren la sala de espera.

Jean y yo salimos disparadas de las sillas y nos encontramos con ella en medio de la sala.

—¿Cómo está? —inquiero. El corazón me golpetea tan deprisa que temo desmayarme antes de oír las noticias.

—Soy la doctora O'Connor —dice—. La señorita Bell ha dado a luz una niña de un kilo y veinte gramos.

—¿Sana? —consigo croar.

La doctora coge aire.

—Está muy desnutrida y sus pulmones no están del todo desarrollados. He dado instrucción de que le pongan presión positiva continua en la vía aérea hasta que pueda respirar por sí misma. La han llevado a la unidad de cuidados intensivos neonatales. —Sacude la cabeza de un lado al otro—. Considerando las circunstancias, es un milagro ese minicacahuete.

Me cubro la boca y empiezo a llorar. Los milagros existen, tengo ganas de decirle a Jean. Pero ahora no es momento para regodeos.

—¿Podemos ver a Sanquita?

—La están trasladando a la unidad de cuidados intensivos. Para cuando lleguen ustedes, ya debería estar instalada.

—¿Cuidados intensivos? —Mis ojos buscan los de la doctora—. Se pondrá bien, ¿verdad?

La doctora O'Connor esboza una sonrisa con los labios apretados.

—Hoy hemos sido testigos de un milagro. Cabe esperar otro.

Jean y yo realizamos lo que parece un viaje interminable en ascensor hasta la quinta planta.

—¡Venga! —exclamo, pulsando el botón una y otra vez.

—Hay algo que debería saber.

La gravedad de la voz de Jean me asusta y me vuelvo hacia ella. Bajo el fluorescente de la cabina del ascensor, cada arruga de su rostro es visible y pronunciada. Sus ojos negros me miran fijos, sin parpadear.

—Sanquita está muriéndose. Es probable que su bebé también muera.

Me vuelvo y contemplo los números que hay sobre la puerta del ascensor.

—Tal vez no —susurro.

—Esta mañana me ha dicho que si se muere, quiere que se quede usted con su bebé.

Me desplomo contra la pared y me llevo las manos a la cabeza.

—No puedo… no… —Se me desencaja la cara y se me atragantan las lágrimas.

Ella menea la cabeza y se queda mirando las baldosas del techo del ascensor.

—Le advertí que quizá usted no querría un niño mulato.

Recibo una sacudida eléctrica. De pronto, todas mis fibras y terminaciones nerviosas se encienden simultáneamente.

—La raza de esa criatura no tiene nada que ver con esto, ¿lo entiende? ¡Nada! Es un honor increíble para mí que Sanquita se haya planteado siquiera que yo críe a su hija. —Inspiro profundamente y me froto el nudo de la garganta—. Pero ella vivirá. Ambas vivirán.

La cortina que rodea la cama de Sanquita está cerrada, amén de las persianas, y la habitación parece una guarida tenebrosa repleta de cables y tubos y luces intermitentes. Está dormida, sus labios agrietados entreabiertos, y respira con breves espasmos entrecortados. Llena de líquido, su cara está tirante, como una ampolla a punto de reventar. Sus ojos están cerrados, pero parece que hubieran oscurecido sus párpados hinchados con carbón. Le cojo la mano lacia y le retiro el pelo de su rostro apagado.

—Estamos aquí, tesoro. Ahora descansa.

El ligero olor a amoníaco inunda mis fosas nasales. Uremia, una acumulación de toxinas en la sangre, según he leído. El temor se apodera de mí.

Jean rodea su cama, remetiendo mantas y alisando su almohada. Pero en cuanto termina su lista de tareas, se queda simplemente mirando a Sanquita.

—Váyase a casa —le digo—. No hay nada que podamos hacer. Le llamaré cuando se despierte.

Ella consulta su reloj de pulsera.

—Tengo que volver al centro, pero antes baje un momento a ver cómo está el bebé. Me quedaré con Sanquita hasta que vuelva.

Unas puertas dobles cerradas impiden mi entrada a la unidad de neonatos. Junto a éstas, una atractiva enfermera de pelo rubio rojizo está sentada tras una zona de recepción cerrada. Sonríe cuando me acerco.

—¿Qué desea?

—Sí. Vengo a ver… —Caigo en que este bebé ni siquiera tiene un nombre—. Vengo a ver al bebé de Sanquita Bell.

Ella frunce el ceño, como si nunca hubiese oído hablar de Sanquita Bell, luego asiente lentamente.

—Su bebé acaba de entrar, ¿verdad? ¿El bebé sin hogar?

Se me contrae el estómago. Ha nacido hace menos de una hora y la criatura ya ha sido etiquetada.

—El bebé de Sanquita, sí.

Descuelga el teléfono y casi al instante aparece una mujer bajita morena, carpeta médica en mano. Su bata morada está decorada con personajes de Disney.

—Hola, soy Maureen Marble. ¿Y usted es…? —pregunta mientras abre la carpeta.

—Soy Brett Bohlinger. La profesora de Sanquita.

Ella examina su carpeta.

—¡Ah, sí! Sanquita la ha nombrado persona de apoyo. Nos vemos dentro.

Suena un zumbido y las puertas se abren con un chasquido. Entro a un vestíbulo lleno de luz. La enfermera Maureen aparece de nuevo y me conduce por el pasillo.

—Tenemos nueve salas de recién nacidos en la unidad de cuidados neonatales, cada una con cabida para ocho incubadoras. El bebé de Sanquita está en la sala siete.

La sigo hasta la sala siete, donde un hombre y una mujer mayores contemplan al que me imagino que es su nuevo nieto. Ocho incubadoras bordean el perímetro de la gran sala. Sobre casi cada incubadora observo carteles de vivos colores enganchados a las paredes, o letras caprichosas anunciando el nombre del bebé. Isaiah. Kaitlyn. Taylor. Descubro fotos familiares dispuestas dentro de diversas incubadoras, y suaves mantitas tejidas a mano que es evidente que no son del hospital.

Maureen señala una incubadora apartada del fondo, aislada y carente de cualquier demostración de amor.

—Está ahí.

El letrero de la parte delantera de la incubadora dice niña. Cierro los ojos. Bien podría decir bebé sin identificar.

Echo un vistazo al interior de la cuna de plástico. Un bebé en miniatura de aproximadamente el largo de una regla está durmiendo, vestida nada más con un pañal tamaño muñeca y un gorrito rosa claro. Tres parches están enganchados a su pecho y estómago, de los que salen cables a diversos monitores. Un catéter sujeto con cinta de plástico transparente le sobresale de una vena del pie, y un tubo delgado que le suministra un líquido blanco serpentea hasta sus fosas nasales. Rodeando su cabeza tamaño manzana hay dos cintas elásticas que sujetan en el sitio un aparato de plástico transparente que le cubre boca y nariz.

Me llevo una mano al pecho y me vuelvo hacia Maureen.

—¿Se pondrá bien?

—No debería tener problemas. La mascarilla que ve se llama VPP —me cuenta Maureen—. Proporciona presión positiva en la vía aérea. Sus pulmones no están del todo desarrollados. La VPP le ayudará hasta que sea capaz de respirar por sí misma. —Se gira hacia mí—. ¿Le gustaría cogerla?

—¿Cogerla? ¡Oh, no! No, gracias. Seguramente desenchufaría algo. —Procuro disimular mi carcajada nerviosa carraspeando—. Dejaré que Sanquita sea la primera en cogerla en brazos.

Me mira de reojo.

—Tómese su tiempo para familiarizarse con la niña. Ya volveré.

Me dejan sola, contemplando a esta recién nacida arrugada, un alfiletero virtual con una plétora de agujas y tubos. Su cara redonda está malhumorada, como si estuviese un tanto molesta por estar lejos de su mami. La piel de caramelo, recubierta aún de vello aterciopelado, parece irle varias tallas grande. Se despereza y estira los dedos, y veo cinco palillos pequeños. Se me hincha la garganta.

—Niña —susurro, pero la palabra suena fría e impersonal. Me viene a la memoria la desgarradora historia del hermano de Sanquita, un niño excesivamente sensible para el mundo en el que nació. Me beso el dedo y lo coloco en el cristal, donde veo la carita dormida de la niña—. Austin —susurro—. Bienvenida, Austin, preciosa.

Por el pasado de un niño pequeño y el futuro de un nuevo bebé, por razones conocidas y por razones aún por desentrañar, cierro los ojos y lloro.

Jean salta de la silla reclinable cuando vuelvo a la habitación de Sanquita.

—¿Cómo está el bebé?

—Estupendamente —digo, procurando sonar más optimista de lo que me siento—. Vaya a verla.

Ella sacude la cabeza.

—Sanquita tenía que elegir a una persona de apoyo y la ha elegido a usted.

Busco indicios de decepción o, peor, de desaprobación. Pero, para mi sorpresa, no los hallo en el rostro de Jean. Me acerco a la cama de Sanquita. Está dormida boca arriba, exactamente como estaba cuando la he dejado, su cara abotargada es una cruel caricatura de la chica antaño adorable.

—Tu bebé es una preciosidad, Sanquita.

Jean coge su bolso.

—¿No le importa quedarse aquí sola?

—Estaré bien.

Se enjuga los ojos con un pañuelo.

—Llame en cuanto se despierte.

—Lo haré. Lo prometo.

Se inclina hacia delante y frota su mejilla contra la de Sanquita.

—Volveré, chiquitina. —Se le quiebra la voz—. No te rindas, ¿me oyes?

Me vuelvo hacia la ventana y me cubro la boca con la mano, tragándome mis propias lágrimas. Entonces noto a Jean junto a mí. Alarga una mano para tocarme, pero la retira antes de establecer contacto conmigo.

—Cuídese —me susurra—. Me temo que ese bebé la necesitará.

Cada media hora entra una enfermera para controlar las constantes vitales de Sanquita, pero no parece haber cambio alguno. Las horas transcurren a paso de tortuga. Acerco una silla de madera a la cama, tan cerca de Sanquita que puedo apreciar cada inspiración superficial. Intercalo la mano en la barra metálica de la cama y encuentro la suya. Mientras yace dormida, le cuento todo sobre su preciosa hija y la maravillosa madre que va a ser.

Por la tarde una mujer joven entra en la tenebrosa habitación. Lleva una bata blanca, y mechones de pelo rubio encrespado asoman por debajo de su gorro azul. Hurga en la mesilla de noche de Sanquita y da un respingo al verme al otro lado de la cama.

—¡Vaya! No había visto que estaba ahí. Busco el menú de la paciente. ¿Ha rellenado uno?

—Esta noche no cenará, gracias.

Sus ojos buscan la silueta inerte de Sanquita.

—¿Cree que necesitará más menús? Quiero decir que puedo dejar uno cada día, o podría simplemente esperar…

La sangre fluye veloz por mis sienes. Me levanto y le quito el menú a la mujer de la mano.

—Sí, necesitará el menú de mañana. Deje uno cada día, ¿lo entiende? Cada día.

A las cinco bajo corriendo a la unidad de neonatos para ver cómo está Austin. Después de tocar el timbre y entrar, voy directamente a la sala siete y me lavo antes de ir a ver a la pequeña. Me dirijo a zancadas hasta el rincón del fondo y ahogo un grito cuando descubro la incubadora de Austin iluminada como una cabina de rayos UVA. La mascarilla VPP sigue cubriéndole nariz y boca, y ahora sus ojos están tapados con un par de vendas. ¿Y ahora qué? Me retumba el corazón en el pecho.

Giro sobre mis talones.

—¿Maureen? —Pero al otro lado de la sala la enfermera está ocupada hablando con la anciana pareja que he visto antes.

Veo a una mujer en bata blanca cruzando la sala.

—Perdone —digo, siguiéndola por la puerta—. ¿Podría decirme qué pasa con Austin, con la niña? Su incubadora…

Ella levanta la mano y se aleja a zancadas.

—Tengo una emergencia. Tendrá que hablar con una de las enfermeras.

Vuelvo a entrar como una bala en la sala. Finalmente, la enfermera Maureen se aleja de los devotos abuelos.

—¿Qué ocurre, Brett?

—¿Qué le pasa al bebé de Sanquita? Su cuna está toda iluminada. Y lleva unas vendas.

Una máquina al otro lado de la sala pita como un despertador geniudo, y Maureen se pone en alerta.

—Le estamos suministrando fototerapia para la bilirrubina —me cuenta mientras se apresura al otro lado de la sala.

Vuelvo a la cuna de Austin, sin saber aún qué le ocurre. El anciano que doy por sentado que es el abuelo se me acerca sigilosamente y echa un vistazo a Austin.

—¿Esta pequeña es suya?

—No. Su madre es una de mis alumnas.

Él frunce el ceño.

—¿Su alumna? ¿Qué edad tiene?

—Dieciocho.

Menea la cabeza.

—¡Qué pena! —Regresa junto a su mujer arrastrando los pies y susurra algo que no alcanzo a oír.

¿Es esto lo que tendrá que aguantar este bebé? ¿Que la gente la trate como un error, el resultado amargo de una adolescente irresponsable? ¿Que la gente la ignore porque es pobre y no tiene hogar? Me masajeo las sienes, horrorizada ante la idea.

Una guapa pelirroja de piel morena en cuya tarjeta identificativa pone «ENFERMERA LADONNA» aparece frente a una incubadora cercana.

—Disculpe —le digo, esta vez con la autoridad de una cuidadora.

Ella levanta la vista.

—¿En qué puedo ayudarle?

—El bebé de Sanquita Bell —contesto, señalando la incubadora—; ¿por qué está en la cabina de rayos UVA?

La enfermera LaDonna sonríe, exhibiendo una sonrisa simpática y de dientes separados.

—Se le está suministrando fototerapia para la hiperbilirrubinemia.

—¿Hiperbili...? —Paro, incapaz de repetir la palabra desconocida. Carraspeo—. Mire, me da igual si la niña tiene hiper... bili no sé qué. Lo que necesito es saber qué le pasa a Austin. En cristiano, por favor.

Veo humor en la mirada de la enfermera LaDonna, pero se limita a asentir.

—Me parece bien. La hiperbilirrubinemia —me guiña el ojo— normalmente hace referencia a la ictericia. Es muy común en los bebés prematuros. La tratamos con luces azules especiales que ayudan a sus cuerpecitos a eliminar el exceso de bilirrubina. Las luces no son dañinas y la niña no siente malestar alguno. Sus niveles de bilirrubina deberían estabilizarse en un día o dos.

Exhalo un suspiro de alivio.

—Gracias a Dios. —La miro—. Y a usted.

—No hay de qué. ¿Algo más?

—No. De momento no. —Me dispongo a volver junto al bebé, pero me paro en seco—. Una cosa más —digo, dirigiendo de nuevo la mirada a LaDonna.

—¿Sí?

—¿Podemos, por favor, llamarla Austin, no niña?

Ella sonríe.

—Me parece bien.

El cielo vespertino está oscuro ahora. Camino hasta la ventana y llamo a Herbert. Mientras espero a que conteste, miro hacia la bulliciosa ciudad. Fuera, la gente hace su vida, compra comida, pasea perros, prepara la cena. De pronto la vida cotidiana parece un milagro. ¿Saben estas personas lo afortunadas que llegan a ser? Un día de tiendas con Herbert ahora parece muy frívolo, muy codicioso.

—Hola —dice—. ¿Dónde estás?

—En el hospital. Sanquita está en la unidad de cuidados intensivos. Tiene insuficiencia cardiaca.

—¡Vaya, cariño! Alarmante noticia.

—No hay nada que pueda hacer —digo apretándome la nariz con un pañuelo—. Su bebé también está en estado crítico.

—Déjame ir a buscarte. Te prepararé la cena. Luego veremos una película o daremos un paseo junto al lago. Te volveré a llevar en coche a primera hora de la mañana.

Niego con la cabeza.

—No puedo dejarla. Me necesita. Lo entiendes, ¿verdad?

—Por supuesto que sí. Me gustaría verte, eso es todo.

—Luego te llamo. —Voy a colgar cuando le oigo hablando otra vez.

—¿Brett?

—Sí —digo.

—Te quiero.

Me quedo pasmada. ¿Elige este momento para declararme su amor? Las ideas se agolpan en mi mente y no puedo pensar en una respuesta atinada... aparte de lo obvio.

—Yo también te quiero —digo al fin, antes de decidir si realmente lo quiero o no.

Cuando regreso a mi silla, los ojos de Sanquita están vidriosos y muy abiertos, mirándome fijamente a través de las barras metálicas de la barandilla de la cama. Me quedo helada. Mi madre también murió con los ojos abiertos. Pero entonces detecto el leve ascenso y descenso de la manta cuando ella respira. Gracias a Dios. Me inclino sobre la barandilla.

—Felicidades, tesoro. Tienes una hijita preciosa. —Sanquita clava los ojos en mí, como suplicando oír más—. Está estupenda —miento—. De maravilla.

Le tiembla el labio hinchado y su cuerpo se estremece. Está llorando. Le retiro el pelo de la frente. Su piel parece hielo al tacto.

—Estás helada, cielo.

Le castañetean los dientes y asiente imperceptiblemente con la cabeza. Miro a mi alrededor, pero no encuentro mantas de sobra. ¿Qué más torturas tiene que soportar esta criatura? ¿Y dónde está su madre, maldita sea? Durante todos los años que ha estado enferma, ¿alguien ha consolado alguna vez a esta niña? ¿Ha sentido alguna vez el abrazo afectuoso de una madre? Lo único que deseo es estrecharla entre mis brazos, hacerle sentir calor y seguridad y amor. Así que lo hago.

Bajo la barandilla de la cama y coloco bien los cables y tubos conectados a sus manos y pecho. Parece casi ingrávida cuando la desplazo cuidadosamente a un lado de la cama. Luego, muy despacio y siempre con mucho cuidado, me tumbo a su lado.

Con ternura, como si fuese de cristal, la estrecho en mis brazos. Otra vez huele a amoniaco, esta vez más fuerte. Uremia. ¿Está su cuerpo apagándose? ¡Dios, no, por favor! Ahora no.

Arrebujo las mantas alrededor de su delicado cuerpo. Toda ella tiembla, como si estuviese electrizada. La estrecho contra mi pecho, esperando que absorba el calor de mi cuerpo. Con mi mejilla apoyada en su cabeza, la acuno, y en voz baja le canto al oído mi nana favorita.

—En algún lugar… después del arco iris…

Espero que no note el temblor de mi voz ni cómo tengo que parar cada equis palabras para deshacer el nudo de mi garganta. A media canción su cuerpo tembloroso se va calmando. Dejo de acunarla, repentinamente presa del pánico. Pero entonces oigo una voz, tan ronca y débil que apenas se oye.

—Bebé.

Bajo los ojos hacia ella, más allá de una zona sin pelo que se dejó en carne viva de tanto rascarse, y me obligo a sonreír.

—Ya verás cuando la veas, Sanquita. Es pequeñita, no mucho más grande que mi mano, pero tiene una voluntad férrea, igual que su mami. Eso salta a la vista incluso ahora. Y tiene tus dedos largos y bonitos.

Una única lágrima resbala por su cara abotargada. Se me parte el corazón.

Le seco la mejilla con la sábana de algodón.

—Las enfermeras la están cuidando de maravilla hasta que tú te recuperes.

—No... me recuperaré... —susurra.

—¡No digas eso! —Me muerdo la cara interna del carrillo tan fuerte que me sabe a sangre. No puedo dejar que sepa lo asustada que estoy—. ¡Tienes que luchar, Sanquita! Tu bebé depende de ti.

Con una fuerza que parece hercúlea, levanta el rostro hacia el mío.

—Quédese... con... mi bebé. Por favor.

Trago saliva.

—No hará falta. Te pondrás mejor.

Me fulmina con la mirada, sus ojos locos de desesperación.

—¡Por favor!

Un sollozo me sacude el cuerpo. Ya no intento ocultárselo. Ella conoce su destino. Y necesita conocer el de su bebé.

—Me quedaré con tu niña —le digo, atragantándome con mis sollozos—. Me aseguraré de que tenga una vida maravillosa. Hablaremos de ti todos los días. —Me tapo la boca y se me escapa un gemido—. Le diré lo inteligente que eras..., lo mucho que peleaste.

—Y... lo que la quise.

Cierro los ojos y asiento con la cabeza hasta que al fin puedo volver a hablar.

—Le diré que la quisiste más que a la vida misma.

26

El funeral de Sanquita es un pobre reflejo de su valerosa y joven existencia. La entierran con su toga y birrete dorados en el Cementerio Oak Woods a los tres días del nacimiento de su hija, rodeada por sus amigas de la Residencia Joshua, Jean Anderson, dos profesoras, Herbert y yo. Junto a la tumba, el pastor que ha traído Jean reza sobre el féretro y hace un impersonal panegírico de la chica que nunca conoció. Posteriormente, el grupo se divide, Jean vuelve corriendo a la Residencia Joshua, las profesoras a sus trabajos. Veo a Tanya, Julonia y el resto de mujeres subir por la cuesta cubierta de hierba hacia la calle 67 Este para coger el bus. Tanya enciende un cigarrillo, da una gran calada y se lo pasa a Julonia.

Ya está. Se acabó. Los dieciocho años de vida de Sanquita Bell son ya un recuerdo, un recuerdo que irá disipándose cada día un poco. La idea me da escalofríos.

Herbert me mira.

—¿Estás bien, mi amor?

—Tengo que ir al hospital. —Alargo el brazo hacia el cinturón de seguridad, pero él me agarra la mano.

—Estás que no paras entre el trabajo y el hospital. Casi no te he visto esta semana.

—Austin me necesita.

Se lleva mi mano a los labios y la besa.

—Mi vida, Austin está recibiendo todos los cuidados que necesita. Tómate un respiro hoy. Deja que te lleve por ahí a cenar a un buen sitio.

Tiene razón. Seguramente Austin no me echaría de menos. Pero la cosa es que yo sí la echaría de menos. Lo miro a los ojos esperando que lo entienda.

—No puedo.

Por supuesto que lo entiende. Sin tan siquiera un suspiro de frustración, pone el coche en marcha y se dirige al hospital.

Corro hasta la incubadora de Austin, esperando ver las luces azules a las que he acabado por acostumbrarme; pero le han quitado las vendas y las luces azules han desaparecido. Está acurrucada boca abajo, la cabeza de lado. Sus ojos están abiertos. Me acuclillo y la observo.

—Hola, chiquitina —saludo—. ¡Qué guapa estás!

La enfermera LaDonna aparece junto a mí.

—Sus niveles sanguíneos se han normalizado. ¡No más luces para la bilirrubina! ¿Le gustaría cogerla?

Durante los últimos dos días, mientras la estaban tratando con las luces, he metido las manos dentro de la incubadora para acariciarle la piel, pero aún no la he cogido en brazos.

—Mmm..., sí, claro —digo—. Si no supone ningún problema. No quiero hacerle daño.

LaDonna se ríe entre dientes.

—Lo hará usted muy bien. El bebé es más fuerte de lo que usted cree, y ahora mismo necesita contacto humano.

Las enfermeras han sido especialmente amables conmigo desde la muerte de Sanquita. Saben de mi intención de adoptar a Austin, y ahora me tratan como a una nueva mamá, más que como a una visitante. Pero a diferencia de las parturientas dispuestas y seguras de sí mismas que veo a mi alrededor, yo me siento torpe y poco preparada. Sanquita me ha confiado a su única hija. El bienestar de este alienígena arrugadito descansa enteramente sobre mis hombros. Pero ¿y si le fallo, al igual que le fallé a Peter Madison?

LaDonna levanta la tapa de la incubadora y coge a Austin en sus manos al tiempo que ajusta los cables, la sonda de alimentación nasal y la mascarilla VPP. Vuelve a poner la foto que he colocado en la incubadora de Austin (el carné de instituto de Sanquita) y coge una manta. Envuelve a la niña en un fardo pequeño y prieto.

—A los bebés les gusta estar envueltos —me dice, y me pasa el diminuto bulto.

Austin parece casi ingrávida. Ha perdido cincuenta y siete gramos desde su nacimiento, lo que LaDonna me asegura que es normal, pero no puedo evitar preocuparme. A diferencia de los bebés sanos, a Austin no le sobra ni un gramo. La coloco en el ángulo de mi brazo y parece desorientada. Su frente se frunce, pero debido a la VPP que le cubre boca y nariz, su grito es apagado.

—Está llorando. —Le ofrezco el fardo a LaDonna, deseosa de que vuelva a coger a Austin. Pero no lo hace. Le doy un achuchón a la pequeña y la arrimo más a mí, pero el gimoteo desgarrador y silencioso continúa—. ¿Qué estoy haciendo mal?

—Lleva todo el día quejándose. —LaDonna se da unos golpecitos en el mentón con un dedo índice—. ¿Sabe lo que creo?

—Mmm… ¿Que soy una madre horrible?

Ella da un manotazo en el aire y menea la cabeza.

—¡No! Será una madre excelente. Creo que Austin necesita el método canguro.

—¡Justo lo que yo pensaba! —La miro sacudiendo la cabeza—. Venga, LaDonna, que está hablando con una recién llegada… y no va por Austin. ¿Qué diablos significa método canguro?

Ella se echa a reír.

—El método madre canguro es el contacto piel con piel entre la madre y el bebé prematuro, como una cría de canguro dentro del marsupio de la madre. Estos bebés necesitan contacto físico para establecer lazos afectivos, pero los estudios también demuestran que sostener a un bebé prematuro contra el pecho de su madre estabiliza su ritmo respiratorio y cardiaco. Conserva las calorías, por lo que el bebé gana más peso, y hasta regula su temperatura corporal. El cuerpo de la madre hace de incubadora.

—¿En serio?

—Sí. Los senos de la madre hasta cambian de temperatura como reacción a la temperatura corporal del bebé. Los bebés están más contentos, son menos propensos a tener apnea... y toda clase de cosas buenas. ¿Le gustaría intentarlo?

—Pero yo no soy la madre..., la madre biológica.

—Razón de más para reforzar el vínculo. Instalaré unos cuantos biombos para que las dos tengan cierta intimidad. Mientras voy a por ellos, desenvuelva a Austin. Quítele todo menos el pañal. ¿Quiere que le consiga una bata de hospital o prefiere desabrocharse la blusa?

—Mmm... Me parece que simplemente me desabrocharé la blusa. ¿Está segura de que esto funciona sin la madre verdadera? Sentiría mucho que se resfriara porque yo no he sabido ser una buena madre canguro.

LaDonna se ríe.

—Funcionará. —Ladea la cabeza, ahora seria—. Y, Brett, ¿recuerda que me pidió que no llamase *niña* a Austin?

—Sí.

—Pues ¿podría usted dejar de decir que no es la madre, por favor?

Cojo aire y asiento con la cabeza.

—Me parece bien.

Estoy en una silla reclinable, rodeada de biombos que me dan intimidad. Me he desabrochado la blusa y quitado el sujetador. LaDonna coloca a Austin sobre mi pecho, el montículo de mi seno izquierdo hace las veces de cojín. Su pelo aterciopelado me hace cosquillas en la piel, y me estremezco. LaDonna pone una manta sobre el bebé.

—A disfrutar —dice, y desaparece tras el biombo.

Espere, quiero decirle. *¿Cuánto rato se supone que tengo que hacer esto? ¿Podría traerme un libro, quizá, o una revista incluso?*

Lanzo un suspiro. Con cuidado, deslizo la mano por dentro de la manta y la dejo sobre la espalda desnuda de Austin. Es suave como la mantequilla. Noto las rápidas subidas y bajadas de su respiración.

Al mirar hacia abajo veo su pelo negro y fino. Su cara, de perfil, ya no está contraída por sus silenciosos gemidos. Sus ojos parpadean, dándome a entender que está despierta.

—Hola, Austin —le digo—. ¿Estás triste hoy, cariñito? Siento mucho que tu mami haya muerto. La queríamos mucho, ¿verdad?

Ella parpadea, como si estuviera escuchándome.

—Ahora yo seré tu mami —le susurro—. Esto es nuevo para mí, así que tendrás que ser comprensiva conmigo, ¿vale?

Austin mira fijamente al frente.

—Cometeré algunos errores, más vale que lo sepas de entrada. Pero te prometo que haré cuanto esté en mi mano para que tengas una vida segura, y agradable, y feliz y en condiciones.

Austin se acurruca contra mi cuello. Me río con ternura y froto mi mejilla contra su vellosa cabeza.

—¡Estoy tan orgullosa de que seas mi hija!

Su respiración afloja y sus ojos se cierran. Contemplo este increíble regalo y me invade un amor tan puro, tan instintivo, que me quedo sin habla.

En un abrir y cerrar de ojos LaDonna se asoma por el biombo.

—El horario de visita está llegando a su fin —susurra.

Miro hacia el reloj de la pared.

—¿Ya?

—Lleva usted aquí dentro casi tres horas.

—Me toma el pelo.

—No. Austin parece contenta ahora… y usted también. ¿Qué tal ha ido?

—Ha sido… —Beso la coronilla de Austin y busco el adjetivo—. Mágico.

Mientras acuesto a Austin en su incubadora y le doy un beso de buenas noches, veo de refilón el carné escolar de plástico de Sanquita; la única foto que Jean ha podido encontrar de ella. Apoyo la foto contra la incubadora de Austin, directamente en su línea de visión. Tomo nota mentalmente para traer otra fotografía mañana.

Una de mí.

Aunque racionalmente mi cerebro sabe que cualquier cuerpo caliente habría producido los mismos resultados, asistir a la transformación de Austin es casi espiritual. Tras sólo siete días siguiendo el método canguro piel con piel, pasa de la VPP a un tubo nasal. Por fin puedo ver sus bonitos labios arqueados y acariciarle con la cara sin que la burda mascarilla de plástico interfiera. Desde su nacimiento hace nueve días, ha recuperado el peso perdido, más otros cincuenta y siete gramos, y cada vez tiene menos aspecto de pequeño alienígena.

Son las tres de la tarde y cruzo como una exhalación el aparcamiento del hospital con el móvil en la oreja. Todos los días desde que nació Austin me levanto antes del amanecer y llego a mi despacho antes de las siete. Trabajo durante la hora de comer y acabo mi última cita a las dos y media. Esto me da cuatro maravillosas horas para estar con la niña.

—Esto del método canguro es un milagro —le digo a Shelley por teléfono—. Austin ya casi respira sola. Y se está esforzando mucho para coordinar la succión, la deglución y la respiración. Casi lo ha logrado, y entonces conseguirán sacarle el catéter y el tubo de alimentación. Es tan adorable, Shel. Me muero de ganas de que la conozcas. Has recibido las fotografías que he enviado, ¿verdad?

Shelley se ríe.

—Sí, es monísima. ¡Dios, Brett! Hablas realmente como una mamá.

Abro la puerta del hospital.

—Sí, bueno, esperemos que no estropee a la pobre niña con todos mis miedos e inseguridades y neurosis.

—Buena observación. Sí, esperemos que sí.

Nos reímos al unísono.

—Oye, que ya estoy aquí. Dales recuerdos a los niños. Saluda a Jay de mi parte.

Me meto el teléfono en el bolsillo y avanzo hacia los ascensores. Sonrío, preguntándome qué pequeña sorpresa nos espera hoy. De momento Herbert no ha fallado ni un día. Como no le dejan entrar, envía paquetes a enfermería, a nombre de Austin y al mío. Eso se ha convertido en todo un acontecimiento, con las enfermeras, y hasta algunas de las parturientas, apiñadas a mi alrededor para verme desenvolver la última ofrenda de Herbert. Me parece que las sorpresas les hacen más ilusión que a mí. A LaDonna le encanta el llavero de plata, con la fecha de nacimiento de Austin grabada a mano. A mí también me gusta mucho, pero mi favorita fue la fotografía de ayer de Austin y yo. Hizo dos copias de una foto que le mandé, y las enmarcó. En mi marco de plata pone «MADRE E HIJA», y en el marco rosa y blanco de Austin dice «MAMI Y YO».

Pero cuando llego hoy, parece que la quinta planta ya ha recibido una sorpresa. Delante veo a una mujer, rodeada de LaDonna, Maureen y un guardia de seguridad. Están apiñados justo frente a la entrada cerrada de la unidad de cuidados neonatales. La melena rubia de la mujer tiene la textura del heno de fines de agosto, e incluso bajo el voluminoso abrigo de piel sintética parece casi esquelética.

—Yo no me voy a ninguna parte. —Arrastra las palabras y se tambalea sobre unos tacones rojos—. Tengo derecho a ver a mi nieta.

¡Ay, Dios mío! La pobre mujer estará borracha. ¡Qué triste para su hija y su nieta! LaDonna me ve y me lanza una penetrante mirada de advertencia. Aflojo el paso y me doy la vuelta, pero los sonidos del altercado me siguen.

—Señora, váyase ahora —le dice el guardia— o tendré que llamar a la policía.

—*Usté* no llamará a la policía por mí. No he hecho nada malo. He venido desde Detroit. No me iré hasta que la vea, ¿me oye?

¡Oh, Dios mío! Doblo la esquina, para que no me vean, y me desplomo contra la pared. ¿Podría ser la madre de Sanquita? Se acercan pasos y los gritos son más fuertes.

—¡Sáqueme las jodidas manos de encima! ¿Quiere que le denuncie, hijo de puta?

Doblan la esquina y ella está tan cerca que me llega un olorcillo penetrante a humo de cigarrillo. Su cara es casi incolora, como la avena, y está replegada en un gruñido rabioso. Diviso unos dientes negros y picados, y lo primero que me viene a la cabeza es *adicta a las anfetaminas*. ¿Lo era? ¿Lo es? Las palabras de Sanquita vuelven a mí. *Yo sé por qué no se despertó cuando mis hermanos se pusieron a chillar. Cuando volví a casa de la escuela, lo tiré todo al váter.*

Agarrándole del brazo, el guardia prácticamente la arrastra hacia el ascensor, haciendo caso omiso de las obscenidades que le están soltando. Cuando pasa por delante de mí, entrecierra los ojos, como para verme mejor. Se me corta el aliento y doy un paso atrás. ¿Sabe quién soy? ¿Sabe que voy a ser la mamá de Austin? Me recorre una ola instintiva de miedo.

El guardia tira de ella hacia delante, pero ella alarga el cuello y me mira furibunda con unos ojos fríos y grises.

—¿Qué estás mirando, zorra?

Mi compasión desaparece. En su lugar, me sobreviene algo primitivo, cierto instinto maternal y protector, y sé que moriría, o mataría, por la vida y la seguridad de Austin. La idea me deja horrorizada y estupefacta y con una extraña sensación de orgullo.

27

La unidad neonatal es un agitado parloteo. LaDonna me agarra del codo al verme y me conduce a un rincón apartado.

—Tenemos un problema —susurra.

—¿La madre de Sanquita? —pregunto, conociendo ya la respuesta.

Ella asiente y mira alrededor para asegurarse de que nadie puede escuchar.

—Tia Robinson. Estaba tan colocada o borracha o… a saber qué… que apenas podía andar.

Otra ola de pánico me inunda.

—Ha venido a buscar a su nieta. —Menea la cabeza, como si la idea fuera de locos.

Me llevo las manos a la garganta, procurando impedir que me suba la bilis amarga.

—¿Podría? ¿Sería posible que le dieran al bebé?

Ella se encoge de hombros.

—He visto cosas más raras. Si aparece un familiar y está dispuesto a quedarse con el niño, la mayoría de las veces consigue que se lo den. Es simplemente un caso menos del que el Estado tiene que ocuparse.

—¡No! A ella no. No dejaré que eso ocurra. Yo me quedo con Austin. Ya se lo dije, fue la última voluntad de Sanquita.

Ella frunce el ceño.

—Mire, creo que eso es maravilloso, pero no es usted quien tiene que tomar esa decisión. ¿Ha hablado con Kirsten Schertzing, la trabajadora social del hospital?

—No —contesto, sintiéndome repentinamente idiota. ¿Por qué he dado por sentado que adoptar a esta niña sin hogar y huérfana de madre sería pan comido?—. Estoy intentando hablar con una mujer de los Servicios Sociales, pero nos cruzamos todo el rato. Y hace tiempo que quería contactar con la trabajadora social de aquí, pero he estado muy liada con Austin.

—Ahora llamaré a Kirsten. Si está libre, tal vez pueda hablar hoy con ella.

Desaparece tras la enfermería y vuelve instantes después con un *post-it*.

—Está a punto de entrar en una reunión. Pero puede verla mañana a las cuatro. Está en la segunda planta, despacho dos catorce. —Me entrega la nota—. Se lo he anotado.

La cabeza me da vueltas y miro fijamente la nota autoadhesiva.

—Es posible que tenga que pelear. La señora Robinson está convencida de que esta niña es suya.

—¿Por qué? —pregunto—. Si ni siquiera quiso criar a su propia hija.

LaDonna suelta un pequeño resoplido.

—Está más claro que el agua. Quiere la indemnización por fallecimiento. Austin recibirá alrededor de mil dólares al mes en concepto de seguro de ingreso suplementario durante los próximos dieciocho años.

Un miedo inquietante y atávico crece en mi interior. Esta mujer está empeñada en conseguir a mi bebé, y su móvil es tan viejo y siniestro como el tiempo. Y es la abuela materna de Austin. Yo sólo soy la profesora de Sanquita, alguien a quien conocía de cinco meses escasos.

Paso las dos horas siguientes en la intimidad de los biombos con Austin en mi pecho, acompañando con mi voz el regalo de Herbert de hoy, un iPod que ha cargado con canciones pintiparadas para una madre primeriza, como «I Hope You Dance» y «You Make Me Feel Like a Natural Woman». Me ha llegado al corazón. Debe de haber tardado horas en recopilarlas. Pero ¿seré madre algún día? Se me encoge el pecho. Bajo los ojos hacia Austin y procuro cantar con Alison Krauss.

—Es increíble, porque me hablas directamente al corazón.

Su diminuto puño sobresale por la manta, y bosteza y cierra de nuevo los ojos. Me río por no llorar y le doy unas palmaditas en la espalda. De pronto me sobresalta una mano en mi propia espalda.

—Tiene visita, Brett. Un hombre la espera en la zona de recepción.

Me sorprendo al ver a mi hermano justo delante de la unidad de cuidados neonatales. Lleva traje y corbata; está claro que ha venido directamente del trabajo.

—Joad —digo—, ¿qué haces aquí?

—Ha sido bastante difícil localizarte durante los últimos quince días. —Se inclina hacia delante y me da un besito en la mejilla—. Tengo entendido que tienes una nueva amiguita. Catherine se ha quedado embobada con las fotografías que enviaste.

—Acaba de pasar algo horrible. La madre de Sanquita ha aparecido hoy. Cree que va a llevarse a mi bebé. —La histeria aflora de nuevo al recordar la horrible escena—. ¡Eso no pasará, Joad! No se lo consentiré.

Él ladea la cabeza, su frente fruncida de preocupación.

—¿Y cómo pretendes detenerla?

—Voy a adoptarla.

—Venga. Vamos a tomar un café. —Me repasa con la mirada—. O, mejor aún, a cenar. ¿Cuándo has comido por última vez?

—No tengo hambre.

Él sacude la cabeza.

—Vamos. Comerás, y luego me explicarás qué está pasando. —Me tira del brazo, pero yo me suelto.

—¡No! No puedo dejarla. Esa mujer podría venir y llevársela.

Él me mira fijamente, sus ojos como platos por la inquietud.

—Contrólate. Estás hecha un asco. ¿Has dormido estos últimos quince días? El bebé no se irá a ninguna parte. —Le hace un gesto a la enfermera Kathy, que está en recepción—. Enseguida volvemos.

—Dígale a LaDonna que no le quite el ojo de encima a Austin —digo mientras Joad tira de mí hacia el ascensor.

Sentados en un banco corrido de plástico moldeado al fondo de la cafetería del hospital, Joad levanta un plato de espaguetis de una bandeja naranja y lo coloca frente a mí.

—Come —me dice—. Y entre mordisco y mordisco cuéntame qué pretendes hacer con el bebé de Sanquita.

No me gusta la forma en que dice *bebé de Sanquita*, como si el destino de Austin fuese aún incierto. Extraigo el anillo de papel de la servilleta y encuentro dentro el tenedor y el cuchillo. Los espaguetis me revuelven el estómago, pero lleno el tenedor y me lo llevo a la boca. Necesito todas mis fuerzas para masticar y tragar. Me seco la boca con la servilleta de papel y bajo el tenedor.

—Es mi bebé. Voy a adoptarla. —Él escucha mientras le hablo de Sanquita y su última voluntad, de la señora Robinson y la escena de antes—. Mañana me reúno con la trabajadora social. Salvaré a esta niña. Me necesita. Y se lo prometí a Sanquita.

Él me mira mientras bebe su café a sorbos. Cuando deja la taza, menea la cabeza.

—Realmente mamá te jugó una buena con estos objetivos, ¿eh?

—¿A qué te refieres?

—No necesitas a este bebé. Ya tendrás tu propio hijo. Puede que tardes un poco más, pero llegará. Sólo debes tener paciencia.

Niego con la cabeza.

—Quiero a *esta* niña, Joad. No tiene nada que ver con los objetivos de mamá. Necesito a Austin, y ella me necesita.

No parece oírme.

—Oye, seguramente estarás quedándote sin dinero en efectivo. Yo te presto encantado…

Me lo quedo mirando, horrorizada.

—¿Crees que estoy haciendo esto para recibir mi herencia? —Levanto la cabeza hacia el techo—. ¡Por Dios, Joad! ¡Debes de pensar que soy igual de codiciosa que la madre de Sanquita! —Aparto el plato y me inclino hacia delante—. Me importa un comino esa herencia. Daría hasta el último centavo a cambio de Austin. ¿Me entiendes? ¡Hasta el último jodido centavo!

Él echa el cuerpo hacia atrás, como si yo le asustara.

—Vale, o sea que el problema no es el dinero. Sigo creyendo que no estás pensando a largo plazo. Mamá plantó esta semilla y ahora estás obsesionada con ella. Esa niña no se parece a nosotros, Brett. ¿Qué es? ¿Hispana? ¿De Oriente Medio?

En este momento no veo a mi hermano. Veo a su padre, Charles Bohlinger, negando con la cabeza, preguntándose por qué diablos elegí a Terrell Jones para ir al baile de graduación. Mi presión sanguínea aumenta.

—Su madre era mestiza. Una chica pobre sin hogar que vino de las viviendas de protección oficial de Detroit. No sé de qué raza es el padre del bebé, porque fue un rollo de una noche. ¡Bien! ¿Satisface eso tu curiosidad?

Se pellizca el puente de la nariz.

—¡Por Dios, a saber qué mezcla de genes tendrá! ¿Qué opina Herbert de esto?

Me inclino hacia delante.

—Joad, vete a la mierda. Quiero a Austin. La adoro. Y ella ya ha establecido lazos afectivos conmigo. Tendrías que ver cómo se acurruca contra mí cuando la cojo en brazos. Y, para tu información, Herbert me está apoyando en todo, aunque no sé qué importancia tiene eso.

Joad parpadea varias veces.

—¿Hablas en serio? Ese hombre está enamorado de ti. Es evidente que está pensando en vuestro futuro.

Hago un gesto de desdén con la mano.

—Eso es un poco prematuro, ¿no te parece? Me conoce desde hace dos meses.

—Cuando estuvimos en casa de Jay la semana pasada, Herbert me llevó a un aparte. No sé, tal vez pensó que como soy tu hermano mayor, soy como una especie de padre o algo así. La cosa es que me dijo que esperaba tener un futuro contigo. Sólo le faltó pedirme tu mano.

Frunzo el ceño.

—Bueno, eso será decisión mía, no será ni tuya ni de Herbert, ni de nadie más.

—Es un gran tipo, Brett. No la cagues. Si lo haces, lo lamentarás, fíjate en lo que te digo.

Lo miro directamente a los ojos.

—Fíjate en lo que te digo, no lo haré. —Tiro la servilleta en la mesa y me levanto, dejando que él adivine si no la cagaré con Herbert o si no lo lamentaré.

Esa noche cuando llego a casa, me encuentro un paquete adornando mi porche, éste con remite de Wisconsin. Carrie. ¡Qué mona! Lo cargo hasta mi apartamento y abro las junturas con un cuchillo para mantequilla. En el interior encuentro una colección de animales de peluche, libros de tapa dura, peleles de algodón, baberos, mantas y patucos. Sostengo cada artículo frente a mí, imaginándome a Austin cuando sea lo bastante grande para ponerse esta ropa en la que hoy se perdería. Pero entonces recuerdo a la vulgar mujer de dientes picados, y su deseo de destruir la vida de mi niña. Descuelgo el teléfono y llamo a Carrie.

—Acabo de abrir el fabuloso paquete que has enviado —digo, procurando sonar alegre—. Un detallazo por tu parte.

—No es nada. Cuando nos dieron a los niños, Sammy sólo tenía un mes. No teníamos ni idea de lo que nos haría falta. Te encantará ese fular elástico para llevar al bebé, ya lo verás. Y el…

—La madre de Sanquita quiere a Austin.

Hay un momento de silencio al otro lado de la línea.

—¡Ostras, Brett, cuánto lo siento!

—Me compadecería de esa mujer si no fuese tan horrible. —Le cuento la historia de Deonte y Austin—. Estaba colocada cuando Deonte murió, pero le echó la culpa a Austin. —Se me llenan los ojos de lágrimas—. Estoy aterrorizada, Carrie. ¿Y si no me la dan? La vida de Austin será un infierno.

—Reza —me dice—. Tú reza.

Y lo hago. Igual que recé para pedir que mi madre viviera. Y que Sanquita se pusiera bien.

Las paredes del sencillo despacho de Kirsten Schertzing están decoradas con instantáneas de niños y familias sonrientes, ancianos con una sonrisa de oreja a oreja en sus sillas de ruedas, personas con algún miembro amputado saludando encantadas al objetivo. La autoritaria trabajadora social de mirada sabihonda está claro que tiene una cara amable, aunque de momento yo no la he visto.

—Gracias por venir —dice, cerrando la puerta a nuestras espaldas—. Siéntense.

Brad y yo nos sentamos uno al lado del otro en un sofá de dos plazas, y Kirsten se sienta en una silla de madera de cara a nosotros, con una carpeta sujetapapeles de plástico sobre el regazo. Toma notas mientras le hablo de mi relación con Sanquita, y de su última voluntad de que yo me quedara con el bebé.

Ella levanta la página en la que está escribiendo y echa un vistazo a sus propias notas de debajo.

—Según su historial médico, Sanquita entró en coma después de su cesárea. Durante las siguientes trece horas previas a su muerte, nadie dice haberla visto consciente…, salvo usted.

De pronto esto parece un interrogatorio.

—Yo lo único que sé es que aquella noche, el mismo día que tuvo al bebé, se despertó.

Ella lo anota.

—¿Sólo el tiempo suficiente para decirle que quería que se quedara usted con el bebé?

Se me acelera el pulso.

—Sí, eso es.

Ella escribe con las cejas arqueadas.

—¿Alguien más presenció esto?

—Del hospital, no. Pero esa mañana, camino del hospital, se lo dijo a la señorita Jean, la directora de su casa de acogida. —Aparto la mirada—. Aunque dudo que declarara a mi favor ante un juez. —Entrelazo mis manos sudorosas—. Sanquita habló conmigo. Sé que parece una locura, pero es verdad. Me suplicó que me quedase con su bebé.

Ella deja el bolígrafo y finalmente levanta la vista.

—No sería la primera vez que alguien ha recuperado la conciencia sólo para despedirse o manifestar una última voluntad.

—Entonces, ¿me cree?

—Lo que yo crea es irrelevante. Lo que importa es lo que crea el juez. —Se levanta y va hasta su mesa—. Esta mañana ha venido a verme una señora Robinson muy coherente y educadísima.

Me quedo boquiabierta.

—¿Qué ha dicho?

—No estoy autorizada a decírselo. Pero es importante señalar que, en casi cada caso de custodia infantil, los jueces fallan a favor de la familia. No sé si ésta es una lucha en la que quiere usted involucrarse.

Brad carraspea.

—He comprobado los antecedentes de Tia Robinson. Le han dado la invalidez por un historial de enfermedad mental. Ha estado entrando y saliendo de rehabilitación por su adicción al alcohol y las drogas. Vive en una de las zonas de viviendas de protección oficial de Detroit con mayor índice de delincuencia. Sanquita tiene tres hermanastros, cada uno de un padre dis…

Kirsten no le deja terminar.

—Señor Midar, con el debido respeto, al Estado lo único que le interesa es si esta mujer, que casualmente es la abuela materna del bebé, ha sido condenada alguna vez por un delito grave. Y si bien ha cometido diversos delitos menores, no es una delincuente.

—¿Qué hay del niño, Deonte, que murió en el incendio? —pregunto—. ¿Qué clase de madre duerme mientras sus hijos piden ayuda a gritos?

—Eso lo he comprobado por usted. No se presentaron cargos

formales. El archivo del condado indica que había entrado un momento en la ducha. Por desgracia, los accidentes se producen en un parpadeo.

—No. Estaba colocada. Me lo contó Sanquita.

—Rumores —dicen Kirsten y Brad simultáneamente.

Miro fijamente a Brad como si fuese un traidor. Claro que tiene razón. Mi declaración no se sostendría ante un juez.

—Pero el resto de cosas —digo—, las adicciones, la enfermedad mental…, ¿no cuentan?

—En este momento las pruebas indican que está limpia. Mire, si a los padres que están deprimidos o han tenido adicciones previas les quitáramos a sus hijos, media ciudad estaría en hogares de acogida. Siempre que sea posible, el objetivo del Estado es mantener a los niños con sus familias, y ya está.

Brad niega con la cabeza.

—Eso está mal.

Kirsten se encoge de hombros.

—¿Y qué clase de sociedad seríamos si la adjudicación familiar se basara en quién tiene la casa más bonita o quién es más feliz?

Mi mente se acelera. No puedo consentir que esta niña se vaya con la señora Robinson. ¡No puedo! Se lo he prometido a Sanquita. Y quiero demasiado a ese bebé.

—Sanquita no quería a su bebé cerca de esa mujer —digo—. Si tiene que ser un miembro de la familia, busquemos a alguien más, algún pariente sin problemas.

—Muy buena idea, pero no se ha ofrecido nadie más. Sanquita no tenía hermanas, por lo que la abuela materna es el familiar más cercano de todos. Y, en este caso, la abuela sólo tiene treinta y seis años, por lo que no es precisamente un disparate imaginarse a esta mujer criando a un bebé.

¿Treinta y seis? ¡La mujer que vi en el vestíbulo aparentaba cincuenta! Levanto la vista y la señorita Schertzing me dedica una sonrisa benevolente. Estoy perdiendo este caso. Estoy defraudando a Sanquita.

—¿Qué puedo hacer?

Sus labios se comprimen en una delgada línea.

—¿Francamente? Le sugiero que empiece a controlar sus emociones lo mejor que sepa. Tengo mil razones para creer que éste es un caso clarísimo. A la señora Robinson le concederán la custodia de su nieta.

Me cubro la cara y rompo a llorar. Noto la mano de Brad en la espalda, dándome palmaditas como le doy yo a Austin.

—No pasa nada, Brett —susurra—. Ya vendrá otro bebé.

Lloro tan desconsoladamente que no puedo decirle que las lágrimas no son por mí. Es cierto. Puede que tenga otro bebé. Pero Austin sólo tendrá una madre.

28

Me paso la semana siguiente corriendo al hospital cada tarde a continuación de mi última clase a domicilio. Me da igual lo que dijo la trabajadora social, pienso pasar cada minuto con este bebé. Cada vez que toco sus sedosos rizos negros o le froto la piel aterciopelada, rezo para que estos tiernos momentos de algún modo echen raíces en su recuerdo y la sigan durante toda su vida.

La enfermera LaDonna se acerca con sigilo a la silla reclinable y se agacha para cogerme al bebé.

—Kirsten Schertzing acaba de telefonear. Quiere que le llame antes de las cinco.

Mi corazón brinca. ¡Tal vez la señora Robinson haya cambiado de idea! ¡O tal vez el juez le haya denegado la custodia!

Corro por el pasillo hasta un banco frente a una ventana con vistas a la ciudad, el único sitio del hospital que tiene una cobertura decente para hablar por móvil. Austin es mía, lo presiento. Pero ¿acaso no presentía también que estaba embarazada? ¿Y que Brad era el hombre de mis sueños?

—Kirsten —digo, agarrando con fuerza el teléfono—. Soy Brett Bohlinger. ¿Qué ocurre? Ahora estoy en el hospital; puedo bajar a su despacho…

—No. No será necesario. Acabo de recibir información de la vista por la custodia. Está prevista para mañana por la mañana a las ocho. Presidirá el juez Garcia del juzgado del Condado de Cook.

Exhalo un suspiro.

—¿No hay ningún cambio?

—Nada. Tia Robinson está otra vez en la ciudad. Si no hay un milagro, mañana saldrá de la sala de juicios con la custodia de su nieta.

Me tapo la boca con la mano para evitar chillar, y las lágrimas me inundan los ojos.

—Lo siento, Brett. Sólo quería que lo supiera por si sigue decidida a luchar por ella.

Logro decir un «gracias» y cuelgo el teléfono. Un paciente viejecito se tambalea por el pasillo, arrastrando el portasueros consigo.

—¿Mal pronóstico? —pregunta al pasar frente a mí y ver las lágrimas resbalando por mis mejillas.

Asiento con la cabeza, incapaz de pronunciar la palabra *terminal*.

Cuando regreso a la unidad neonatal, Jean Anderson está sentada en un sofá de recepción, sosteniendo en el regazo un paquete rosa chillón.

—Bueno, bueno —dice, poniéndose de pie—. ¡Quién viene por aquí! —Me entrega el regalo rosa con brusquedad—. De parte de las mujeres de la Residencia Joshua.

Cojo el regalo, pero no me fío de mi voz para hablar.

Ella entorna los ojos.

—¿Está usted bien?

—La madre de Sanquita se lleva al bebé.

Ella frunce el ceño.

—Pero Sanquita quería que se lo quedara usted. Me lo dijo.

—Hay una vista mañana por la mañana con el juez Garcia. Esa mujer está loca, Jean. Temo por Austin. ¿Puede venir usted mañana? ¿Puede decirle al juez lo que le dijo Sanquita?

Ella resopla.

—¿Y perder el tiempo? —Suelta una carcajada sarcástica y cruel—. No importa lo que me dijera Sanquita. No son más que palabras. No tenemos ni la más mínima prueba. Y, debido a eso, la abuela, loca o no, pasa por encima de la profesora.

Me la quedo mirando.

—Entonces tenemos que convencer al juez Garcia que es por el bien de Austin que tengo que adoptarla. Le diremos que Sanquita no quería que su hija viviese en Detroit, y que… —Mi voz se apaga cuando veo a Jean sacudiendo la cabeza.

—Usted se cree que todo el mundo juega según las reglas, ¿no? Cree que con una bonita sonrisa y diciéndole al juez la verdad, verá las cosas a su manera. —Sus ojos se entrecierran, y respira fatigosamente—. No. Me temo que esta vez la verdad no le hará libre.

Rompo a llorar.

—Míreme. —Me agarra tan fuerte de los brazos que me duelen—. Esas lágrimas de cocodrilo probablemente hayan obrado milagros durante toda su vida, pero no le ayudarán a conseguir a ese bebé, ¿me oye? Si quiere a esa criatura, pelee por ella. Golpee con dureza, como en el béisbol, ¿sabe hacerlo?

Me sorbo la nariz y me seco los ojos.

—Lo haré. Por supuesto que lo haré.

Me encantaría golpear con dureza. Pero el único equipo que tengo es un bate de plástico y una pelota de espuma.

Pintada del tono de una caja de cartón, la vieja sala con olor a humedad del juzgado del Condado de Cook parece tan solitaria y abandonada como yo me siento. Seis filas vacías de bancos de pino, separadas por un pasillo central, miran al tribunal y al banquillo de los testigos. A la derecha del banquillo de los testigos, las sillas reservadas al jurado están hoy vacías. Se trata de un juicio sin jurado. El juez Garcia resolverá este caso.

Brad repasa sus notas y yo echo un vistazo a la mesa de nuestra derecha. En actitud confidencial, Tia Robinson y el abogado que le ha asignado el tribunal, el señor Croft, hablan por lo bajini. Vuelvo la vista hacia los bancos vacíos. A nadie le importa este juicio. Ni siquiera a la señorita Jean.

Exactamente a las ocho en punto, el juez Garcia ocupa su sitio en la mesa presidencial y llama a la sala al orden. Nos enteramos de que la señora Robinson hoy no va a prestar declaración. No soy abogada, pero hasta yo sé que es demasiado arriesgado hacer subir a esa mujer al estrado. Además, es un caso clarísimo. No ganaría nada testificando.

De pronto me llaman al estrado. Presto juramento y Brad me pide que diga mi nombre y exponga mi relación con Sanquita Bell. Inspiro hondo y me convenzo a mí misma de que todo depende de este testimonio, de que la causa aún no está sentenciada.

—Me llamo Brett Bohlinger —digo, esforzándome por regular mi respiración—. Trabajé con Sanquita Bell los cinco meses anteriores a su muerte. Era su profesora particular y su amiga.

—¿Diría que tenía una relación estrecha con Sanquita? —pregunta Brad.

—Sí. Yo la quería.

—¿Le habló Sanquita en algún momento de su madre?

Me cuido mucho de no mirar hacia Tia Robinson, sentada a menos de cuatro metros de mí.

—Sí. Me contó que su madre se trasladó a Detroit, pero que ella se negó a ir. Me dijo que no quería que su bebé tuviera ese tipo de vida.

Con una mano apoyada en el borde del banquillo de los testigos, Brad parece tan a gusto como si estuviésemos de cháchara en el P. J. Clarke.

—¿Puede contarme lo que pasó en el hospital?

—Sí —le digo, notando cómo un hilo de sudor me baja por la nuca—. Fue después de su intervención, alrededor de las seis de la tarde. Yo estaba a solas con Sanquita. De repente se despertó. Fui junto a su cama y fue entonces cuando me dijo que quería que yo me quedara con el bebé. —Me muerdo el labio para impedir que tiemble—. Le dije que no se moriría, pero ella insistió. —Se me anuda la garganta y fuerzo la voz—. Ella sabía que estaba muriéndose. Me hizo prometer que yo me quedaría con su bebé.

Brad me pasa un pañuelo y me seco los ojos. Cuando lo bajo, mis ojos se clavan en los de Tia. Está sentada con las manos entrelazadas, sin mostrar ni rastro de emoción por las últimas palabras de su hija.

—Tengo la intención de mantener esa promesa.

—Gracias, señorita Bohlinger. No hay más preguntas.

La colonia empalagosa del señor Croft llega al banquillo de los testigos diez segundos antes de que lo haga él. Se sube los pantalones marrones antes de volverse a mí, su barriga parece más preñada de lo que pareció nunca la de Sanquita.

—Señorita Bohlinger, ¿alguien oyó a Sanquita decirle que quería que se quedara usted con su bebé?

—No. Estábamos solas en la habitación. Pero antes se lo había dicho a alguien. A Jean Anderson, de la Residencia Joshua.

Agita un dedo frente a mí.

—Conteste sí o no, por favor. ¿Alguien más fue testigo de este milagro que dice usted que se produjo, cuando Sanquita despertó del coma apenas el tiempo suficiente para decirle que se quedara con su bebé?

¡Se cree que miento! Escudriño el rostro de Brad, pero éste se limita a asentir para que continúe.

Me obligo a mirar a los ojos grises y llorosos que hay tras las gafas de montura metálica del señor Croft.

—No.

—¿Sabía Sanquita que estaba muriéndose?

—Sí.

Él asiente.

—Así que quería dejarlo todo atado.

—Exacto.

—¿Le parecía Sanquita una chica lista?

—Sí. Era muy inteligente.

—Entonces, como es lógico, dejaría sus voluntades por escrito ¿no?

La sala se queda sin aire.

—No. No, que yo sepa.

Se rasca la cabeza.

—Eso es sumamente raro, ¿no cree?

—Pues… no lo sé.

—¿No lo sabe? —Camina frente a mí—. Una chica lista consciente de que se moría, ¿no planificaría de antemano el futuro de su bebé? Desconcertante, ¿no le parece? Especialmente si su entorno familiar era tan deplorable como usted asegura.

—Mmm… No sé muy bien por qué no lo hizo.

—Esta vida a la que Sanquita hizo referencia; la vida en Detroit con su madre… ¿Mencionó por casualidad si estaba ella en Detroit cuando se quedó embarazada?

—Sí.

—Entonces, ¿le consta que se escapó del apartamento contra la voluntad de su madre y que mantuvo relaciones sexuales sin protección?

Parpadeo.

—No. Nunca me dijo eso. No creo que se escapara, como usted dice.

Su cara es el retrato del engreimiento, la nariz hacia arriba y la cabeza inclinada mirándome con altivez.

—¿Le contó que se fue paseando al Festival de Jazz de Detroit esa misma noche y que se acostó con un desconocido? ¿Alguien cuyo nombre ni siquiera recordaba?

—No… No fue así. Se sentía sola… y estaba muy disgustada…

Él levanta una ceja.

—¿Le contó que se quedó seis semanas? ¿Que no se marchó de Detroit hasta que se enteró de que estaba embarazada?

—Mmm… No sabía que se había quedado seis semanas. La cuestión es que se fue. Como le he dicho, quería a su bebé fuera de ese ambiente.

—Y ella también quería salir de ese ambiente, ¿verdad?

—Sí.

—¿Le contó que su madre quería que interrumpiera el embarazo?

Mi mente se pone en alerta.

—No.

—La enfermedad renal de Sanquita era tan grave que el doctor aconsejó un aborto para salvar su vida.

Me da vueltas la cabeza.

—Eso mismo le dijo la doctora Chan.

—¿E hizo caso a la doctora Chan?

—No. Dijo que quería al bebé más que a la vida misma.

Sonríe de un modo que me dan ganas de borrarle la sonrisa de la cara.

—La verdad es que Sanquita era una chica tozuda. Se negaba a creer que a su madre le movían las mejores intenciones.

—¡Protesto! —exclama Brad.

—Se acepta la protesta.

El señor Croft continúa.

—Sanquita se marchó de Detroit el mismo día en que discutió con su madre sobre la interrupción del embarazo.

Me quedo atónita. ¿Es eso posible?

El señor Croft se dirige al tribunal.

—Esto no tiene nada que ver con el ambiente familiar de la señora Robinson, señoría. La señora Robinson sólo intentaba salvar la vida de su hija. —Agacha la cabeza—. No tengo más preguntas.

Las manos me tiemblan tan violentamente que me cuesta trabajo entrelazarlas. Están haciendo pasar a la señora Robinson por salvadora de Sanquita… y a Sanquita por la niña rebelde que se negó a escuchar.

—Gracias, señor Croft —dice el juez Garcia. Asiente hacia mí para indicarme que puedo bajar—. Gracias, señorita Bohlinger.

—¿Quiere llamar a su siguiente testigo? —le pregunta a Brad.

—Señoría, quisiera pedirle una pausa —contesta él—. Mi clienta necesita un breve descanso.

El juez Garcia consulta su reloj, luego da un mazazo.

—Se reanudará la sesión tras una pausa de quince minutos.

Brad prácticamente me arrastra por la puerta doble hasta el pasillo. Mi cuerpo se ha convertido en plomo y no puedo pensar con claridad. A mi bebé lo están condenando a cadena perpetua. Tengo que salvarlo, pero estoy indefensa. Soy la única persona en quien confiaba Sanquita. Y estoy traicionándola. Brad me apoya contra una pared y me sujeta los brazos con fuerza.

—Ni se te ocurra venirte abajo, B. B. Hemos hecho todo lo que hemos podido. Ahora no está en nuestras manos.

Saco el aire a bocanadas irregulares; estoy mareada.

—Ha hecho que Sanquita parezca una delincuente juvenil.

—¿Podría ser cierto? —pregunta—. ¿Es posible que se fuera de Detroit por una discusión sobre su salud?

—No lo sé —contesto alzando las manos. Además, ¡qué importa! Ahora la que importa es Austin. Esa mujer no ha derramado una lágrima mientras yo describía los últimos momentos de Sanquita. Y tú sabes lo que le hizo a su hijo. ¡No tiene corazón, Brad! —Le agarro por la manga de la chaqueta y lo miro a la cara—. Tendrías que haberla visto la semana pasada, cuando los de seguridad la sacaron a rastras. Fue una vergüenza. No podemos hacerle esto a Austin. Tenemos que hacer algo.

—Hemos hecho cuanto podíamos hacer.

Empiezo a llorar, pero Brad me zarandea.

—Ahora levanta esos ánimos. Después ya tendrás tiempo para llorar. Tenemos que acabar este juicio.

Un cuarto de hora más tarde volvemos a entrar, desmoralizados, en la sala del juzgado. Me desplomo en la silla al lado de Brad. Nunca me he sentido tan inútil. La vida de mi bebé está a punto de tomar un rumbo horrible, y yo no puedo hacer absolutamente nada al respecto. Las palabras de Garrett vuelven a mí: *No puedes salvarlos a todos. Sólo a ésta*, rezo. *Por favor, Señor, sólo a ésta.*

Mientras rezo, procuro respirar, pero mis pulmones no quieren llenarse. El pánico se apodera de mí. Me voy a desmayar. No puedo hacer esto. No puedo superar otra pérdida.

Justo cuando el alguacil cierra la puerta doble del fondo, oigo su voz. Mi cabeza reacciona y me vuelvo. Jean Anderson avanza pesadamente por el pasillo, vestida con un elegante traje de lana. Pero la parte trasera de su pelo está apelmazada y lleva zapatillas de deporte en lugar de sus habituales bailarinas.

—¿Jean? —digo en voz alta. Me vuelvo hacia Brad.

—Ni te muevas —susurra.

En lugar de acercarse a uno de los bancos, Jean va directamente hasta el estrado. Le susurra algo al juez Garcia, y él a su vez farfulla alguna cosa. Luego ella se saca un papel del bolso y se lo entrega. Él se pone las gafas de lectura y lo estudia. Finalmente, levanta la vista.

—¿Quieren los letrados acercarse al estrado, por favor?

Los cuatro hablan entre dientes durante lo que parece un rato interminable. Oigo más al señor Croft que al resto, y al juez diciéndole que hable más bajo. Cuando por fin vuelven a sus sitios, Brad y Jean están sonriendo. Me aconsejo a mí misma no emocionarme.

El juez Garcia sostiene el papel en alto para que todos lo vean.

—Parece que, después de todo, la señorita Bell sí puso su petición por escrito. Tenemos una declaración certificada por un notario con fecha del 5 de marzo, varias semanas antes de su muerte. —Se aclara la garganta y lee en voz alta y monótona—. «Yo, Sanquita Jahzmen Bell, en pleno uso de mis facultades, declaro por la presente mis intenciones para con mi bebé nonato, en caso de que él o ella me sobrevivieran. Es mi deseo sincero que la señorita Brett Bohlinger, mi mejor amiga y profesora particular, obtenga la custodia exclusiva de mi bebé.» —Se quita las gafas—. Está firmado por Sanquita Jahzmen Bell. —Carraspea.

»En vista de esta petición, certificada por notario, le concedo la custodia temporal a la señorita Bohlinger hasta que los trámites de adopción hayan finalizado. —Da un mazazo sobre la mesa—. Se levanta la sesión.

Hundo la cabeza en las manos y sollozo.

Nunca le pregunto a Jean por el papel certificado ante notario. No quiero saber cómo lo consiguió, ni cuándo. No importa. Hemos hecho lo correcto por Sanquita y su bebé. Eso es lo único que importa. Brad sugiere que los tres vayamos a celebrarlo después de la vista, pero no puedo. Me voy directa al hospital a ver a mi niña. *¡Mi niña!*

Doblo la esquina y me apresuro por el pasillo. Las puertas de la unidad neonatal se abren y prácticamente corro hasta la sala siete. Entro y el corazón me da un vuelco. Vestido con pantalones caqui y una chaqueta deportiva azul marino, Herbert está sentado en una mecedora con Austin en brazos. La mira sonriente, observando cómo duerme. Me acerco a él por detrás y le doy un beso en el cuello.

—¿Qué haces aquí?

—Felicidades, mi amor —dice—. He venido nada más recibir tu mensaje. Sabía que llegarías poco después que yo.

—Pero ¿quién te ha dejado entrar?

—La enfermera LaDonna.

¡Cómo no! Todas las enfermeras de la unidad están medio enamoradas del increíble y agasajador de Herbert; y ahora que lo han visto ya no habrá marcha atrás.

—Como ahora tienes la custodia de Austin —continúa Herbert—, se te permite una persona de apoyo. No te importa, ¿verdad?

Ahuyento pensamientos sobre Shelley, o Carrie, o Brad, y bajo los ojos hacia mi preciosa hija. Me abrazo a mí misma.

—No puedo creerlo, Herbert. ¡Soy madre!

—Y serás una madre magnífica. —Se levanta y me ofrece el fardo durmiente—. Siéntate. Tal vez quieras presentarte como es debido ante la pequeña.

Austin da un puñetazo al aire antes de volver a dormirse en mi pecho. Sus ojos están a media asta y le planto un beso en la nariz; una nariz libre de oxígeno y sondas de alimentación.

—Hola, preciosa. ¿Sabes qué? Voy a ser tu mami. Y esta vez te lo prometo. —Sus cejas se fruncen y yo sonrío entre lágrimas—. ¿Qué he hecho para merecerte?

Con su cámara colocada frente a él, Herbert se acerca para obtener un primer plano. La cámara resulta molesta en este momento de intimidad. Pero está emocionado, y ante esta clase de entusiasmo y apoyo, ¿qué más puedo pedir?

Se va a buscar sándwiches y café a la cafetería, y nos quedamos con Austin hasta que el horario de visitas finaliza. Curiosamente, esta noche es más fácil irse, sabiendo que es mía. No voy a perderla, ni ahora ni nunca. Mientras caminamos hacia el ascensor, Herbert se para de golpe y chasca los dedos.

—Me he olvidado el abrigo. Enseguida vuelvo.

Vuelve; con una gabardina Burberry de color caqui echada sobre el brazo.

Ahogo un grito.

—¡Ese abrigo! —exclamo, mirándolo fijamente como si fuese la capa de un mago.

Parece abochornado.

—Sí, bueno, hacía fresco esta mañana.

Me río y sacudo la cabeza. No es el hombre del edificio de Andrew, el hombre que vi en el tren ni en el camino haciendo *footing*. Pero tal vez, sólo tal vez, sea mi hombre Burberry.

La tarde de abril es cálida, y un dulce olor a lilas tiñe el aire. Al este, una luna estrecha como un trocito de uña flota en lo bajo del cielo de color pizarra. Herbert camina conmigo hasta mi coche, su abrigo Burberry echado al hombro.

—Si continúa mejorando, podría venir a casa dentro de dos semanas. Tengo que preparar muchas cosas. He pedido una baja maternal en el trabajo. El colegio acaba en unas semanas e Eve ha dicho que me sustituiría. Tengo que preparar la habitación, comprar una alfombra y algunos muebles de bebé. Mi idea era simplemente un moisés y un cambiador de momento, ya que eso es más o menos todo lo que cabrá en nuestra diminuta habitación. —Me río—. Y he pensado...

Él se vuelve hacia mí y me pone su dedo índice en los labios.

—Basta. No paro de oír lo que *tú* tienes que hacer. Tú y yo somos pareja. Déjame ayudarte.

—De acuerdo. Gracias.

—No hace falta que me des las gracias. Es lo que deseo. —Me coge de los brazos y me mira a los ojos—. Te quiero. ¿Lo entiendes?

Levanto la mirada hacia él.

—Lo entiendo.

—Y si he de creer lo que has estado exteriorizando, tú también me quieres.

Retrocedo un paso.

—¡Ajá!

—Revisemos esta lista de objetivos vitales que tienes que completar.

Meneo la cabeza y aparto la mirada, pero él se acerca más.

—Oye, a mí no me asusta, si eso es lo que te da miedo. Quiero ayudar. Deberías analizar cada uno de los objetivos logrados, ¿entiendes?

Antes de que pueda contestar, toma mis manos en las suyas.

—Entiendo que nos conocemos desde hace muy poco, pero teniendo en cuenta el hecho de que ahora tienes una hija, así como el hecho de que estoy loca y profundamente enamorado de ti, creo que deberíamos plantearnos el matrimonio.

Me quedo boquiabierta.

—¿Te refieres...? ¿Quieres...?

Él se ríe entre dientes y señala hacia el aparcamiento.

—Tranquila, cariño. Jamás elegiría un telón de fondo tan poco adecuado para una propuesta oficial. Sólo quiero plantar la semilla. Me gustaría que reflexionaras sobre ello, que en algún momento dado del camino empezaras a pensar en nosotros como pareja, una pareja estable. —Sonríe abiertamente—. Y preferiría que ese camino fuese una autopista a un camino rural serpenteante.

Abro la boca para hablar, pero las palabras no vienen.

Él alarga la mano y me acaricia la mejilla.

—Sé que parece una locura, pero desde el instante en que te conocí, esa primera noche en casa de Jay, supe que algún día serías mi mujer.

—¿Ah, sí? —Mis pensamientos se centran de inmediato en mi madre. ¿Es ella de algún modo la responsable de que este hombre se haya enamorado de mí?

—Sí. —Sonríe y me besa en la punta de la nariz—. Pero lo último que quiero es presionarte. Sólo prométeme que pensarás en ello, ¿lo harás?

Su pelo grueso está revuelto, y sus ojos son como dos brillantes zafiros. Cuando sonríe, es como si floreciera un lirio. Este hombre es lo más cercano a la perfección que encontraré jamás. Es listo y amable, ambicioso y cariñoso. ¡Dios, si hasta toca el violín! Y por alguna razón disparatada, me quiere. Y lo mejor de todo, quiere a mi hija.

—Sí —contesto—. Por supuesto que lo pensaré.

29

Nubes grises rocían con una fina neblina el cálido aire de mayo. Con mi paraguas rojo, bajo corriendo los peldaños de mi porche con la correa de *Rudy* firmemente agarrada. Como un hijo de padres divorciados, durante las últimas seis semanas mi pobre perro no ha parado de ir y venir de mi apartamento al de Selina y Blanca. Por suerte para mí, mis maravillosas vecinas adoran al chucho tanto como yo. Pero este fin de semana están en un concurso de bandas musicales en Springfield, por lo que *Rudy* y yo nos metemos en el coche y nos dirigimos a casa de Brad.

—Ésta será la última vez que te abandone, *Rudy* —le digo mientras vamos hacia el norte, a Bucktown—. Mañana nuestro bebé vendrá a casa.

Brad tiene café y *muffins* calientes de semillas de amapola esperando cuando llego a su dúplex. Me siento frente a la mesa de su cocina y, bajo un cuenco de fresas, distingo dos sobres rosas. Desde la decisión del juez Garcia, he estado esperando el objetivo número uno, pero cuando veo el segundo sobre con el objetivo número diecisiete, enamorarme, el pulso se me acelera.

Brad se sienta frente a mí.

—¿Los quieres ahora o después de desayunar?

—Ahora, por favor —contesto, escondiéndome tras mi taza de café—. Pero hoy sólo el primer sobre.

Él se ríe entre dientes.

—Me has dicho que ya estáis hablando de matrimonio. Eso significa que estás enamorada, ¿verdad?

Cojo una fresa del cuenco y me la quedo mirando.

—Sólo quiero dosificarlos un poco. No quedan muchos.

Me mira de reojo.

Le paso con decisión el primer sobre.

—Adelante, ábrelo.

Espera unos segundos, luego abre la solapa del sobre uno con el dedo. Antes de que se dé cuenta de que le faltan, me voy a la mesa auxiliar y le traigo las gafas. Me sonríe.

—Somos un equipo bastante bueno, ¿eh?

—El mejor —digo, y eso me toca ligeramente la fibra sensible. ¿Podríamos haber formado equipo en otro momento de nuestras vidas? ¡Dios! Es horrible que me plantee esta hipótesis siquiera; ¡estoy prácticamente comprometida con Herbert!

—«Querida Brett:

»Alguien le preguntó en cierta ocasión a Miguel Ángel cómo había sido capaz de crear la increíble estatua de David. Él contestó: "Yo no he creado a David. Ha estado allí desde el principio, en el enorme bloque de mármol. Yo sólo he tenido que esculpir para encontrarlo".

»Al igual que Miguel Ángel, espero haberte ayudado a encontrarte estos últimos meses; haber esculpido ese exterior duro hasta que ha aflorado tu yo real. ¡Eres madre, cariño! Creo que esa mujer entregada y bondadosa ha estado siempre en ti, y me llena de ilusión haber participado en su descubrimiento.

»Creo que la maternidad será el acontecimiento clave de tu vida. Te resultará al unísono gratificante, frustrante, increíble y abrumador. Será el papel más maravilloso, desafiante y decisivo que desempeñarás jamás.

»Una vez me dijo alguien: "Como madres, nuestro trabajo no es educar niños, sino educar adultos". Confío plenamente en que tu hijo se convertirá en un adulto de bien bajo tu atento cincelado. Y, en algún momento, tómate unos instantes para imaginarte un mundo donde, en lugar de enseñar a nuestros niños a ser fuertes, les enseñáramos a ser sensibles.

»Ahora sécate los ojos y sonríe. ¡Qué hijo tan afortunado tienes! Si me voy al cielo y me confían un par de alas, prometo cuidar de ella y protegerla.

»Os quiero a los dos más de lo que podré expresar jamás.

»Mamá.»

Brad me quita la servilleta empapada y la reemplaza por un pañuelo de papel limpio. Luego coloca la mano en mi espalda mientras sollozo.

—Me hubiese encantado que Austin la conociera.

—Lo hará —dice Brad. Y tiene razón. Conocerá a mi madre y a la suya, yo me encargaré de eso.

Me sueno y levanto la vista hacia él.

—Ella sabía que tendría una hija, ¿lo has captado? —Le quito la carta de la mano y encuentro la línea—. Justo aquí —digo, señalando—. «Cuidaré de ella y la protegeré.» ¿Cómo lo supo?

Él analiza la carta.

—Supongo que fue involuntario. No debía de ser su intención especificar el sexo.

Yo sacudo la cabeza.

—No. Lo sabía. Sabía que tendría una niña. Y creo que me ayudó a conseguir a Austin Elizabeth. Ablandó el corazón de Jean.

—Si tú lo dices. —Brad deja la carta a un lado y coge su taza de café—. ¿Crees que le gustaría tu relación con Herbert?

Por alguna razón, se me atasca el corazón.

—Sin lugar a dudas. —*Rudy* aparece a mi lado y le rasco debajo del hocico—. Herbert es exactamente la clase de hombre que mi madre querría para mí. ¿Por qué lo preguntas?

Él se encoge de hombros.

—¡Ah…! Bueno, es que… —Menea la cabeza—. Mira, yo sólo he visto en una ocasión al *doctor* Moyer. Tú lo conoces mejor que yo.

—Sí, lo conozco mejor. Y es genial.

—No, si eso no lo dudo. Es sólo que… —Su voz se apaga.

—Oye, Midar, si tienes algo que decir, escúpelo.

Me mira a los ojos.

—Sólo me pregunto si ser genial es suficiente.

¡Dios mío! La ha visto. La diminuta onda en mi magnífico estanque cristalino. La que he estado ignorando, con la esperanza de que el tiempo la alisara. No se lo he contado a nadie; ni tan siquiera a Shelley o a Carrie. Porque algún día cercano esa onda desaparecerá, y cuando lo haga, no quiero que nadie dude de mi amor por Herbert. Puedo amar a Herbert; y lo haré.

—¿Qué insinúas? —pregunto, manteniendo una voz de indiferencia.

Él aparta el cuenco de fresas y se inclina hacia delante.

—¿Eres feliz, B. B.? Me refiero a si estás pletórica y feliz como unas castañuelas.

Camino hasta el fregadero y enjuago mi taza. Además de Herbert, pienso en todas las cosas buenas que hay en mi vida. Austin, y mi trabajo, mis amigos y familiares nuevos…

Me vuelvo hacia él y sonrío.

—No tienes ni idea.

Él me observa unos segundos antes de levantar al fin las manos.

—Está bien, pues. Aclarado. Siento haberlo dudado. Herbert es *el* chico.

A la mañana siguiente, el domingo 6 de mayo, con un peso de dos kilos ciento cincuenta y cuatro gramos y vestida con ropita rosa de la canastilla de su tía Catherine, Austin viene a casa. Herbert ha opuesto una resistencia feroz, insistiendo en que el bebé y yo nos mudáramos otra vez a Astor Street, pero yo he hecho caso omiso. Pilsen es nuestro hogar de momento, y, además, a Selina y a Blanca se les partiría el corazón. Llevan un mes emocionadas con las fotografías de Austin, y le han comprado zapatillitas de deporte y peluches. No pienso abandonarlas ahora.

Herbert hace fotos por todo el pasillo del hospital y en el coche. Nos reímos nerviosos mientras tratamos de atar su cuerpo en miniatura dentro de la sillita del coche. Parece nadar en el artilugio de plástico, así que le pongo mantitas alrededor para evitar que se tuerza.

—¿Estás segura de que esta sillita tiene el tamaño adecuado? —pregunta Herbert.

—Sí. En el hospital lo han comprobado, y, lo creas o no, es el tamaño adecuado para ella.

Él parece escéptico, pero cierra la puerta igualmente antes de correr a mi lado para ayudarme a instalarme junto a Austin. Tira del cinturón de seguridad y me pasa el brazo por delante para abrocharlo, como si fuese otra niña.

—Herbert, por favor. Puedes mimar al bebé, a mí no.

—Perdona, pero no estoy de acuerdo. Pretendo mimar a mis dos chicas.

Me aflojo el cinturón, de repente me siento oprimida y enjaulada. Me conmueve su preocupación por Austin, pero su devoción por mí sigue resultándome insoportable en ocasiones. Alargo el brazo para cerrar la puerta, pero Herbert ya la ha cerrado por mí. Noto que la presión sanguínea me sube, y me reprendo para mis adentros. El problema lo tengo yo, no él.

Cuando entro en mi pequeño apartamento con el bebé en brazos, siento la presencia de mi madre con tanta intensidad que me dan ganas de llamarla. Le encantaría este instante, este bebé, esta mujer en la que me he convertido. Me recibiría con un beso, luego inclinaría el cuerpo hacia delante para ver mejor al bebé y me lo quitaría en cuanto yo le dejara.

—¿Dónde quieres que ponga esto?

Me giro y veo a Herbert sosteniendo en alto la bolsa del hospital. No debería estar aquí. Esta escena nos pertenece a mamá, a Austin y a mí. Ha invadido nuestro momento especial.

Pero eso él no lo sabe, ¡y está tan adorable sujetando la bolsa rosa y marrón de topos! Le sonrío.

—Déjala en la encimera, por favor. Luego me ocupo de ella.

Vuelve en un santiamén, frotándose las manos.

—¿Qué te parece si comemos algo? Puedo preparar una deliciosa tortilla... a menos que prefieras...

—¡No! —le suelto, y me invade una sensación de culpa. ¿Qué clase de persona fría y desagradecida soy? Le acaricio el brazo—. Quiero decir... sí. Una tortilla me parece genial, gracias.

Recuerdo una frase de la película *La fuerza del cariño*. «No me adores hasta que me lo haya ganado.» Siempre me he identificado con ese sentimiento de orgullo e independencia. Pero ¿por qué? De nuevo me pregunto si el hombre que me crió dejó una cicatriz tan honda que, de adulta, no soy capaz de aceptar el cariño auténtico. Estaba tan desesperada por «ganarme» la aprobación de Charles (y también la de Andrew) que sacrifiqué mi verdadera identidad. E incluso entonces me quedé corta. Con Hebert es distinto. Por fin puedo ser yo misma, y me adora a mí; a mi yo real. Por primera vez en mi vida tengo una relación sana, justo como mi madre había deseado.

Herbert saca la cabeza por la pared de la cocina, un cartón de huevos en una mano y una barra de mantequilla en la otra. Me sonríe de oreja a oreja, una sonrisa dulce y cándida como la de un colegial. Doy un paso hacia delante y sostengo su cara en mis manos, y lo miro a los ojos con tal intensidad que se sonroja. Luego me inclino y le beso en la boca, larga y profunda y desesperadamente. Mi espíritu y mi alma y cada gota de sangre que corre por mis venas gritan: *¡Ámalo!*

Y, con todo mi ser, le suplico a mi corazón que obedezca.

Los narcisos primaverales desaparecen, dejando un camino de margaritas a su paso. En verano el ritmo afloja y disfruto al máximo de cada momento con Austin. Cambio los tacones y faldas por las chancletas y los vestidos de tirantes, y mis carreras de cinco kilómetros se convierten en lánguidos paseos empujando el cochecito de bebé. Por suerte para mí, mi hija es una niña feliz, y a excepción de unos cuantos ataques de estornudos, está increíblemente sana. Cuando le leo, canto y hablo, ella escucha, con los ojos muy abiertos y concentrada, y juro que veo a Sanquita en su carita curiosa. He empezado un diario para Austin, destacando sus parecidos y dejando constancia de cada detalle que recuerdo de la mujer valiente y hermosa que le dio la vida; y me la dio a mí.

Para celebrar el tercer mes de vida de Austin, recorro a mis anchas el familiar pasillo hacia la unidad neonatal, mi hija acurrucada contra mi pecho en su fular elástico. LaDonna nos ve de lejos y salta de su sitio tras el mostrador.

—¡Brett! —Me rodea con los brazos y luego mira dentro de la mochilita—. ¡Oh, Dios mío! ¡Austin Elizabeth! ¡Cuánto te hemos echado de menos!

Beso la frente de mi bebé.

—Nosotras también os hemos echado de menos. —Saco a Austin del fular y LaDonna la coge.

—Hola, preciosa —dice, sosteniendo al bebé frente a ella. Austin mueve los pies y hace gorgoritos—. Pero ¡mira qué grande estás!

—Tres kilos seiscientos cincuenta y siete —digo, sonriendo abiertamente—. Acabamos de estar en la consulta del doctor McGlew. Es la viva imagen de la salud.

LaDonna le besa en la frente.

—¡Qué maravilla!

Le ofrezco una bandeja de galletas y una tarjeta, sellada en morado con la huella del pie de Austin.

—Os hemos preparado algunas cosas ricas por haber cuidado tan bien de nosotras todas aquellas semanas.

—¡Ah..., Brett! Gracias. Déjalas en la barra. Cuando acabe la jornada, no quedará ni una. —Noto sus ojos en mí mientras dejo las galletas en la enfermería—. Te sienta bien la maternidad.

—¿En serio? ¿Te gustan estas ojeras negras? —me río—. Te juro que no he estado tan agotada en mi vida. Ni tan agradecida. —Bajo la mirada hacia el milagro que llamo mi hija. Al verme, su cara estalla de profunda alegría, como un resplandor de sol, y me derrito—. Rezo una oración para darle las gracias a Sanquita todos los días. Austin es lo mejor que me ha pasado nunca —digo, mi voz pastosa por la emoción—. Jamás.

LaDonna me guiña el ojo.

—Me alegro por ti. Ahora ven y siéntate. Maureen y Kathy acaban de irse a hacer un descanso. Querrán ver al bebé.

—No podemos quedarnos. —Echo un vistazo al reloj que hay tras el mostrador—. Esta noche nos toca el turno de cena en la Residencia Joshua. Pero volveremos en otra ocasión.

—Vale. Antes de que te vayas, tienes que contarme cómo está la cosa. ¿El doctor Moyer y tú estáis ya prometidos? —Arquea las cejas con picardía—. Ya sabes que todas las enfermeras de esta planta estaban un poco coladas por Hubert.

—Herbert —le corrijo—. Me ha presionado para celebrar una ceremonia discreta el diecisiete de agosto, el día del cumpleaños de mi madre, pero es demasiado pronto. Por ahora sólo quiero centrarme en esta preciosidad.

—Una buena decisión —dice LaDonna.

Bajo la mirada hacia mi hija.

—Algún día llegará, naturalmente. Herbert es increíble con Austin. Tendrías que verlos juntos.

Ella sonríe y me da unas palmaditas en la mano.

—Brett, estoy encantada de que las cosas te hayan salido bien. El bebé..., tu maravilloso pretendiente. Seguro que tu hada madrina está cuidando de ti.

Pienso en mi madre y en Sanquita, y su papel a la hora de hacer mis sueños realidad. Pero eso es sólo una parte...

—Es verdad, soy tremendamente afortunada. Pero las hadas madrinas sólo pueden intervenir hasta cierto punto. Creo que todos tenemos el poder de concedernos nuestros deseos. Únicamente tenemos que encontrar el valor.

Ella sonríe.

—Has hecho bien, chica. ¡Muy bien!

Se apodera de mí una sensación de desánimo. ¿Estaría mi madre de acuerdo con LaDonna? ¿O estoy renunciando a lo único que dijo que jamás debería ceder? ¿Tengo el valor, a estas alturas del partido, de prescindir de don Perfecto con la esperanza de encontrar a don Pluscuamperfecto? ¿Acaso eso es valor? Tal vez sea estupidez o inmadurez. ¿Dónde está exactamente esa línea entre el valor y la arrogancia, entre desear lo correcto y esperar más de lo que merecemos?

Tras media hora de reunir provisiones, hacer un cambio de pañal en el último momento y meter a mi niña en su cochecito de paseo, por fin salimos por la puerta. ¿Qué hacía con el tiempo libre antes de convertirme en madre?

A diferencia de la mayoría de los días de julio, abrasadores, hoy el cielo está nublado y una suave brisa me hace cosquillas en los brazos desnudos. Conforme nos acercamos al Café Efebina, vislumbro a Brad sentado bajo la sombrilla de una mesa. Se levanta y me recibe con un café con leche y un abrazo.

—¿Cómo está mi chicarrona? —pregunta, sacando a Austin del cochecito.

—Cuéntale a tío Brad lo increíble que eres, Austin. Cuéntale cómo le sonríes a tu mami.

—¿Eres una niña feliz? —Le hace gorgoritos y carantoñas a Austin. Con la mano libre extrae un sobre del bolsillo. Objetivo número diecisiete.

—Enamorarme —farfullo.

—Felicidades, B. B. Faltan dos meses para el límite de plazo en septiembre y vas por buen camino. Es hora de seguir avanzando y comprar ese caballo y la casa. Dijiste que Herbert se apuntaba, ¿verdad?

—¡Ajá!

Brad se me acerca más.

—¿Ocurre algo?

—No. Nada. —Le cojo a mi soñolienta hija de los brazos y la meto en su cochecito—. Adelante. Ábrelo.

Su mirada se clava en mí como un láser.

—¿Qué pasa con este sobre? Siempre has tenido muchas ganas de abrir un sobre cuando te lo ofrezco. La última vez que intenté abrir éste, no me dejaste. ¿Qué está pasando?

—Nada. Ábrelo.

Él ladea la cabeza de un modo que me da a entender que no se lo traga, pero abre igualmente el sobre. Libera la hoja rosa doblada, la coloca boca abajo encima de la mesa y me mira directamente a los ojos.

—Ésta es tu última oportunidad, B. B. —dice, agarrándome de los brazos—. Si no estás enamorada de Herbert, tienes que decírmelo ahora.

Mi corazón vacila. Le devuelvo la mirada hasta que no puedo seguir sosteniéndola. Cuatro meses de dudas y frustración afloran a la superficie. Planto los codos en la mesa y hundo la cabeza en las manos.

—Estoy jodida, Brad. Creía que amaba a Andrew, el hombre más ensimismado que he conocido jamás. Pero, por alguna razón, no puedo exteriorizar ninguna emoción profunda hacia este hombre increíble que haría cualquier cosa por mí. —Me cojo dos puñados de pelo—. ¿Qué problema tengo, Midar? ¿Sigo buscando a alguien a quien tenga que conquistar, como Charles?

Él me alborota el pelo.

—El amor es caprichoso. Si pudiéramos decidir de quién nos enamoramos, ¿crees que elegiría a una mujer que vive a tres mil kilómetros de distancia?

—Pero Herbert es fantástico. Me quiere. Y quiere a mi hija. Y quiere casarse conmigo. ¿Y si lo pierdo? ¿Y si nunca encuentro a nadie más que nos quiera como él? Podría pasarme el resto de mi vida sola, y Austin no tendría padre.

—Eso no pasará.

—No lo sabes.

—Lo sé. Tu madre no habría dejado el objetivo en tu lista, si no fueras capaz de lograrlo. Sabe que conocerás a alguien.

Refunfuño.

—Ahora pareces tan chalado como yo.

—Hablo en serio. Más de una vez se me ha pasado por la cabeza que ella ha planeado algunos de estos acontecimientos.

—Bueno, de ser así, quizá planeara mi relación con Herbert. Quizá lo guió hasta aquí, a Chicago, al departamento de mi hermano, para que nos conociéramos y enamoráramos.

—No me da esa sensación.

—¿Por qué no?

Me dedica una tenue sonrisa.

—Porque no estás enamorada de él.

Desvío la vista.

—Pero debería. Tal vez, si me esfuerzo un poco más y le doy un poco más de tiempo…

—El amor no es una prueba de resistencia.

—Pero Hebert cree que estamos hechos el uno para el otro; y quizá lo estemos. —Suspiro y me masajeo las sienes—. ¡Si mi madre me hiciera una señal! ¡Si me mandara una señal gigante e inconfundible indicándome si es o no es el hombre adecuado!

Brad contempla la carta doblada sobre la mesa.

—¿La abrimos o no?

Ver la carta hace que el corazón me de un brinco.

—No lo sé. ¿Sería justo?

—Creo que podemos echarle un rápido vistazo. ¡Quién sabe! Tal vez arroje un poco de luz sobre tus sentimientos.

Exhalo un suspiro que no me había dado cuenta de que había estado reteniendo.

—Está bien. Adelante.

Brad abre la carta y se aclara la garganta.

—«Querida Brett:

»Lo siento, cariño. Éste no es el hombre adecuado para ti. No estás enamorada. Sigue intentándolo, querida.»

Me quedo boquiabierta y suelto un grito de alivio.

—¡Oh, gracias a Dios! —Echo la cabeza hacia atrás y me río—. ¡Me ha dado una señal, Brad! Mi madre ha hablado. ¡Soy libre!

Noto los ojos de él clavados en mí. Ya no está leyendo. Está doblando la carta y metiéndola otra vez en su sobre. ¿Y dónde están sus gafas de lectura? ¿Cómo ha sido capaz de leer el mensaje de mi madre sin sus gafas? Se me desencaja la cara.

—¡Dios mío! Te lo has inventado. —Intento arrebatarle la carta, pero la sostiene en alto.

—Ya no importa. Tienes tu respuesta.

—Pero él adora a Austin. Y cree que vamos a formar una familia. Se quedará destrozado.

—¿Prefieres esperar a que se arrodille para ofrecerte un anillo de diamantes?

Me suenan las tripas y me pellizco el puente de la nariz.

—No, claro que no. —Tardo un minuto hasta que soy capaz de levantar los ojos hacia los suyos—. Tengo que romperle el corazón a Herbert, ¿verdad?

—Nadie dijo que el amor fuese fácil, pequeña. —Se mete el sobre rosa en el bolsillo de la camisa—. Lo guardaremos para otra ocasión —anuncia, dando una palmaditas sobre el bolsillo—. Algo me dice que la espera valdrá la pena.

Espero a que lleguen las siete, y aparezca Herbert, con un nudo en el estómago. Justo cuando acabo de dar de comer a Austin, suena el teléfono. Doy un brinco, con la esperanza de que sea Herbert llamando para cancelar nuestra cita. Pero en su lugar oigo la voz fría de Catherine. Joad y ella deben de haber vuelto de su semana en San Bartolomé. Pongo el altavoz y apoyo a Austin contra el hombro.

—Bienvenidos a casa —digo, dándole unas palmaditas a la niña en la espalda—. ¿Qué tal el viaje?

—Maravilloso —contesta—. Te dije que el complejo turístico donde hemos estado era un todo incluido, ¿verdad?

—Sí, creo…

—Lo que yo te diga, Brett, nunca hemos estado tan bien atendidos. Podíamos elegir entre tres restaurantes de cinco estrellas, todos ellos divinos. De no ser por su modernísimo gimnasio, ¡habría engordado cuatro o cinco kilos! —Se ríe—. Satisfacían todas nuestras necesidades una hora antes incluso de saber que las teníamos.

—Parece maravilloso —digo alegremente, pero por dentro me sacude una imagen de mi propio Hotel Herbert todo incluido, preguntándome si necesito algo, preguntándose si hay algo que puede hacer por mí.

—Lo era. De hecho, es uno de los mejores centros vacacionales en los que hemos estado, y mira que hemos ido a unos cuantos sitios realmente espectaculares. Herbert y tú tendríais que ir alguna vez, en serio. Hay que estar loco para no enamorarse de ese lugar.

Un retortijón se apodera de mi estómago. ¡Hay que estar loca para romper con Herbert! Cualquier persona normal sería capaz de amarlo.

De pronto mi mente se traslada a un momento de hace casi trece años, cuando mi madre y yo estuvimos en Puerto Vallarta. Me llevó a la ciudad portuaria mexicana para celebrar mi licenciatura en Northwestern. Era la primera vez que cualquiera de las dos nos hospedábamos en un hotel todo incluido. Y, al igual que ha experimentado Catherine, el Grand Palladium Vallarta era una visión celestial. Un balneario de día con todos los servicios, tres piscinas infinitas y más comidas *gourmet* y bebidas con sombrillitas de las que podíamos humanamente consumir. Pero al tercer día yo me moría por escapar. Me sentí fatal porque el paraíso manufacturado no me había fascinado. Seguramente a mi madre le costó una fortuna. Se le caería el alma a los pies si descubría qué hija tan desagradecida había criado.

Pero aquella tarde, cuando el camarero de la piscina nos preguntó por décima vez si queríamos beber algo más, o una toalla seca o un aerosol de agua fresca, mi madre sacudió la cabeza. Juraría que la eterna clarividente me leyó el pensamiento.

—Gracias, Fernando, pero no necesitamos nada. No hace falta que vuelva a preguntárnoslo.

Ella sonrió con elegancia hasta que él estuvo lejos como para no oír, y entonces se volvió a mí.

—Lo siento, mi amor, pero estoy volviéndome *loca* en este paraíso.

A día de hoy, no estoy segura de si dijo la verdad o si afirmó estar volviéndose loca por mí. Sea como sea, yo casi me caí de la tumbona de la risa.

Entonces subimos corriendo a nuestra habitación, riendo como tontas mientras nos poníamos un vestido fresco y sandalias. Cogimos un autobús viejo y destartalado hasta Viejo Vallarta, el casco antiguo, y regateamos con los vendedores ambulantes en el mercado. Después encontramos un antro local. Un grupo de mariachis, con trajes de tachuelas plateadas y sombreros, tocaba sobre una plataforma de madera polvorienta. Mi madre y yo nos sentamos en el bar a beber cerveza y hablar a voces con el grupo y los clientes locales en cada descanso. Fue la mejor noche de nuestro viaje.

Llaman al timbre y me da un vuelco el corazón.

—Lo siento, Catherine, Herbert está aquí. Me alegro de que estéis de vuelta. Dale recuerdos a Joad.

Camino hasta la puerta con Austin en brazos, agradecida por el hermoso recuerdo que ha despertado la llamada de Catherine. ¿Es posible que haya dos tipos de personas, aquellas que adoran los centros turísticos con todo incluido y las que los encuentran sofocantes? Y tal vez, sólo tal vez, aquellas que creemos que, al fin y al cabo, no somos gente desagradecida por considerar un agobio veinticuatro horas al día de atenciones, siete días a la semana.

Me espero hasta que Austin está dormida. Cuando regreso de puntillas al salón, veo a Herbert en el sofá, bebiendo a sorbos una copa de Chardonnay mientras lee atentamente una de mis novelas. Siento un nudo en el pecho. Alza la vista y sonríe al verme.

—¿Misión cumplida?

Cruzo los dedos.

—De momento, sí.

Me siento a su lado y compruebo qué está leyendo. De todos mis maravillosos libros, ha elegido el *Ulises* de James Joyce, posiblemente la lectura más difícil de la literatura inglesa.

—Era una lectura obligatoria cuando iba al Loyola Academy —comento—. ¡Dios! Odiaba…

—Hace años que no la leo —interrumpe—. Me encantaría volver a leerla. ¿Me la dejas?

—Quédatela —contesto.

Le quito el libro de las manos y lo dejo en la mesa de centro.

Como aprovechando la ocasión, se inclina para besarme. Con el deseo desesperado de quedarme esta vez sin aliento y sentir mariposas en el estómago, le dejo.

No me quedo sin aliento ni siento mariposas en el estómago.

Me echo hacia atrás. Como cuando arrancas una tirita, suelto las palabras de un tirón:

—Herbert, no puedo seguir viéndote.

Él baja su cara hacia la mía.

—¿Qué?

Las lágrimas me encharcan los ojos y me tapo la boca temblorosa.

—Lo siento tanto… No sé qué me pasa. Eres un hombre maravilloso. El mejor con el que he salido nunca. Pero…

—No me quieres. —Es una afirmación, no una pregunta.

—No estoy segura —digo en voz baja—. Y no puedo poner en peligro tu felicidad, ni la mía, esperando a averiguarlo.

—No estás poniendo en peligro… —Para a media frase y levanta la cabeza hacia el techo, mordiéndose el labio.

Aparto la mirada y cierro los ojos con fuerza. ¿Qué estoy haciendo? Este hombre me ama. Ahora debería levantarme de un brinco, reírme y decirle que era todo una broma. Pero estoy pegada al sofá y mi boca está sellada.

Finalmente, él se pone de pie. Me mira fijamente y, de hecho, veo su rostro pasar de la tristeza a la rabia. De pronto se muestra impetuoso…, más impetuoso de lo que nunca le he visto.

—¿Qué coño buscas, Brett? ¿Otro imbécil, como tu último novio? ¿En serio? ¿Qué es lo que quieres?

Se me acelera el corazón. ¡Dios mío! Al final resulta que Herbert tiene agallas. Nunca le había oído decir palabrotas… y, no sé, me gusta. Tal vez nos hayamos precipitado demasiado… A lo mejor esto funcionaría si…

No. La decisión está tomada. Lo hecho, hecho está.

—Mmm… No lo sé. —¿Cómo le digo que busco algo tan especial que cuando suceda no tenga que preguntarme si lo he encontrado?

—Tienes que pensar en ello, Brett, porque estás cometiendo un tremendo error. En el fondo lo sabes. Yo no estaré siempre disponible. Tienes que solucionar esto antes de que sea demasiado tarde.

Sus palabras me chupan el aire de los pulmones. ¿Y si realmente él es el adecuado, y me doy cuenta demasiado tarde? Observo, estupefacta, mientras él cruza la habitación y saca su abrigo Burberry del armario. Con una mano en el pomo de la puerta, se gira y busca mi cara empapada de lágrimas.

—Te quería de verdad, Brett. Y a Austin también. Dale un abrazo de despedida de mi parte, ¿quieres? —Tras eso, sale por la puerta y la cierra de un portazo a sus espaldas.

Rompo a llorar. ¿Qué demonios he hecho? ¿Acabo de dejar que el hombre de mis sueños, mi maravilloso hombre Burberry, se vaya? Me hago un ovillo en la silla cerca de la ventana frontal y contemplo el cielo grisáceo, como buscando una respuesta, oculta en alguna parte, ahí fuera en el oscuro abismo. ¿Está mi madre cuidando de mí ahora mismo? ¿Qué trata de decirme? Me quedo allí sentada hasta las dos de la madrugada, cuestionándome mi decisión y esperando a oír las palabras de mi madre: «Habrá otro cielo, mi amor».

Las palabras nunca llegan.

30

En lugar de preparar la boda para el 7 de agosto que Herbert sugirió en su momento, organizo una fiesta para lo que habría sido el sesenta y tres cumpleaños de mi madre. El viernes por la mañana, Zoë y John llegan al aeropuerto O'Hare, una escena de llegada muy distinta a la de Seattle. Tras pasarnos meses hablando casi a diario, nos saludamos como la familia en que nos hemos convertido, compartiendo besos y lágrimas y abrazos efusivos. John y yo hablamos sin parar durante el trayecto hasta el despacho de Brad, mientras Zoë está sentada en el asiento trasero charlando con Austin Elizabeth.

—Tú mi *solina* —dice, cogiendo la mano de la niña en la suya.

—Sobrina —le corrige John, y los dos nos reímos entre dientes. Luego se vuelve a mí, serio—. ¿Qué te parecería que Austin me llamara abuelo? ¿O papi?

Yo sonrío.

—Me encantaría.

—Y, Brett, puedes llamarme papá, ya lo sabes.

Mi copa rebosa.

Mi padre estrecha la mano de Brad, y los dos hombres de mi vida por fin se conocen. Pero Zoë está mucho más interesada en las vistas de la ciudad que en conocer a Brad. Se planta delante del ventanal de suelo a techo, absolutamente fascinada, y yo me instalo frente a la mesa de caoba, la misma mesa en la que me senté, resentida y abatida, hace casi un año. Pensé que ese día se me había fracturado la vida, y en realidad así fue. Pero al igual que una extremidad que se fractura, ahora está más fuerte en aquellos puntos rotos que han sanado.

Mientras mi padre se acomoda a mi lado, Brad va hasta la ventana y se acuclilla junto a Zoë.

—Oye, Zoë, ¿quieres ir en ascensor conmigo? Te enseñaré una ventana aún más chula.

Los ojos de la niña se abren como platos y mira a su padre buscando permiso.

—Claro, mi vida, pero ¿te importa esperar un minuto nada más? El señor Midar está a punto de leer una carta de la mamá de Brett.

Brad se levanta y sacude la cabeza.

—Ésta no. La leeréis los dos juntos, a solas. Creo que es así como lo querría Elizabeth. —Con la mano de Zoë en la suya, sale del despacho y cierra la puerta tras ellos.

Saco la carta de su sobre y la dejo en la mesa frente a nosotros. Mi padre cubre mi mano con la suya, y juntos leemos la carta en silencio.

Querida Brett:

Hace treinta y cuatro años hice una promesa; una promesa que siempre he lamentado. Le dije a Charles Bohlinger que nunca revelaría el secreto de tu concepción. A cambio, él prometió criarte como si fueras hija suya. Si mantuvo o no su parte del trato, es discutible. Pero creo que he cumplido mi promesa, incluso ahora.

He deseado desvelar la verdad muchas veces. Tuviste tantos problemas en tu relación con Charles. Le supliqué que me dejara contártelo, pero se mantuvo en sus trece. No sé si por pena o por estupidez, sentí que le debía su dignidad. Y al desconocer el paradero de tu padre, tuve miedo de que eso no hiciera más que confirmar tus sentimientos de rechazo paternal.

Espero que puedas perdonarme de corazón, y a Charles también. Entiende, por favor, que para él no fue fácil. En lugar de ver en ti bondad y belleza, eras un constante recordatorio de mi infidelidad. Pero, para mí, tú eras un regalo, un orgullo, un arco iris tras una aterradora tormenta. Sabe Dios que no lo merecía, pero una parte del hombre que amaba había vuelto a mí, y una vez más la música llenó mi alma.

Verás, mi mundo se sumió en el silencio durante aquellas semanas después de que tu padre me dejara. No fue hasta años más tarde que entendí la proeza caballerosa y desinteresada que había llevado a cabo por mí. Lo amaba tan desesperadamente que habría hecho lo que fuera para quedarme con él; incluso algo que a la larga habría descarriado mi alma. Pero él me lo evitó, y le estaré eternamente agradecida.

Aunque lo intenté, nunca he podido localizar a tu padre. En cierta ocasión contraté a alguien, después de que Charles y yo nos divorciáramos, pero fue una búsqueda infructuosa. De algún modo, mientras escribo esto, sé con certeza que lo encontrarás. Y, cuando lo hagas, celébralo. Tu padre es un hombre extraordinario. Y si bien sé que una aventura ilícita es un acto egoísta y cobarde, a día de hoy sigo creyendo que lo que sentí por tu padre era amor; puro y auténtico e intenso como un viento de pradera.

Me preguntabas a menudo por qué nunca tuve otra relación después de que Charles y yo nos divorciáramos. Yo te sonreía y te decía que no había ninguna necesidad. Ya había conocido al amor de mi vida. Y era verdad.

Gracias por tender un puente entre dos vidas, mi maravillosa hija. Tu espíritu, tu bondad, todo lo bueno que hay en ti procede de tu padre. Le doy las gracias, y a ti, todos los días por enseñarme qué es el amor.

Siempre tuya,
mamá

Hay una actividad febril en Astor Street el sábado por la tarde. A mi madre le habría encantado este día, un día de amor pasado y presente, de amistad vieja y nueva, y de familia, perdida y encontrada. Carrie y su prole llegan a mediodía, a los que siguen sin demora sus padres, Mary y David. Mientras Carrie, Stella y yo preparamos lasaña para catorce, Mary y David toman bebidas a sorbos con Johnny en la galería, riendo a carcajadas y contándose historias de los viejos tiempos en Rogers Park. En su hamaca junto a la ventana, Austin roe un pez de goma al tiempo que observa a los hijos de Carrie jugar a la rayuela con Zoë en el jardín de atrás.

Son las cuatro y media cuando Carrie decide hacer su pastel de chocolate sin harina.

—Si he calculado bien, aún estará caliente cuando lo sirva.

—Ya se me está haciendo la boca agua —digo—. Los cuencos para mezclar ingredientes están en el mueble auxiliar.

—Yo pondré la mesa —dice Stella. Desaparece en el comedor y luego me pregunta—: ¿Dónde guardas los manteles, Brett?

—¡Oh, no! —Me doy una palmada en la frente—. He olvidado recoger los manteles de la tintorería.

Trae a la cocina un montón de individuales y servilletas de damasco.

—Tranquila, he encontrado esto.

—No, hoy tenemos que usar los manteles irlandeses bordados a mano. Mamá siempre los utilizaba para ocasiones especiales, ¿y qué hay más especial que su cumpleaños? —Consulto la hora—. Vuelvo en media hora.

Como corresponde a los días de agosto, hoy hace sol, con nubes de algodón gigantescas suspendidas en un cielo azul. Aunque han anunciado bajada de temperaturas y tormentas eléctricas, ahora nadie lo diría. Tarareando «What a Wonderful World», voy tan tranquila por la acera con mi perro paseando delante de mí, y mi hija acurrucada contra mi pecho en su BabyBjörn.

Frente a la tintorería Mauer, hay una llamativa rubia sentada en un banco, que sujeta una correa atada a un labrador negro. *Rudy* olisquea al dócil perro, luego le da un cabezazo esperando provocarle para jugar juntos.

—Pórtate bien, *Rudy* —le digo, atando su correa a un travesaño de madera del banco. Sonrío a la mujer, pero está cotorreando por el móvil y no parece fijarse.

Tintinean las campanillas cuando entro en Mauer. Son casi las cinco; prácticamente la hora del cierre. Hago cola detrás del único cliente de la tienda, un tipo alto de pelo moreno y ondulado. Está escuchando mientras la mujer de pelo blanco le suelta un rollo tras el mostrador. Clavo los ojos en su nuca. *¿Ya empezamos?* Él se ríe por algo que ella dice, y al final le entrega su tique. Ella se acerca arrastrando los pies hasta un perchero mecánico rotativo en busca de su ropa, y vuelve instantes después con su prenda, enfundada en un plástico transparente.

—Aquí está —le dice ella. Cuelga la prenda en una barra metálica.

Me la quedo mirando..., luego miro al hombre..., luego de nuevo a la prenda.

Es una gabardina Burberry.

—No está nada mal —dice él.

De repente me mareo. ¿Podría tratarse del hombre Burberry? ¡Bah! ¿Qué probabilidades hay?

Él le paga en efectivo y descuelga su abrigo.

—Gracias, Marilyn. Buen fin de semana.

Se da la vuelta. Unos ojos castaños con motas doradas se posan primero en Austin.

—¡Hola, monada! —le dice.

Ella levanta la vista hacia él unos segundos antes de dedicarle una sonrisa. Unas arrugas de expresión brotan como fuegos artificiales en los rabillos de sus ojos y desvía la mirada hacia mí. Veo su rostro pasar de la confusión al sereno reconocimiento.

—¡Hola! —saluda, señalándome con un dedo—. Tú eres la mujer con la que solía tropezarme todo el rato. Te tiré café en el abrigo delante de tu casa. Te vi aquella mañana mientras hacía *footing*. —La ternura subyacente en su voz grave hace que me sienta como si estuviera reencontrándome con un viejo amigo cuando es evidente que apenas lo conozco—. La última vez que te vi estabas en la estación de

Chicago. Te enfadaste muchísimo al perder tu tren... —Sacude la cabeza como si se avergonzara—. Seguramente no te acuerdas.

Me late el corazón en las sienes. Estoy tentada de confesarle que era *su* tren el que quería coger, pero me limito a decir:

—Me acuerdo.

Se me acerca.

—¿Te acuerdas?

—¡Ajá!

Su cara se suaviza en una sonrisa y me ofrece la mano.

—Soy Garrett. Garrett Taylor.

Lo miro fijamente, boquiabierta.

—¿Tú... tú eres el doctor Taylor? ¿El psiquiatra?

Él ladea la cabeza.

—Sí.

El tiempo se pliega sobre sí mismo. Esa voz. ¡Pues claro! ¡Garrett Taylor es el hombre Burberry! No es un viejales. Es un imponente cuarentón, con una nariz un poco torcida y una cicatriz visible a lo largo de su mandíbula; la cara más perfecta que he visto jamás. Una docena de colibríes revolotean en mi pecho. Echo la cabeza hacia atrás y me río, luego acepto su mano extendida.

—Garrett, soy yo. Brett Bohlinger.

Él pone ojos de plato.

—¡Vaya! ¡Dios mío! No puedo creerlo, Brett. He pensado en ti muchas veces. Quería llamarte, pero me pareció que... —Retrocede, dejando su frase flotando en el aire.

—Pero se suponía que eras muy mayor —le digo—. Tu madre daba clases en una escuela de una sola aula. Tus hermanas son profesoras jubiladas...

Él sonríe abiertamente.

—Hay una diferencia de diecinueve años entre mis hermanas y yo. Fui lo que podrías llamar una sorpresa.

Una sorpresa, sin duda.

—¿Vives por aquí? —pregunto.

—Cruzando la calle, en Goethe.

—Yo estoy en Astor.

Él se ríe.

—Vivimos sólo a unas manzanas de distancia.

—En realidad es la casa de mi madre. Yo me trasladé a Pilsen el invierno pasado.

Le ofrece el meñique a Austin y ella se agarra a él.

—Y tienes un bebé. —Un asomo de tristeza tiñe su voz—. Felicidades.

—Te presento a Austin Elizabeth.

Pasa una mano por sus sedosos rizos. Pero cuando sonríe, sus ojos han perdido la alegría.

—Es adorable. —Me mira—. Ahora eres feliz. Lo veo.

—Lo soy. Estoy como loca.

—Has hecho algún progreso en esa lista de objetivos vitales. Me alegro por ti, Brett. —Asiente cortésmente y me agarra del brazo—. Me alegro mucho de que al fin hayamos tenido ocasión de conocernos. Te deseo toda la felicidad del mundo con tu nueva familia.

Ahora se va hacia la puerta. Se piensa que estoy casada. ¡No puedo dejar que se marche! ¿Y si nunca vuelvo a verlo? Sus manos entran en contacto con el pomo.

—¿Te acuerdas de Sanquita? —más bien grito—. ¿Mi alumna enferma del riñón?

Él se gira.

—¿La chica de la casa de acogida?

Asiento con la cabeza.

—Murió la pasada primavera. Ésta era su hija.

—Siento mucho oír eso. —Camina hacia mí—. Entonces, ¿Austin es adoptada?

—Sí, tras semanas de papeleo, se hizo definitivo justamente la semana pasada.

Me dedica una sonrisa.

—Es un bebé con suerte.

Nos quedamos mirando el uno al otro hasta que al final Marilyn nos dice en voz alta desde el otro lado del mostrador:

—Siento interrumpir vuestro reencuentro, pero estamos a punto de cerrar.

—¡Ay, perdón! —Me acerco corriendo al mostrador y busco el tique en mi bolsillo. Se lo doy y me vuelvo hacia Garrett—. Oye —digo, esperando que no pueda ver el baile frenético de mi corazón a través de mi delgada camiseta—, si esta noche no haces nada, celebro una fiestecita, básicamente con la familia y unos cuantos amigos. Celebramos el cumpleaños de mi madre. Me encantaría que pudieras pasarte; North Astor ciento trece.

Él parece realmente decepcionado.

—Ya tengo un compromiso esta noche. —Desvía los ojos hacia la ventana durante una determinante milésima de segundo, y mis ojos los siguen. La rubia del labrador negro ya no cotorrea por el móvil. Está frente a la ventana mirándonos con atención, seguramente preguntándose qué está reteniendo a su novio… o marido.

—¡Claro, no hay problema! —exclamo, notando que el calor sube a mis mejillas.

—Debería irme —dice Garrett—. Parece que mi perro está poniéndose nervioso ahí fuera.

Se me ocurren una docena de ingeniosas respuestas, y serían divertidísimas si yo no estuviera aquí muerta de vergüenza, ante una mujer que no puede parecer menos amante de los perros.

Marilyn vuelve al mostrador con mi mantelería.

—Diecisiete con cincuenta —me dice.

Busco el dinero a tientas, entonces miro de nuevo hacia Garrett.

—Ha sido estupendo conocerte —le digo, haciendo lo imposible por aparentar alegría—. Cuídate mucho.

—Lo mismo digo. —Él titubea un segundo de nada antes de abrir la puerta y salir.

Las nubes se han espesado, pintando el cielo con remolinos de amatista y gris. Casi puedo ver la lluvia agazapada en las amenazantes nubes, planeando su ataque. Inspiro el olor a húmedo de la inminente tormenta y acelero el paso, esperando llegar a casa antes de que las nubes descarguen.

Me maldigo durante la vuelta a casa. ¿Por qué, eh? ¿Por qué he abierto la bocaza? Garrett pensará que estoy zumbada por pedirle que venga a una fiesta de cumpleaños familiar e íntima cuando apenas lo conozco. ¿Cómo he podido ser tan estúpida? Un tipo como Garrett no puede estar soltero. Es un médico magnífico; y, además, guapo. No es de extrañar que no pudiéramos vernos todas esas veces que lo hemos intentando. Probablemente mi madre nos puso esos obstáculos delante, desesperada por mantener su inalcanzable cuerpo alejado del mío. ¿Conoceré algún día a un buen chico? ¿Un buen chico que esté soltero? ¿Uno que nos quiera tanto a Austin como a mí?

Una imagen de Herbert Moyer se cuela sin pedir permiso y se me incrusta en el cerebro.

La casa huele a ajo salteado, y las carcajadas y el parloteo salen flotando de la cocina. Suelto la correa de *Rudy* y procuro desterrar todo pensamiento de mi bochornoso encuentro con Garrett Taylor. Celebramos el cumpleaños de mi madre, y me niego a dejar que nada lo estropee.

Brad viene corriendo desde el salón y me quita la mantelería de la mano.

—Acaba de llamar Jenna. Su vuelo ha llegado puntual y viene hacía aquí.

—¡Hurra! Estamos todos. —Saco a Austin de la mochila y luego me vuelvo para que Brad pueda desabrocharme la BabyBjörn.

—Y Zoë me estaba hablando ahora de su caballo, *Pluto*. —Me escudriña con la mirada, por detrás de mi hombro—. Según tu padre, alguien que ha querido mantener su anonimato ha hecho al Nelson Center una importante donación para volver a instaurar su programa de equinoterapia. —Se inclina hacia delante y me susurra al oído—: ¿Qué has vendido esta vez, B. B.? ¿Otro Rolex?

—De hecho, he sacado dinero de mi jubilación. El programa de equinoterapia de Zoë me compensa la penalización fiscal.

—Bien, te felicito. Objetivo número catorce en el bote. ¡En el morral! —Rompe a reír y yo no puedo contener una sonrisa.

—¡Si serás desgraciado!

—No, la única desgraciada en esta historia es *Lady Lulu*. ¿Recuerdas a *Lulu*, el caballo de la protectora de animales que Gillian quería que rescatáramos? —Menea la cabeza y se seca una lágrima imaginaria del ojo—. A la pobrecita *Lulu* probablemente estén llevándola a sacrificar para hacer con ella cola de animal mientras hablamos.

—No. *Lulu* tiene un buen hogar desde hace meses.

—Un momento. ¿En serio has seguido su caso?

Me encojo de hombros.

—No me hagas la ola. No te imaginas el alivio que sentí al descubrir que la habían adoptado.

Él se ríe y levanta la mano para chocar esos cinco.

—Estoy impresionado, cielo. Otro objetivo liquidado. Ya casi lo tienes.

—Sí, menos el más difícil. —Mi ego herido llamea y niego con la cabeza—. El tiempo se acaba, Brad. Tengo un mes para enamorarme.

—Oye, he estado pensando en esto. Estás enamorada de Austin, ¿verdad? Me refiero a si no podría ser ésa la clase de amor *arrebatador de moriría por ti* del que hablaba tu madre.

Contemplo la cara de un bebé por el que con gusto moriría. Si digo que sí, conseguiré el sobre número diecisiete. Compraré la casa de mi madre y lograré hasta el último objetivo según lo programado. Austin y yo recibiremos nuestra herencia y tendremos el futuro asegurado.

Abro la boca para decirle a Brad que sí, pero me detengo cuando aparece en mi imaginación un flash de la niña de catorce años, su mirada nostálgica suplicándome que no renuncie al sueño de su vida. Oigo las palabras de mi madre: *El amor es lo único en lo que no deberías transigir jamás.*

Golpeo con el puño a Brad en el brazo.

—Oye, gracias por el voto de confianza, Midar.

—No, yo sólo…

Sonrío.

—Lo sé. Sólo intentas ayudar. Y te lo agradezco. Pero pienso acabar esta lista, tarde lo que tarde. Ya no se trata de la herencia. No puedo defraudar a mi madre... ni a esa niña que un día conocí. —Beso la coronilla de la cabeza aterciopelada de Austin—. Estaremos bien, con o sin nuestros millones.

La lasaña está de color castaño dorado y burbujeando. Mary coloca un cuenco de plata lleno de hortensias en el centro de la mesa de comedor, elegantemente vestida con la mantelería bordada de mi madre. Catherine enciende las velas, y yo bajo las luces. La habitación adquiere el tono lavanda de la inminente tormenta. Si mi madre estuviese aquí, juntaría las manos y diría: «¡Oh, cariño, es una preciosidad!» Me invade el orgullo y de repente echo desesperadamente de menos a la mujer que he perdido.

Un estruendoso trueno me arranca de mi ensimismamiento, inmediatamente seguido del sonido de la lluvia aporreando los cristales de las ventanas. Al otro lado de la ventana, el roble de mi madre se balancea con furia. Me froto la carne de gallina de los brazos.

—La cena está lista —anuncio.

Veo a las personas que quiero, las personas que me quieren y quieren a mi madre, reunirse en torno a su maravillosa mesa de caoba. Jay le retira una silla a Shelley, y, cuando ésta se dispone a sentarse, le besa en la nuca. Ella se ruboriza al darse cuenta de que he visto el pequeño gesto de cariño, y le lanzo un guiño de aprobación. Carrie y su familia ocupan un lado de la mesa, sus hijos discuten para ver quién consigue sentarse al lado de Zoë. Brad y Jenna se sientan en las sillas contiguas a Shelley, mientras charlan del vuelo de ella. Yo le doy la mano a mi padre y lo acompaño a la cabecera de la mesa, donde le corresponde. Mary y David se sientan discretamente al lado de Joad. A su lado, mi maravillosa hija sueña, acurrucada sobre el pecho de su tía Catherine. Oigo que Joad le sugiere que acueste a Austin mientras comemos, pero ella no le hace caso. Capto su mirada y nos sonreímos, la sonrisa de dos mujeres muy distintas con un amor en común.

Finalmente, cuando todo el mundo está sentado, ocupo mi lugar en la cabecera de la mesa, enfrente de mi padre.

—Me gustaría proponer un brindis —digo, alzando mi copa de vino—. Por Elizabeth Bohlinger, la extraordinaria mujer a la que algunos de nosotros llamábamos madre… —Se me agarrota la garganta y no puedo hablar.

—Otros llamábamos amiga —interviene David, asintiendo hacia mí y levantando su copa.

—Uno llamó amante —dice John, su voz pastosa por la emoción.

—Algunos llamábamos jefa —añade Catherine. Entonces nos echamos a reír.

—Y que tres siempre llamarán abuela —concluye Jay.

Mis ojos se posan en Trevor y Emma, luego se desplazan hacia Austin.

—Por Elizabeth —digo—, esa mujer excepcional que influyó tan profundamente en cada una de nuestras vidas.

Estamos entrechocando las copas cuando llaman a la puerta. Trevor se levanta de su sillita de un salto y echa una carrera con *Rudy* hasta el recibidor.

—Dile a quienquiera que sea que estamos comiendo —dice Joad.

—Eso —dice Catherine, bajando la vista hacia el fardo durmiente de sus brazos—. La pequeña Austin no quiere que la molesten a la hora de cenar.

Estamos pasándonos los platos cuando Trevor regresa a la mesa. Añado ensalada al plato de Zoë y miro a mi sobrino.

—¿Quién era, cariño?

—El doctor no sé qué —contesta Trevor—. Le he dicho que se vaya.

—¿El doctor Moyer? —pregunta Jay.

—Sí —responde Trevor, abalanzándose sobre un palito de pan.

Jay estira el cuello y mira por la ventana empañada de lluvia.

—¡Vaya, mira tú por dónde, Herbert está aquí! —Sale disparado de la mesa, volcando por poco la silla, entonces se detiene y se gira hacia mí—. ¿Le has invitado?

—No —digo, empujando la silla hacia atrás y dejando la servilleta a un lado—. Pero tenemos comida de sobra. Siéntate, Jay. Yo le invitaré a entrar.

Durante los veinte segundos que tardo en llegar a la puerta principal, mi mente salta y tropieza y se da trompicones. ¡Dios mío! Herbert ha vuelto en el que podría haber sido el día de nuestra boda. ¿Es esto una señal de mi madre? Tal vez no le haya gustado la idea de que Austin y yo vayamos las dos solas por la vida. Quiere que le dé otra oportunidad. Y a lo mejor esta vez se asegurará de que se produzca la magia.

Una ráfaga de viento me deja sin aliento cuando abro la puerta. Oigo el tintineo de los carillones de mi madre en el jardín trasero. Alargo el cuello y me asomo a un porche vacío. Mi pelo vuela en todas direcciones y lo sujeto en mi puño. ¿Dónde se ha metido Herbert? La lluvia racheada me aguijonea el rostro en pequeñas descargas eléctricas y entorno los ojos por el chaparrón. Finalmente, retrocedo al interior de casa. Justo cuando me dispongo a cerrar la puerta, lo veo. Está cruzando la calle bajo un paraguas grande y negro.

—¡Herbert!

Se gira. Lleva su abrigo Burberry y un ramo de flores silvestres en la mano. Mi mano vuela hacia mi boca y salgo fuera, a la furia de la tempestad. A través del intenso aguacero veo su maravillosa sonrisa.

Sin perder un segundo, bajo corriendo los escalones del porche. La lluvia me empapa la blusa de seda, pero no me importa.

Él corre hacia mí, riéndose. Cuando nos juntamos, levanta el paraguas para protegerme, estrechándome tanto contra él que puedo ver un corte reciente de afeitado en su mentón.

—¿Qué haces aquí? —pregunto.

Garrett Taylor sonríe y me ofrece las flores mustias por el mal tiempo.

—He cancelado mis planes. No los he pospuesto. No los he aplazado. Los he cancelado. Definitivamente.

Mi corazón salta de alegría y hundo la nariz en una amapola naranja chillón.

—No era necesario que lo hicieras.

—Sí que era necesario. —Baja los ojos hacia mí y me pone suavemente un mechón de pelo mojado detrás de la oreja—. Me niego a dejar escapar otro encuentro. No he podido esperar un día más, ni una hora o minuto más, sin decirte que te he echado de menos, he echado de menos a esa profesora divertida con la que me reía y a la que conocí por teléfono. Tengo que decirte, mientras pueda, que me volvió loco aquella chica preciosa que vi en el ferrocarril elevado, y frente al edificio y en el sendero cuando hacía *footing*. —Sonríe y me roza la mejilla con el pulgar—. Así que cuando hoy me he topado contigo, y os he perdido de vista a las dos, tenía que venir aquí esta noche. —Su voz está ronca, y clava su mirada en la mía—. Porque no podía soportar la idea de despertarme un día y descubrir que mi tren ha salido de la estación, y la mujer de mis sueños se ha quedado en el andén, diciéndome adiós con la mano.

Me adentro en sus brazos y tengo la sensación de volver a un lugar que he echado de menos toda mi vida.

—Eras tú al que esperaba coger —susurro contra su pecho—. No ese tren.

Él se echa hacia atrás y me levanta la barbilla con el dedo índice, entonces baja la cabeza y me besa, larga y lentamente y con deliciosa coquetería.

—Considérame cogido —dice sonriéndome.

Con las flores en una mano y sosteniendo la de Garrett en la otra, subimos los peldaños de casa de mi madre acurrucados bajo su paraguas negro.

Cuando me dispongo a cerrar la puerta a nuestras espaldas, levanto la vista al cielo. El resplandor de un relámpago se abre camino en el cielo oscuro. Si mi madre estuviese aquí, me daría una palmadita en la mano y me diría que habrá otro cielo.

Yo le diría que éste me gusta, con nubarrones y todo.

EPÍLOGO

Estoy frente al espejo de mi tocador, en la mismísima habitación que mi madre en su día llamaba suya. Ahora está distinta, con fragmentos de mi nueva vida esparcidos por doquier, pero sigue oliendo a ella, y su recuerdo me da la bienvenida cada vez que entro. Es curioso cómo los sitios se mimetizan con las personas, cómo esta casa y la antigua cama de hierro de mi madre aún me atraen y ofrecen consuelo cuando lo necesito. Pero, a diferencia de aquellos días tristes de hace casi dos años, mi necesidad de consuelo ahora es escasa.

Me abrocho el cierre del collar de perlas. Desde el cuarto del bebé al fondo del pasillo (mi antigua habitación), oigo las estrepitosas carcajadas de mi hija. Sonrío y reviso mi cara una última vez. De repente, en el reflejo del espejo, aparece mi vida. Me giro y se abren las puertas del cielo.

—¿Con quién está mi niña mayor? —le pregunto a Austin.

—Papito —dice. Está para comérsela con su vestido de fiesta con volantes y su cinta de pelo a lunares.

Garrett le besa en la mejilla y me señala.

—Mira el bonito vestido blanco de mami. ¿A que está guapa?

Ella suelta una risita y hunde la cara en su cuello. Chica lista. Yo también me acurrucaría contra ese cuello, pulcramente afeitado y bronceado, haciendo contraste con una camisa blanca recién planchada y un traje negro.

Él alarga la mano hacia mí.

—Hoy es el día. ¿Estás nerviosa?

—¡Qué va! Pero emocionada, sí.

—Yo también. —Se inclina y sus labios me rozan la oreja—. No creo que haya en el mundo nadie más feliz que yo.

Un cosquilleo recorre toda mi piel.

Ya hemos llegado casi al coche cuando caigo en la cuenta de que he olvidado los programas de la ceremonia. Mientras Garrett ata a Austin en su sillita del coche, yo vuelvo corriendo dentro.

La casa está en silencio ahora, sin los balbuceos de Austin ni las sonoras carcajadas de Garrett. Encuentro los programas en la mesa de centro, justo donde los había dejado. Cuando me giro para irme, reparo en la foto de mi madre. Sus ojos centellean, como si se alegrara de lo que estoy a punto de hacer. Y creo que se alegraría.

—Deséame suerte, mamá —susurro.

Cojo un programa rosa de encima del montón y lo coloco al lado de su fotografía.

DOMINGO 7 DE AGOSTO
A LAS 13 HORAS
CEREMONIA DE INAUGURACIÓN DE
LA RESIDENCIA SANQUITA
AVENIDA ULISES, 749
NUEVA CASA DE ACOGIDA EN CHICAGO PARA
MUJERES CON HIJOS

Cierro la puerta al salir y corro hacia el coche, donde aguardan mis tesoros: los amores de mi vida, *arrebatadores y por los que moriría*, mi marido y nuestra hijita.

AGRADECIMIENTOS

Nunca la palabra «gracias» ha sido tan insuficiente. Pero hasta que alguien acuñe una expresión mejor, tendrá que bastar este simple tópico.

Gracias a mi extraordinaria agente, Jenny Bent, por arriesgarse con una escritora desconocida del Medio Oeste y hacer realidad sus sueños. Mi enhorabuena a Nicole Steen por ocuparse de la parte comercial de las cosas. Muchísimas gracias a Carrie Hannigan y Andrea Barzvi, quienes también creyeron en *Al encuentro de la vida*. Mi inmensa gratitud a Brandy Rivers de The Gersh Agency, junto con un montón de agentes del derecho de la propiedad intelectual extranjera y editores, por llevar esta novela a lugares que nunca imaginé.

Mi más profundo agradecimiento y admiración a mi fantástica editora, Shauna Summers, su eficientísima ayudante, Sarah Murphy, y a todo el equipo del Grupo Editorial Random House. Su pericia sólo ha sido superada por su bondad.

Un agradecimiento especial a mi primera lectora, mi querida madre, que tras leer el libro me dejó un mensaje de voz tan entusiasta que me negué a eliminarlo en seis meses. Mi agradecimiento eterno a mi padre, cuyo orgullo inquebrantable y fe inalterable me dieron el valor para perseverar. A una de mis primeras lectoras y la más ávida, mi tía Jackie Moyer, por sus atinados comentarios y consejos.

Friedrich Nietzsche dijo en cierta ocasión: «Un buen escritor no cuenta únicamente con su propio espíritu, sino también con el espíritu de sus amigos». Este libro encarna el espíritu de mis amigos, y estoy especialmente agradecida a aquellos que se ofrecieron a leer mi manuscrito mucho antes de ser «escritora». Quiero dar las gracias a mi maravillosa amiga y también escritora Amy Bailey-Olle, quien siempre supo la palabra o frase exacta para mejorar la historia. A mis fabulosas amigas Sherri Bryans Baker y Cindy Weatherby Tousignaut, por hacerme sentir que este libro realmente llegaría a alguna parte. A mi querida amiga y autora de formidable talento Kelly O'Connor McNees, por sus generosos comentarios, orientación e inspiración a lo largo de este maravilloso viaje. A la especialísima Pat Coscia, cuyo entusiasmo fue inigualable. A Lee Vernasco, a sus noventa y dos mi lectora más anciana, y la más vital. ¡Menuda inspiración eres! A la adorable Nancy Schertzing, por ofrecerme a sus inteligentes y hermosas hijas como lectoras. Claire y Catherine, vuestras notas editoriales han sido algunas de las mejores que he recibido. Gracias.

Un agradecimiento público a las chicas del Salon Meridian: Joni, Carleana y Megan en especial, por distribuir el manuscrito y hacerme sentir como una escritora. A Michelle Burnett, por decirle a Bill que tenía que irse a casa corriendo al salir del trabajo para continuar leyendo mi historia. ¡Eso me encanta! A la magnífica Erin Brown, cuyo servicio editorial fue la mejor inversión que hice nunca. A las extraordinarias profesoras de redacción que hay en mi vida, Linda Peckham y Dennis Hinrichsen, sin las cuales no habría novela. Gracias a mi grupo de escritores, Lee Reeves y Steve Rall, cuyo talento excede con mucho al mío. Y un guiño al cielo para nuestro difunto miembro Ed Noonan, quien habría disfrutado de este momento. Gracias especialmente a Maureen Dillon y Kathy Marble, quienes con paciencia me enseñaron a cuidar de un prematuro y la vida en la unidad de cuidados intensivos neonatales.

Ofrezco mi más profunda gratitud a mi maravilloso marido Bill. Tu orgullo, amor y apoyo me alegran el corazón. Este viaje no significaría nada sin ti.

Mi humilde agradecimiento a los dioses y diosas, ángeles y santos por atender mis plegarias, y a todas y cada una de las personas que han mostrado algún interés en mi obra. Os enumeraría, pero me temo que me dejaría a alguien. Sabéis quiénes sois, y os quiero por ello. Y te doy las gracias, mi querido lector, por permitirme entrar en tu vida, sea durante un día o una semana o un mes. Es un honor para mí compartir mis palabras y mi mundo contigo.

Finalmente, este libro pertenece a cada niña y mujer que ve la palabra «sueño» y piensa en términos de verbo no de sustantivo.